JN123529

京都大学アフリカ研究シリーズ 018

カーボ・ヴェルデのクレオール

－歌謡モルナの変遷と

クレオール・アイデンティティの形成－

青木 敬

Creoleness of Cabo Verde
The Transition of *Morna* and the Formation of a Creole Identity

Kay Aoki

Dedication

Je dédie ce livre à mon très cher père Saburo et à ma très chère mère Vivian.
Dedico con tutto il mio cuore questo libro a te Orsola, mio amore.
Dedico este livro às minhas memórias de saudade e sodade...

謝辞

　本書の刊行は，京都大学アフリカ地域研究資料センター・アフリカ研究出版助成（平成 28 年度総長裁量経費：若手研究者に係る出版助成事業）により，また，文部科学省特別経費プロジェクト分（高度な専門職業人の要請や専門教育機能の充実）「変貌するアジア・アフリカで活躍するグローバル人材育成——国際臨地教育プログラムの開発と実践」（京都大学）の助成により実現した．

　学位論文をまとめるにあたって，京都大学大学院アジア・アフリカ地域研究研究科教授の梶茂樹博士，同准教授の高田明博士，同准教授大山修一博士ほか，多くの方からのご指導を頂いたことに心より感謝申しあげます．現地調査の際にもちいたビデオカメラやレコーダーなどの映像機器をお貸し下さった関西学院大学総合政策学部教授の山中速人博士，現地調査が円滑に進むために多くのカーボ・ヴェルデ音楽家の友人を紹介して下さった歌手の松田美緒氏，学位論文を作成し終えるまでの長期間，家族や友人，大学教授として，そして父親として，これまでの研究活動を支えて下さった青木三郎博士，母の Vivian Nobes，生活の支えであった Orsola Battaggia，学位論文の添削に時間を割いて頂いた角田さら麻氏，辻弘行氏，三島庸平氏，モルナ歌詞の内容理解の手助けをして下さった Leisa Moreno 氏，そして修士課程から博士課程までの 5 年間，アカデミックな活動（ニューカレドニアおよび東ティモールでの現地調査，龍谷大学とコインブラ大学間でのビデオ会議など）に参加させて頂き，私生活においても実に多くの助言を下さった龍谷大学教授の菊池隆之助博士には，多くの支えを受けましたこと，深く感謝申しあげます．

　最後に，カーボ・ヴェルデで協力して頂いたすべての人（とくにカヴァキーニョの師匠である Bau (Rufino Almeida)氏，良き友人であった Lúcio Vieira 氏，Jairson Monteiro 氏，Antão Miguel 氏，Sany Daniel 氏，Livramento 氏一家）に敬意の意を表すとともに，厚くお礼申しあげます．

目次

図一覧

表一覧

写真一覧

序論

1．フィールドの「発見」

　何とも生温い風が私の頬を触れ，力強い日光を浴びせられる．西アフリカの島嶼部に浮かぶカーボ・ヴェルデ諸島 (*Arquipélago de Cabo Verde*) サン・ヴィセンテ島 (*Ilha de São Vicente*) のセザリア・エヴォラ国際空港から足を外に踏み出してそれを感じた．自動車を海岸沿いに走らせ 20 分もしない内に，市街地に着く．先ほどまで生温かった風が，サン・ヴィセンテ島の都市ミンデーロ (*Mindelo*) に郷愁の香りを漂わせている．ミンデーロの港から海を眺めていると標高 490 メートルのカーラ山 (*Monte Cara*) が視界に入る（写真 1）．カーラ山（ポルトガル語で「顔の山」の意）は，何百年もの間カーボ・ヴェルデの人びとを見守ってきた山である．

　私は 1 日かけてミンデーロの町を散策した．サン・ヴィセンテ島に住む人びとは音楽を愛し，その音色からはポルトガルとブラジル，そして西アフリカの情景を想起させる．ジェンベのリズムが響けば，ヴァイオリンの「洗練された」緩やかな音が聴こえてくる．ギターとカヴァキーニョ (*cavaquinho*) の弦楽器をつま弾き，人びとは熱狂的な夜を踊って過ごす．サン・ヴィセンテ島の都市ミンデーロは凄惨な歴史を歩み，今もその複雑な想いを哀愁漂う風に揺られながら音楽に乗せている．

　初めてカーボ・ヴェルデ出身の人に出逢ったのは，ポルトガル語圏からの留学生が多い，ポルトガルのコインブラ (*Coimbra*) という町だった．コインブラは 13 世紀中葉までポルトガル王国の首都として栄えた町であり，同時代に創立されたコインブラ大学はヨーロッパ最古の大学のひとつとして世界的に有名である．2008 年，1 年間の留学生活を送っていたある日，コインブラ大学の学生が集う酒場で突然ポルトガル語に似た言語を話していた人たちに出逢った．彼らはスピーカーでポルトガルを代表する音楽ジャンル，歌謡ファド (*fado*) に似ている音楽を流し，次のように語った．「僕らは今，カーボ・ヴェルデのクレオール語を話していて，ポルトガル語は話していない．そしてこのスピーカーから流れている音楽は『ファド』ではなく，『セルナ』だ」．初めてカーボ・ヴェルデのクレオール語を聞き，初めてその言語で歌われる音楽を聴いた．この日を境に「クレオール語」と呼ばれる言語とその音楽に興味を抱いた．

　ポルトガルは歌謡音楽ファド（運命の意）の地として有名である．現在のポルトガルの首都リスボンとは異なる，特有のファドが存在するコインブラでは，男子学

写真 1. 調査地ミンデーロの港から撮影したカーラ山[1].
（撮影地：サン・ヴィセンテ島，撮影年：2013 年，撮影者：青木敬）

生がカーパ (*capa*[2]) と呼ばれる黒いマントを羽織り，愛をテーマにセレナータ (*serenata*) を歌う．リスボンのファドは愛のほかにも日常で感じる哀愁と郷愁，人生について歌う．

　いずれのファドにも，ポルトガル語で「郷愁」を意味する *saudade* （サウダーデ）という語が頻繁に表現されている．この単語は，大航海時代に大西洋を航海し，遥か彼方の地を目指したポルトガル人男性の心情にもあらわれていたかもしれない．その遥か彼方の地のひとつにカーボ・ヴェルデがある．大航海時代とはヨーロッパによる植民地支配期の幕開けでもあり，交易や貿易，植民地支配を先導していたポルトガルは，15 世紀中葉に無人であったカーボ・ヴェルデ諸島に入植した[3]．ポルトガル人航海士は郷愁の想い *saudade* とともに海を渡った．彼らが持っていた *saudade* の想いはカーボ・ヴェルデ諸島に根づくことになった．その *saudade* は，一方ではリスボンの町に溶け込みコインブラ大学の学生によって語られ，もう一方

---

[1] 雲の下部に見られる山の形状が人の横顔に見えることから *Monte Cara* （顔の山）と呼ばれている．

[2] 日本語の「カッパ」はポルトガル語由来である．

[3] 第 2 章の「カーボ・ヴェルデの入植」で論じるように，カーボ・ヴェルデはマゼランやコロンブスなど数多くの航海士が飲食料を補給するために立ち寄った重要な供給地・補給地であった．

ではカーボ・ヴェルデに連行された西アフリカ出身の奴隷によって歌謡モルナをつうじて表現された.

　私は saudade をコインブラとリスボンに住んでいた頃に知り，ポルトガルを離れてからようやくその心情を経験的に理解するに至った．あの酒場にいたカーボ・ヴェルデ人との出逢い，そして彼らが聴いていた哀愁深い「モルナ」と呼ばれる音楽に対して感じた saudade の心情を日本に持ち帰ったのである.

　カーボ・ヴェルデの言語は，カーボ・ヴェルデ語 (caboverdiano, cabo-verdiano)，またはカーボ・ヴェルデ・クレオール語 (crioulo de Cabo Verde)，クレオール語 (kriol) と呼ばれ，ポルトガル語と西アフリカで話される多くの「土着の」言語が混ざり合ったことで誕生した言語である．したがって，上述したカーボ・ヴェルデ人が言及するようにポルトガル語ではない．また，彼ら自身「クレオール」という呼称をもちいており，彼らは多人種間における混淆が進展するにつれて形成された．言語にしても人種にしても，異種混淆をしたことによって生成されている．このことは私自身に類似している点がある．私は日本出身のイギリス人と日本人の両親の間に生まれた「ハーフ」（または「ダブル」）であり，家庭内の共通語としてフランス語を話す．ヨーロッパ人であると同時に日本人（クレオール現象の背景に照らし合わせて考えれば日本を「土着」として考えることができる）であり，フランス語を共通言語としてもちいる状況は，クレオールの人びとの形成過程（第 2 章を参照）とカーボ・ヴェルデの人びとが話すクレオール言語の形成過程（第 2 章を参照）につうずるところが幾分かあるように感じる.

　このようなカーボ・ヴェルデの「クレオール」との出逢い，そして私の生まれ育った環境は類似するところがあり，私はカーボ・ヴェルデ研究ないしクレオール研究の意義について考えをめぐらせた．つまり「クレオール」を理解することは，人類史において繰り返しおこなわれてきた混淆の実態，そして混淆現象によって生じる問題（人種問題，アイデンティティ問題など）の理解につながる可能性がある．そのために，最初のクレオールと呼ばれた地域として知られるカーボ・ヴェルデを研究対象と定め，歌謡モルナとカーボ・ヴェルデの島民の関係性について追究する必要性を痛切に感じた．とりわけ，コインブラでの留学経験をつうじて理解した saudade に関心を抱き，環大西洋奴隷貿易において多大な役割を演じたカーボ・ヴェルデにおいて，このポルトガル特有の心情 saudade が島民にどのように伝わり，彼らの音楽文化では何を意味し，なぜ現在において顕著に存在し続けているのかといった問いを明らかにしたく，カーボ・ヴェルデ研究，中でも歌謡モルナ研究に専念することにした．日本ではおろか，欧米諸国においても，カーボ・ヴェルデの文化研究はここ数十年ほどの歴史しかない．1960 年代には，とりわけクレオール語研究が流行し，カーボ・ヴェルデのクレオール語も例外なく言語研究の風潮が広まった．日本でポルトガル語圏のクレオール語を研究している研究者は市之瀬教授に

限られる．そしてポルトガル語圏のクレオール文化研究者にかんしては未だに知らない．

　このような背景から，現地調査を実施するためにカーボ・ヴェルデの文化都市ミンデーロ（サン・ヴィセンテ島）へ赴いた．一日あれば島を一周できるほどの小島であるが，ミンデーロの音楽文化は実に奥深い．日が沈んでから翌朝の日が照るまで音楽が演奏されるミンデーロでは，コラデイラ (coladeira) という北部の伝統音楽を聴き，グローグ (grogue) と呼ばれるラム酒を飲み熱狂的に踊る．その反面，モルナのような哀愁漂う音楽は，月光が照らす細波の傍で流れる．しかし，それは決して島民を悲しませる音楽ではなく，沈黙した心を持たせつつも，身体的に哀感を込めて熱狂を感じさせる．島民は，このような郷愁と熱狂が入り混じる複雑な感情を sodade（ソダーデ）という語であらわす．sodade とは，第4章で詳述するように，ポルトガル語の saudade から派生した単語である．しかし，ミンデーロで調査をするなかで，ポルトガル人とは異なる意味で sodade がもちいられていることに気づいた．そこで，ポルトガルとカーボ・ヴェルデにみられるこれらの特有の表現は，なぜ，どのように異なるのか調べようと思い立った．そのためには，ポルトガルの歌謡ファドとカーボ・ヴェルデの歌謡モルナを比較検討する方法が思い浮かんだものの，ポルトガル留学中にはファドの調査をしていなかった．そのため，まずはカーボ・ヴェルデのモルナの実態がいかなるものか，このことを追究することが研究の出発点となった．

２．カーボ・ヴェルデの島々

　カーボ・ヴェルデにはふたつの呼び名がある．ひとつは，カーボ・ヴェルデ共和国 (República de Cabo Verde) であり，もうひとつはカーボ・ヴェルデ諸島である．本研究で「カーボ・ヴェルデ諸島」という語をもちいる場合には地理的な意味を含み，「カーボ・ヴェルデ共和国」と表現する場合は政治的文脈と関係している．また，特別に意味を限定しない場合には，これらを総じて「カーボ・ヴェルデ」とあらわす．

　なお，カーボ・ヴェルデを概説するにあたり，各島の特徴については, Quint (1997) *Les Îles du Cap-Vert Aujourd'hui* と Victória (2007/2008) *Geologia de Cabo Verde* を援用し，それ以外の議論にかんしては，著者の修士論文（青木 2013）を主な拠りどころとする．

　カーボ・ヴェルデ (Cabo Verde) は「緑の岬」（「カーボ」＝岬，「ヴェルデ」＝緑）を意味する．しかし，その名前とは裏腹に，ポルトガルの支配下にあった初期のカーボ・ヴェルデは不毛の地であったため，当時計画されていたプランテーションは失敗に終わり，その後も干ばつや飢饉などの環境問題が非常に深刻であった．カー

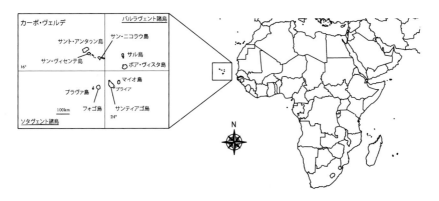

図 1. カーボ・ヴェルデの地図[4].

ボ・ヴェルデには緑が非常に少ない．カーボ・ヴェルデの名称とは，セネガル領内にある常緑樹林が茂る「ヴェルデ岬」から由来している．

カーボ・ヴェルデは 4,033km^2 ほどの面積を有し，ヴェルデ岬から西へ約 500 km 離れた場所（北緯 14 度 55 分，西経 23 度 31 分[5]）に位置する人口 520,500 人（2015 年時点[6]）の共和制の国である．

カーボ・ヴェルデは大小 15 の島（9 つの有人島と 6 つの無人島）で構成され，それらの島は南北に分けられている．南は「ソタヴェント」(Sotavento)（ポルトガル語で北東貿易風の「風下」の意），北は「バルラヴェント」(Barlavento)（「風上」の意）と呼ばれており，それぞれの地理的グループは島群（ソタヴェント諸島・バルラヴェント諸島）として区分されている．

ソタヴェント諸島には 4 つの有人島，すなわちサンティアゴ島 (Santiago)，フォゴ島 (Fogo)，ブラヴァ島 (Brava)，マイオ島 (Maio) と 3 つの無人島（ロンボ島 (Lombo)，グランデ島 (Grande)，シーマ島 (Cima)）[7] がある．そしてバルラヴェント諸島には 5 つの島，すなわちサン・ヴィセンテ島，サント・アンタゥン島 (Santo Antão)，サン・ニコラウ島 (São Nicolau)，ボア・ヴィスタ島 (Boa Vista)，サル島 (Sal) と 3 つの無人島（ラゾ島 (Raso)，サンタ・ルズィア島 (Santa Lusia)，ブランコ島 (Branco) がある（図1）．Garcia et al. (2010) の地形図によれば，バルラヴェント諸島はさらに細かく区分することができる．すなわち北西部に位置するサン・ヴィセ

[4] 地図には有人島のみを表記する．
[5] http://24timezones.com/ja_jikantai/praia_jikan.php から引用（アクセス日：2015 年 11 月 30 日）．
[6] The World Bank (2017) から引用（アクセス日：2017 年 2 月 16 日）．
[7] ほかの小島は名称がない．

ンテ島，サント・アンタゥン島，サン・ニコラウ島の 3 島と北東部に位置するボア・ヴィスタ島およびサル島の 2 島である（p. 19, 図 5）.

　カーボ・ヴェルデの気候は一定であり，年間をつうじて平均 22℃から 30℃である．また，雨季（概略 8 月から 10 月までの間）があるものの，年降水量は 150 ～ 300mm であるために農業の生産性が低い.

　これらの基礎的情報を踏まえたうえで，カーボ・ヴェルデの各島の概要について，これまでに取り上げた島の順にそれぞれの特徴を一瞥する.

サンティアゴ島

　もっとも面積が大きいサンティアゴ島には，カーボ・ヴェルデの首都プライア (*Praia*) がある．プライアはカーボ・ヴェルデの人口の 4 分の 1 を占め，約 80,000 人から 100,000 人が居住している．プライアにある古い地区として知られるプラト (*Platô*) は，支配者であったポルトガル人が 1460 年に植民を開始した場所である（写真 2）．サンティアゴ島民は自らに対してバディウ (*Badiu*) という呼称をもちいる．この単語は，ポルトガル語の *vadio*（遍歴する，放浪する）に由来している．そのサンティアゴ島民の主な農業はトウモロコシとインゲンマメである．サンティアゴ島をはじめ，カーボ・ヴェルデの人びとは，多大なヨーロッパの影響を受けている．もっとも人口が多いサンティアゴ島民の 90％がカトリック信者であり，中心地から離れた農村部にかんしては 100％がカトリック教徒である (Quint 1997: 97)．カトリックの影響は祝祭日にかんしてもみられる．たとえば 2, 3 月にサン・

写真 2. プラトにある広場.
（撮影地：サンティアゴ島，撮影年：2012 年，撮影者：青木敬）

写真 3. 露店でクスクスを売る女性.
（撮影地：サンティアゴ島，撮影年：2013 年，撮影者：青木敬）

ヴィセンテ島とサン・ニコラウ島でおこなわれるカーニバル，カトリック殉教者と
聖人[8] を祝う「諸聖人の日」(*Dias de Todos os Santos*)，また，主にサンティアゴ島
では「灰の水曜日」（聖灰）(*Sinsa*) があり，サトウキビのシロップをかけたトウモ
ロコシのクスクスが伝統的なデザートとして食される（写真 3）．

フォゴ島

　フォゴ島の「フォゴ」はポルトガル語で「炎」を意味し，名前のとおり広大な火
山によってできた黒溶岩の塊で形成された島であり，100 年間に 2，3 度は噴火す
るカーボ・ヴェルデ唯一の活火山である（写真 4）．フォゴ島民は奴隷よりも，むし
ろ白人による影響がみられ，サンティアゴと比較すると人びとの皮膚の色がより明
るい．

　カーボ・ヴェルデでは，中心地に赴くと調和のとれた鮮やかな建築が目立ち，非
常に珍しい．フォゴ島の特徴（奴隷制時代のカーボ・ヴェルデでは，主人が 2 階に
住み奴隷と家畜はともに 1 階で生活していた）が現れている．

---

[8] 北西部のサン・ヴィセンテ島，サント・アンタゥン島，サン・ニコラウ島，そし
て南部のサンティアゴ島は聖人の名がつけられている．

写真 4. フォゴ島のピコ山.
（出典：Lièvre 1999）

　フォゴ島ではブドウの栽培がおこなわれ，カーボ・ヴェルデでワインが生産されている唯一の島である．ワイン以外ではサント・アンタゥン島のようにコーヒーの栽培が盛んである．ワインが生産されていることやフォゴ島民の肌色がよりヨーロッパ人に近いことは，ヨーロッパ人による植民の影響を挙げることができ，これはアフリカ大陸から多大な影響を受けているソタヴェント諸島では非常に珍しい.

ブラヴァ島

　フォゴ島から西へ 30 km ほどの距離に位置するカーボ・ヴェルデ最南西の島がブラヴァ島である．ブラヴァ島は 1680 年まで無人島であったが，フォゴ島で火山噴火が起きたことによって大多数のフォゴ島民が緊急的に近隣のブラヴァ島へ集団移住をすることとなり，ブラヴァ島民が誕生した.

　カーボ・ヴェルデは歴史的にアメリカ合衆国と深い関係を築いてきたが，とりわけブラヴァ島はアメリカ合衆国との接点が多い．その背景には，アメリカ合衆国，とりわけボストンへ移住した島民が多く，ブラヴァ島へ輸入されたアメリカ製品も多いということがある．また，Quint (1997: 124) によれば，「アメリカ合衆国へ緊急移住した人の子孫，つまり，アメリカ合衆国で生まれた 2 世はアメリカ人と同じように育てられるが，（母語として）クレオール語を話す」と言う．カーボ・ヴェル

写真 5. 1900 年にブラヴァ島からアメリカ合衆国へ移住したときの Tavares[9].
（出典：http://www.eugeniotavares.org/，アクセス日：2017 年 2 月 16 日）

デの人びとにとって移住することは，ほかの国の人びとと同じように経済的な意味を持っている．事実，ブラヴァ島民も移住者の財力によって経済が成り立っている．

　フォゴ島で概観したように，そのような移住の関係によってブラヴァ島民の多くはヨーロッパ系であり，本研究で取り上げる詩人 Eugénio Tavares の容姿はその良い例である（写真 5）．

　ほかの島々と同様にブラヴァ島も漁業が盛んであり，ヤギからチーズや牛乳を作り，トウモロコシとインゲンマメが主要作物である．

マイオ島

　「5 月」に発見されたマイオ島（「5 月の島」）はサンティアゴ島の東に位置する人口 5,000 人ほどの小さな島である．マイオ島民はサンティアゴ島民同様，褐色肌であり，カーボ・ヴェルデにおいて人口が少ない島のひとつである．マイオ島はソタヴェント諸島の中では唯一山岳地域に属さず，平地で砂浜が遠々と続いている乾燥地帯である（写真 6）．雨は年間をつうじて 1, 2 回しか降らない．そのため，畑は多少あったとしても作物を栽培することは困難であり，多くの場合は漁業や，ヤ

---

[9] この写真は，Tavares の家族によって立ち上げられたオフィシャルサイトから引用したものである．

写真 6. マイオ島のピラゥン・カゥン村.
（出典：Lièvre 1999）

ギのミルク，チーズを生産することで生計を立てているが，国外に移住した家族に
よる送金に頼っているのが現状である．井戸水が枯渇するといった厳しい環境にあ
るため，地理的に近いサンティアゴ島と商業などさまざまな関係を深めている.
　次に北部バルラヴェント諸島を概観する．上記したように，カーボ・ヴェルデは
北部（バルラヴェント諸島）と南部（ソタヴェント諸島）に区分されており，バル
ラヴェント諸島の場合，地理的特徴によってさらに西と東に区分することができる.
西部に属しているサン・ヴィセンテ島，サント・アンタゥン島，サン・ニコラゥ島
は山岳地帯であり，岩石が目立つ．本研究での調査地は西部に位置する 3 島であ
る．東部にはボア・ヴィスタ島，サル島の 2 島があり，平地で砂質が特徴である.

サン・ヴィセンテ島

サン・ヴィンセンテ島は面積が 227km² と広くはないが，人口は 40,000 人を有し，
そのうち 90％の人びとが主要都市ミンデーロに集中している．サン・ヴィセンテ
島には全部で 5 つの地区がある．すなわち，ポルト・グランデ港があるミンデー
ロ，国際音楽フェスティバルが開催されるバイーア・ダス・ガータス (Baía das
Gatas)，空港が置かれているサン・ペドロ (São Pedro)，そしてカリャゥ (Calhau),
サラマンサ (Salamansa) である（図 2）．ミンデーロはカーボ・ヴェルデの文化都
市であり，独立運動に多大な影響をもたらした Amílcar Cabral の通った Gil Eanes

11

（ジル・エアネス）高等学校からは多くの文芸運動に携わった人たちが輩出した．学校は知識人や文芸活動の誕生には必要不可欠であった．

写真 7. **Baltasar Lopes da Silva** の銅像.
（撮影地：サン・ニコラウ島，撮影年：2014 年，撮影者：青木敬）

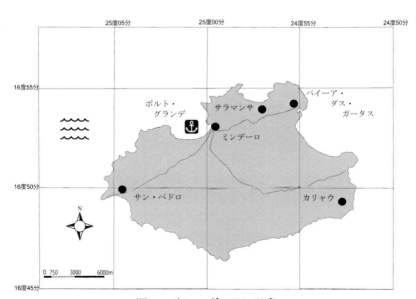

図 2. サン・ヴィセンテ島.
（Garcia et al. 2010 を基に作成）

　これについて小川は，文芸と環境問題について，Cabral を含めたカーボ・ヴェルデの多くの知識人は島全体の抱える問題（言語問題，干ばつ問題，貧困問題など）について文芸誌 *Claridade*（クラリダーデ）を利用し，議論したことを説明しており（小川 2010: 274），Cabral の通っていた *Gil Eanes* の先輩にあたるカーボ・ヴェルデの作家 Baltasar Lopes da Silva（写真 7）はクラリダーデ誌で小説 *Chiquinho*（シキーニョ）[10] を発表した（小川 2010）.

　このようにサン・ヴィセンテ島はカーボ・ヴェルデの文芸運動が誕生した町であり，カーボ・ヴェルデ文化を取り上げる際に非常に重要な場所である.
また，カーボ・ヴェルデにおいて唯一の外洋船停泊地であり，19 世紀から 20 世紀初頭まで港が重要な場所となり，ポルトガル以外にも，ヨーロッパ諸国との接触が非常に強かったことが契機となり，経済成長を遂げた.

サント・アンタゥン島

　サント・アンタゥン島はカーボ・ヴェルデの中で面積が 2 番目に大きく，面積が 779km²，島民の人口は 45,000 人であるが，その主要都市リベイラ・グランデ（*Ribeira Grande*）には 1,000 人から 2,000 人ほどしか住人がいない．ほかの地区は，港町ポルト・ノーヴォ（*Porto Novo*），非常に緑が美しいことで有名なパウル（*Paúl*）がある（図 3）．東部は山岳地方であるがゆえに住人はいない.

　サント・アンタゥン島の北部と北東部は起伏のある山が多く，実に長い小川や，のどかな渓谷があり，カーボ・ヴェルデでは珍しい．北東部には標高 1,584m のピコ・ダ・クルス（*Pico da Cruz*），そこから西へコーヴァ（*Cova*），セラーダ・デ・タラフェ（*Selada de Tarrafe*），ラゴイーニャ（*Lagoinha*），そしてシャン・デ・ラゴーア（*Chã de Lagoa*）が連なり，いずれも標高 1,200m から 1,811m までの高さがある．また，グローグと呼ばれる蒸留酒やコーヒーそしてバナナを栽培し，植物が茂っているために干ばつや飢饉などの深刻な環境問題に直面してきたカーボ・ヴェルデでは貴重な場所とされている.
外国の影響を受けている要素は，サント・アンタゥン島のクレオール語（フランス語の発音に類似している）や音楽的側面（ヨーロッパで流行していたマズルカやポルカが存在する）にあらわれており（写真 8），フランスの影響が強い．事実，観光客の多くはフランス人である.

---

[10] 干ばつについて描かれた作品である.

13

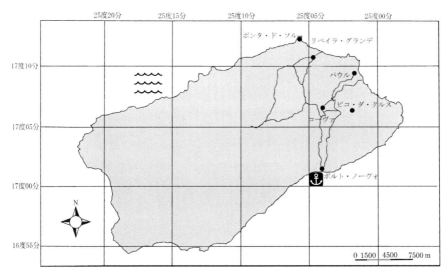

図 3. サント・アンタゥン島.
（Garcia et al. 2010 を基に作成）

写真 8. 喫茶店で演奏する市民.
（撮影地：サント・アンタゥン島，撮影年：2013 年，撮影者：青木敬）

サン・ニコラウ島

　サン・ニコラウ島は面積が 326km² で人口が 12,000 人である．主要な都市は山に囲まれたリベイラ・ブラヴァ (*Ribreira Brava*, 写真 9) と港町であるタラファウ (*Tarrafal*) である（図4）．もっとも高い山はモンテ・ゴルド (*Monte Gordo*) で標高 1,312m である．緑が溢れるサン・ニコラウ島はカーボ・ヴェルデの四大農業地のひとつである．バルラヴェント諸島の地域で穀物生産が際立つ．「緑が極めて目立つファジャン (*Fajã*) という町はカーボ・ヴェルデの自然，「緑の肺」と呼ばれている」 (Quint 1997: 131)．バナナやキャッサバ（イモ類）を栽培し，木々は美しい型を維持している．

　サン・ニコラウ島はサント・アンタゥン島同様，現在，蒸留酒グローグの生産地としてもっとも有名である．また，サン・ニコラウ島にはサン・ヴィセンテ島のようにブラジルから取り入れたカーニバルの文化もあり，主要都市リベイラ・ブラヴァでは，毎年観光客が絶えず訪れ，経済面においても重要な祭事であると言える．

　また，歌手 Cesária Évora（セザリア・エヴォラ）が歌うもっとも有名なモルナ，『*Sodade*』の作詞家の出身地でもある．

写真 9. リベイラ・ブラヴァ.
（撮影地：サン・ニコラウ島，撮影年：2014 年，撮影者：青木敬）

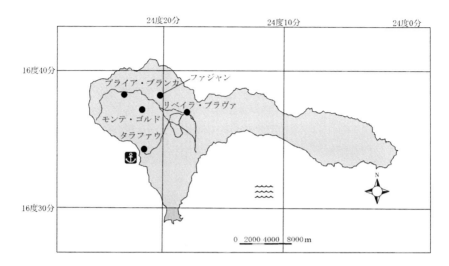

図 4. サン・ニコラウ島.

(Garcia et al. 2010 を基に作成)

ボア・ヴィスタ島

「絶景」を意味するボア・ヴィスタ島の人口は 3,500 人であり，カーボ・ヴェルデ
でもっとも住民が少ない島である．ボア・ヴィスタ島はバルラヴェント諸島に属し
ているが，島民の多くは比較的皮膚が黒く，その理由は歴史的にアフリカの影響が
とりわけ強いサンティアゴ島民の黒人奴隷や白人と黒人の間に生まれた混血の人
びとが 16 世紀に移住したためである．

　物価はカーボ・ヴェルデでもっとも高く，国外へ移住する家族による経済力で支
えられている．農業はほかの島々と同様に，ヤギのチーズの生産，漁業（とりわけ
ロブスター漁）が盛んである．また，サル島とボア・ヴィスタ島は，砂浜が美しい
ことから非常に観光客が多い（写真 10）．ボア・ヴィスタ島にかんしては飲食業を
営むイタリア人が大勢おり，イタリアからカーボ・ヴェルデへ移り住む者も多数い
る．

サル島

　サル島は上記したようにカーボ・ヴェルデの観光地であり，とりわけ真っ白な
砂浜を好む観光客で賑わっている．サル島の経済は観光客に必要なホテルや飲食
業などのサービス業で成り立っている．島の名前（ポルトガル語で「塩」を意味
する）が示しているようにサル島では塩が生産されていることが特徴的である．

　19 世紀に北西部に位置するサン・ニコラウ島から多くの島民が製塩工場（写真 11）で働くために移住してきたことにより，サル島は塩を生産することに成功した．したがって観光業と塩の生産がサル島の経済を支えていると言える．

写真 10. ボア・ヴィスタ島の砂浜.
（出典：Lièvre 1999）

写真 11. サル島の製塩工場.
（出典：Lièvre 1999）

　以上，バルラヴェント諸島とソタヴェント諸島の島々を概観した．カーボ・ヴェルデを代表する地域は，「島」ではなく，むしろ「都市」であり，それはとりわけミンデーロとプライアである．ミンデーロはカーボ・ヴェルデの中でも，とりわけ多様な言語文化の影響を受け，15 世紀から多くのヨーロッパ人（現在で言えばイギリス人，フランス人，イタリア人，オランダ人，スペイン人などである）が商業を目的として陸上した．このようにさまざまなヨーロッパ文化，南米文化，黒人文化が混淆されたミンデーロは，カーボ・ヴェルデの文化都市（芸術や音楽，舞踊，祭事など）として栄えており，それとは対になるように，サンティアゴ島には，テレビやラジオなどのメディアや政治といった国家単位での変動力を持つ首都プライアがある．このような相違性があり，度々比較されるために，ミンデーロとプライアには南北対抗精神が存在するほどである．

　したがって，バルラヴェント諸島の主要都市はミンデーロであり，ソタヴェント諸島の最大の都市はプライアである．換言すれば，現在，カーボ・ヴェルデ内における人の移動は，ソタヴェント諸島の島民であればプライアに集中し，バルラヴェント諸島に住居する島民は就労を求めにミンデーロへ移住している．

　カーボ・ヴェルデ内における人の移動のみならず，国外移住もまた盛んであることを忘れてはならない．ここまで概観した 9 つの島から，外国への移住者が経済に大きく関係している．海外移住者の人数は 2008 年の公式統計によれば，「アメリカ合衆国に約 50 万人，サントメ・プリンシペに約 20 万人，アンゴラに約 8 万 5000 人，ポルトガルに約 8 万人」（小川 2010: 279）である．アメリカ合衆国へ移住するカーボ・ヴェルデ人の場合，カーボ・ヴェルデで活動している捕鯨船に雇われ，そのままアメリカ合衆国に定住するケースが報告されており，歴史上重要な役割を果たしている．「これらの海外移住者からの送金額は GDP の約 20％にも及ぶ」（小川 2010: 279）が，それでも経済は移住者による送金だけに頼ることはできず，観光業と商業に依拠している．それらを成功へと導いている国々がアメリカ合衆国以外にフランス，ポルトガルなどのヨーロッパ諸国であるため，より一層ヨーロッパ諸国との関係が重要視されてきており，実際にヨーロッパ色が濃くなっている．

　本研究では，度々「移住」における問題が議論の的になるが，「移住」や干ばつなどの自然環境の変化は，カーボ・ヴェルデ研究において欠くことができない（表 1）．それは，文学作品のテーマでもあり，第 4 章で論じるように音楽の歌詞にも色濃く反映されている．

　以上，カーボ・ヴェルデの主な特徴を述べてきた．世界地図を一瞥すると，カーボ・ヴェルデは，大西洋の中でも重要な位置を占めていることがわかる．すなわちヨーロッパと南北アメリカ大陸，そしてアフリカの中間に位置している．カーボ・ヴェルデは 15 世紀にポルトガル人によって発見されたが，不毛の地であったことから当時のヨーロッパが計画していたプランテーションは叶わず，カーボ・ヴェ

ルデの土地自体には，需要がなかった．その結果，カーボ・ヴェルデはアフリカから連行され黒人奴隷を中南米やヨーロッパへ売買するための供給地という役割を果たしていた．

　アフリカから連行された奴隷はサンティアゴ島へ送られ，フォゴ島はよりヨーロッパ人が居住していた．そしてこれらの2島において人口が増えた後，テリトリーの拡大を目指してほかの島々へとヨーロッパ人と奴隷は移入していった．したがって，上で概観したとおり，カーボ・ヴェルデの島々にはそれぞれの島嶼性，あるいは地域性が存在し，したがって上記の地理的グループは独自の言語・文化的特徴を持つ．つまり，人種，言語[11]，文化，祭事，風土などが島ごとによって異なる．現在，ソタヴェント諸島とバルラヴェント諸島は政治的にも，また，教育事情も異なっている．

　しかし，これらの特徴を簡潔にみただけでもわかるとおり，政治的に区分されているにせよ，人種や言語的特徴によって区分することには気をつけなければならない．たとえば，ソタヴェント諸島は早期に奴隷が連れてこられた島であるから黒人文化が強いと言われ，確かに西アフリカの人びとによる言語文化などの名残がみられる．とはいえ，奴隷に命令を下していた支配者，すなわちヨーロッパ人も同時にいたわけであり，共生していたことを考えると，ヨーロッパ人による言語文化的影響があることもまた事実である．それは，上で概説したようにフォゴ島やブラヴァ島のケースである．

　つまり，何を議論するかによってグループの区分が異なるという基本的な考え方に立ち返って再考するべきである．バルラヴェント諸島とソタヴェント諸島を全く別のものとしてみてしまうことは，カーボ・ヴェルデの「クレオール性」や多様性を否定することになる．

　以下，さまざまな角度からカーボ・ヴェルデを地理的に区分するための可能性を簡潔に示す．図1はカーボ・ヴェルデをバルラヴェント諸島，ソタヴェント諸島に区分したものである．それに対して地形図の区分に従ったものが，図5である．丸で囲まれている島がそれぞれのグループであり，北西部（3島），北東部（2島），南部（4島）である (Garcia et al. 2010: 11)．さらに，航海者の目線に立って，カーボ・ヴェルデへ向けて出発すると，別のグループに分けられる（図6）．航海者の目線とは，西アフリカからカーボ・ヴェルデへ到達する航海者のことである．西アフリカからの航海者がなぜ多かったのかといえば，第1章と第2章で論じるように，西アフリカがカーボ・ヴェルデに住む白人にとっての交易場として重要な地域であったためである．そのような航海者の目線に立ってカーボ・ヴェルデへ向かうと，

[11) カーボ・ヴェルデの人びとはそれぞれの島ごとに言語があるとしているが，どの言語もカーボ・ヴェルデのクレオール語であると認識している．

表 1. カーボ・ヴェルデにおける自然災害や環境悪化による被害

年号	飢饉，旱魃，噴火などの自然環境による出来事
1680	・フォゴ島で地震が起き，噴火口のマグマが流れ，大勢の人がブラヴァ島へ避難する．
1719	・サンティアゴ島で飢饉が起きる．
1773–75	・フォゴ島で大飢饉． ・フォゴ島民の人口が5,700人から4,200人に減少し，人肉を食すほど飢えていた． ・人を売り食料を手にしていた．結果的に1774年9月から1775年2月までカーボ・ヴェルデ全体で22,666人もの人が亡くなった．また，マイオ島とブラヴァ島では家畜がすべて死に，大衰退した．
1790	・バルラヴェント諸島とブラヴァ島で危機に陥る． ・サント・アンタゥン島だけでも800人以上もの人が死んだ．
1810	・1809年，飢饉に陥る．
1813	・サンティアゴ島とマイオ島で危機に陥る．内陸部の田舎は壊滅する．
1814	・ボア・ヴィスタ島で飢饉が起きる．一部の島民がフォゴ島とサン・ニコラウ島へ逃亡する．
1816	・フォゴ島のシャン（恐らくシャン・ダス・カルデイラスを指している）北部でマグマが2日で海に到達する．
1831–33	・すべての島で飢饉が起き，全島でおよそ30,000人の死者が出る． ・サント・アンタゥン島だけで13,000人が死ぬ． ・1831年（人口17,000人）から1834年（人口6,000人）までの間で人口が半分以上に減少する．
1845–46	・サンティアゴ島とサン・ニコラウ島以外の島で雨量が少なく，収穫が不足する．
1847	・フォゴ島で火山が噴火し，マグマが流れる．
1850–51	・雨が少なく，収穫に失敗する．

その地図は図6のようになり，異なるグループ分けが可能となる．図6の西部の四角（線）はサン・ヴィセンテ島，サント・アンタゥン島，サン・ニコラウ島，ブラヴァ島，フォゴ島であり，南米やヨーロッパの影響を受けている島である．反対に東部の四角（多重線）はサンティアゴ島，マイオ島，サル島，ボア・ヴィスタ島であり，奴隷貿易による名残やアフリカの影響がより多くみられる地域である．このように区分した際にみられるあらゆる特徴は，図5の区分でみられた特徴とほと

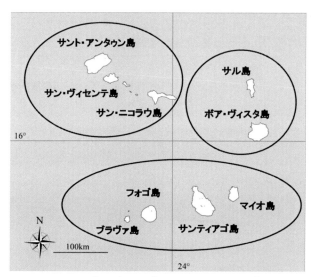

図 5. カーボ・ヴェルデ北西部, 北東部, 南部.

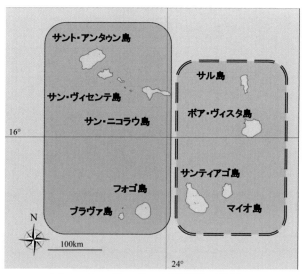

図 6. カーボ・ヴェルデ東部, 西部.

んど同じものである. つまり, 東部はアフリカの影響が色濃く, 西部は西欧やブラ
ジルの影響が強い.

　事実, 本研究の主題である *sodade* は, ボア・ヴィスタ島の奴隷による心的苦痛
から始まった (第 5 章). また, ブラヴァ島やフォゴ島は上で概観したように, 最

初は支配者であったヨーロッパ人によって住居され，後に捕鯨や移住にかんしてアメリカ合衆国と深く関係を持っている．

　したがって，さまざまな特徴を概観する際に，一概にバルラヴェント諸島とソタヴェント諸島に区別することはできないということに着目することが必要であるが，本研究では，ここで示した 3 つの地理的グループを踏まえ，先行研究に従い「バルラヴェント諸島」や「ソタヴェント諸島」の用語をもちいる．

3．クレオール研究の問題

　本研究は，大きくふたつのテーマが関係している．ひとつは「クレオール研究」であり，もうひとつは「歌謡モルナ研究」である．これらの研究史は，ほかの学問分野の歴史に比べ浅いため，目覚ましい発展性や展望性を持っている反面，多くの課題および問題を指摘することができる．以下では先行研究をそれぞれに分け，両分野をどのように関係づけることができるかまとめる．

（1）言語学におけるクレオール研究

　はじめに特筆しておくべきことは，クレオール研究がいくつかの学問分野と重なり合っているためにさまざまなアプローチが考えられることである．もっとも盛んなクレオール研究は，クレオール語の研究である．すなわち言語学からのアプローチである．言語学におけるクレオール研究は，市之瀬（2010: 119）が指摘しているようにいつ始まったのかを特定することは困難であるがゆえに，クレオール語研究史をまとめることは容易ではない．とはいえ，クレオール語研究がとりわけ流行した時代は 1960 年代からであり，大まかな研究の指針は明確である．言語学におけるクレオール研究とは，ピジン語（クレオール化以前の，誰の母語でもなく，とくに交易を目的とした言語）やクレオール語の起源にかんする研究や口頭伝承であるクレオール語の記述，または音韻論，形態論，統語論的分析から始まり，さまざまなクレオール語を比較研究することを可能とした．これらの言語学的研究の成果はクレオール語研究を大きく前進させることになった．それまでにあったクレオール語に対する差別的な見方（「できそこないのことば」，「宗主国の言語の方言」など）が変わり，クレオール語はヨーロッパの言語と同じように同等の資格を持った言語であると主張されたのである．多様な言語学的アプローチがあったにせよ，言語研究の議論の的は複雑な意味を持つクレオールを定義することであった（トッド 1986; Holm 1988; Arends et al. 1995 ；ショダンソン 2000 など）．これにより，現在ではクレオール語が世界に 84 言語以上あると考えられている (Cohen and Toninato 2010: 5)．クレオール語が言語として認識されるようになり，クレオール語研究はさらに発展し，言語獲得や言語習得，さらにクレオール語を脳科学的に捉えるような研究，すなわち脳内構造における言語普遍性を見出すこと（ビッカートン 1985）が着目されるようになった．そして，クレオールが進行するプロセスにかんする考

察において「クレオール化」という現象が提示され，クレオール語を定義づけるために必要な基準が定められた．言語学でもちいられる「クレオール化」とは非常に複雑なプロセスとされているが，多くの研究者間において一致している意味は，誰の母語でもない通商言語であるピジン語を母語として獲得するまでのプロセス，またはふたつ以上の異なる言語が接触した結果として生じた新たな言語を獲得するまでのプロセスのことを言う (ビッカートン 1985; Thomason and Kaufman 1988; Holm 2000).

　ピジン語とクレオール語のプロセスを考察するために，これらの言語が形成された 16 世紀から 19 世紀までの社会に焦点を置くようになり，すなわち社会言語学的アプローチがとられるようになった．カーボ・ヴェルデのクレオール語に限定して言えば，Couto (1992) がその成果を出している．彼はカーボ・ヴェルデに根づいたクレオール語を分析するために，16 世紀の西アフリカ沿岸部とカーボ・ヴェルデに注目し，白人，黒人，混血の社会的立場と彼らの相互作用を説明することで，当時のクレオール語がどのようにして形成され，どのようなプロセスを経たのかについて論述している．Couto (1992)，Quint (2000)，Baptista (2002) などの言語学者は，16 世紀の奴隷貿易によってカーボ・ヴェルデに送られてきた多くのアフリカ人とヨーロッパ人の間でクレオール語が生まれたとしている．その社会とは，混質的な社会，日本におけるクレオール文化研究を牽引している人類学者今福 (2001) の表現を借りれば「ヘテロジニアス」な社会である．

（2）人類学におけるクレオール研究

　今福 (2001) と市之瀬 (2004 ; 2010) が暗示するように，当然ながら特定の地域における社会的状況を理解しなければならない社会言語学と人類学のアプローチは研究領域的に重なる側面がある．実際，言語学に次いで活発化したのはクレオールの人類学的アプローチである．人類学の場合，奴隷制時代の人びとの思想，あるいは独立するまでの文化の変遷，さらには，現在その文化がどのような形態にあるかを理解することをより重視する．ところが，言語学者同様，人類学者はクレオールを定義することから始めた．言語学と人類学では定義の重点が多少異なる．言語学がクレオール語を定義づけるために，そのプロセスを分析し，クレオールが形成される前の段階・形態，すなわちピジン語を含め，奴隷貿易の社会的状況を加味したうえで定義している．これに対し，人類学ではクレオールと呼ばれた人びとが対象であるがゆえに，人種，出生地，アイデンティティを重視する．この点で双方の学問的アプローチは異なる．

　これまでに議論されてきたクレオールの定義についてまとめた西谷 (2001: 98) は，「＜クレオール＞の多義性」で「言語や文化を異にする 2 種類以上の人びとが出逢い，言語や文化が，混成のプロセスの中から生まれてくる現象の産物」と記している．すなわち多様な意味を含んだ「クレオール」に共通していることは，人類

が生み出したあらゆる混質性を兼ね備えたものであると言える．しかしながら，クレオールの定義を単に「混成のプロセスから生成された産物」とすれば，世界のあらゆる地域は異種混淆しており，したがってクレオールの特異性を無視することになる．上述した Couto (1992) や 今福（2001）が指摘しているように，ヘテロジニアスな社会で混淆現象が生じたことは明らかである．しかし，ここで問題にしなければならない点は，どのようなヘテロジニアスな社会の中で，どのような人びとによって「クレオール」という語が生まれたかである．さらに「クレオール」が植民地支配期の背景において創造された単語であるにせよ，その植民地支配を主導していた「ヨーロッパ人」がどの地域から移動してきたかについて議論されていない．さらに問題を掘り下げれば，多くの植民地（とりわけ中南米）で共同生活を送っていた「白人」，「黒人」，「混血」の存在についてはよく知られているが，その民族構成や社会における相互関係は実に複雑であり，たとえば「混血」のみを切り取っても，社会的立場，混血の名称，混血の出生，奴隷主やほかの奴隷との関係性などは地域によって異なる．Cohen and Toninato (2010) は，上記の問いに答えるような研究はしていないにしても，「混成」あるいは「異種混淆」といった概念を理解することと，文化のクレオール化が何を意味しているかについて追究した点は高く評価でき，彼らは概してクレオール文化研究に多大な貢献をしたといえる．とくに，クレオール化によって生じる越境の重要性とその歴史的進展について論じており，事例研究をつうじてクレオール文化がどのような形態，実態にあるかの理解を試みている．Cohen and Toninato (2010: 11) は言語学におけるクレオール化と同様に，文化におけるクレオール化の場合，異なる文化が接触することによって新しい文化形成が発生するとしている．しかし，彼らはクレオールの概念 (*assimilation, syncretism, hybridity, mestizaje* などの類似概念の整理）とクレオールの定義（人種としてのクレオール，人類学におけるクレオールの定義など）そのものについて議論しており，クレオールの現象を明らかにするまでに至っていない．

　これに類似した主張をしているのが，Stewart (2007) である．Stewart によって編集された論集 *Creolization: History, Ethnography, Theory* に収められているクレオールにかんするさまざまな論文は，歴史的観点を持ちつつ人類学および言語学的考察を展開している．Stewart (2007) はクレオールの現象に特化した研究を試みているのに対して，Cohen and Toninato (2010) はクレオールの理論に加えて事例研究を組み込んでいる．これらの研究はクレオールの類似概念を対比させ，クレオール化するプロセスを考察している点で興味深い．しかし，Stewart (2007) と Cohen and Toninato (2010) の議論は，クレオールの概念に焦点をあてている分，クレオールの文化システムが何か，その文化システムが実社会においてどのような役割，機能を果たすことが可能かなどの議論には至っておらず，歴史をとおして「今」を思惟する研究が必要とされる．つまるところ，クレオール研究をどのようにして現代社会

に位置づけることができ，何に役立てることができるか，その可能性について吟味するような研究が今後は重要になってくるであろう．

（3）クレオール・アイデンティティという発想

　このような課題を残しつつも，クレオールにかんする人類学的研究の関心は次第にクレオールと呼ばれる地域に居住する人びとのアイデンティティに向き始めた．なぜなら，クレオール語が話される多くの地域が政治的文脈において独立を果たし（たとえばジャマイカは 1962 年，ギニア・ビサウは 1974 年，セイシェルは 1976 年，カーボ・ヴェルデは 1975 年，独立は果たせなかったが 1946 年にフランスの海外県になったマルティニーク），自らの意志でそれぞれの国を築き始めたからである．このようなアイデンティティは総じて「クレオール・アイデンティティ」と呼ばれている．この用語は英語で *creole identity*（*creoleness* と言う場合もある）と言い，フランス語では *identité créole*，ポルトガル語では *identidade crioula* といずれも同様の用語がもちいられている．カーボ・ヴェルデにおけるクレオール・アイデンティティは，ほかにも *crioulidade, crioulismo*（クレオール性）や *caboverdianidade*（カーボ・ヴェルデ性）[12] という用語で表現されることがあるが，その意味するところはポルトガル語の *identidade crioula* と同じである (Duarte 1999; Alamada 2006; Brito-Semedo 2006; Ribeiro and Jorge 2011)．そして日本語の文献の場合，クレオール全般について記された書物は増えてきたものの，「クレオール・アイデンティティ」という用語がさほどもちいられていないことは，いかにクレオール研究が日本で遅れをとっているかを物語っている．

　クレオール・アイデンティティの問題を取り上げた最初の専門家はベルナベ，シャモワゾー，コンフィアンの 3 人であり，彼らによって提示されたアンティル諸島の *créolité*（クレオール性）が注目を浴びた．*créolité* を理解するためにはその概念が生まれた背景から説明しなければならない．その発端は，1930 年代に起きた文学・文化・政治運動 *négritude*（ネグリチュード）である．*négritude* はマルティニーク出身のセゼールを中心にセネガル人サンゴール，そしてギアナ出身のダマスによって提唱された政治的イデオロギーであり，彼らの祖先である黒人の文化に価値を置き，黒人による自由な表現を手に入れるための文化運動——別言すればアフリカ性への回帰であった．しかし，提唱者のダマスのように「黒人」ではなく混血の人が多く，アフリカ性だけを称賛することは困難だった．このため *négritude* は 30 年で思想が途絶えてしまった．代わりにセゼールの教え子だったグリッサンは *antillianité*（アンティル性）という用語をもちいてアンティル諸島民のアイデンティティを訴えた．*antillianité* は「黒人」ではなく，「地域」（アンティル諸島）を重

[12) *crioulidade* と *caboverdianidade* の考え方自体はカリブ海地域で提唱された *creolité/antillianité* による影響があるが，その思想は当然ながら異なる．

視したことで，ヨーロッパ人でもアフリカ人でもなく，アンティル諸島民であることを強調した．アンティル諸島の島々で話されている言語が異なるにせよ，文化的共通性においてそのアイデンティティを見出すことができた *antillianité* は，民衆に多大な影響を及ぼした．しかし，植民地支配の背景で形成されたアンティル諸島の人びとは，植民地支配者であるフランス人の存在なくして誕生することがなかった．複雑なアイデンティティを位置づけるために不可欠だったことは，歴史背景にある奴隷貿易によって生まれてきた自分自身の存在＝クレオールを肯定することであった．このようにして *créolité* を表明することになったのである．クレオールのアイデンティティを持つベルナベ，シャモワゾー，コンフィアン（1997: 85-86）は，クレオールであることを重んじ，「多様性の中に踏みとどまること」を主張している．この表明は，クレオールを肯定し，過去の負の遺産を乗り越えるために必要であるというクレオール・アイデンティティのひとつのあり方であり，クレオール研究に多大な影響を与えた．また，2012 年 11 月におこなわれたパトリック・シャモワゾーと大江健三郎の対談（「第 5 回文学フェスティバル」）で，実際に著者がシャモワゾーと議論した際，クレオール・アイデンティティについて次のように言及していた．「現在のクレオール語圏の国々は独立してから間もないため，自己を見つめなおすときであり，したがってアイデンティティの確立は非常に重要である．私が言うところの *identité relationnelle*（関連的アイデンティティ）とは，「外」から取り入れたもの，あるいは自然に同化したものを「内」に統合させ，また新たな異質性と混淆性を創造させることである」．つまり，シャモワゾーによればクレオール・アイデンティティは外来の文化を吸収することで新しい文化的産物を生成する創造性という複雑な性格を持つ．この言及は——クレオール研究が言語学，人類学，歴史学をまたぐ必要があるように——領域横断的な視野の有効性をより確信へと導いてくれる．

　以上，クレオール・アイデンティティの理解につながる概念についてみてきた．一見，*creolité* はクレオール・アイデンティティを表明するための概念・思想として有効であるように思われる．とはいえ，ベルナベ，シャモワゾー，コンフィアン (1997) のクレオール性「礼賛」とは，その背景にあった *antillianité* の影響を含んでいることは否めない．つまり，*creolité* という用語をもちいるのであれば，よりグローバルな視野をもってあらゆるクレオール語圏の人びとのアイデンティティを検討する必要がある．事実，多くの文献，図書，論文などの書物には，クレオールを説明するためにカリブ海地域をその主な舞台としている．たとえば言語学に焦点をあてれば，三浦 (1997)，三浦・糟谷 (2002) などを挙げることができる．また，Cohen and Toninato (2010) に収められている論文は「クレオール文化」に焦点をあてているにもかかわらず，カリブ海を含むラテンアメリカ地域に偏りがみられる．カリブ海地域をみることが重要であることに異論はないが，この思想は *creolité* というよりは *antillianité* に近似しており，ほかのクレオール語圏を等閑していること

を意味する．クレオールとはアジア，アフリカ，アメリカ（北米・中南米）のさまざまな地域に存在する．また，クレオールのアプローチとしてカリブ海地域が不可欠であれば，クレオールの起点となったカーボ・ヴェルデおよびギニア・ビサウをみることこそ重要視すべきではないだろうか．クレオールのもうひとつの特色とは，人びとの言語文化を収斂させるバイタリティーをもっていることであることを忘れてはならない．

　以上の先行研究をつうじてクレオールにかんするアプローチ方法について示した．言語学と人類学におけるクレオール研究を整理したことにより，双方のアプローチには常に歴史学の領域が包含されていることがわかる．言語学にせよ人類学にせよ，クレオールを対象とする以上，歴史をみることは不可欠である．言語学の場合，社会言語学的視点からクレオール語の現象，プロセスを分析することがもっとも一般的な傾向にあり (Couto 1992; Quint 2000; 市之瀬 2010)，人類学にはクレオールの人びとが生まれた社会背景にある奴隷制度のしくみやその人種における問題についてのアプローチが多い (今福 2001; Almada 2006; Green 2010)．よって，歴史学的アプローチは言語学と人類学を結ぶ学問としても位置づけられる（図 7）.

　クレオールへのアプローチが上記の 3 つの学問領域——言語学，人類学，歴史学——にまたがっているように，これらの領域を切り離すことは適切でなく，それぞれに目を向けなくてはならないことはクレオール研究の特色とも言える．このことをショダンソン (2000) は次のように明記している．「言語的・文化的システムは，それぞれが孤立して存在しているのではない．

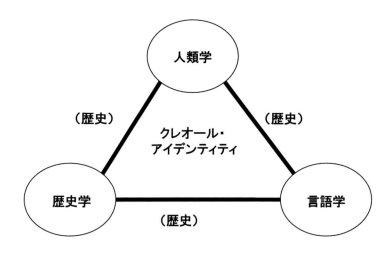

図 7. クレオール研究における分野領域の関係.

とりわけ言語はほとんどの文化的システムに介在するものである」(ショダンソン 2000: 142). しかし，彼が言及しているように「クレオール化のプロセスは，文化システムに必ずしもあてはまらない」(ショダンソン 2000: 142) ことに留意しなければならない. つまり，クレオール言語がヨーロッパ人によって抑制され，言語使用がより不自由であったのに対して，クレオール文化の場合，それはより開放的であったために，文化は言語と同様のシステムを持たない. したがって言語学を人類学に応用することは必ずしも適切ではないことが指摘できる.

4．モルナ研究の歴史

　カーボ・ヴェルデの文化研究でもっとも顕著な分野は音楽である. なぜならもっともカーボ・ヴェルデ研究が活発である西欧・南米においてカーボ・ヴェルデ音楽は極めて有名であり，無数の著名な音楽家を世に出しているからである. また，しばしば島民のアイデンティティとして音楽は関連づけられている (Semedo and Turano 1997; Monteiro 1998; Teixido 2008; Silva 2009; Nogueira 2015). 歌謡モルナと呼ばれる音楽は，カーボ・ヴェルデの四大音楽（モルナ，コラデイラ，フナナ，バトゥク）のひとつである（第１章を参照）. しかし，カーボ・ヴェルデ音楽文化にかんする研究は未だに多くの課題が残されており，日本ではカーボ・ヴェルデにかんして触れている文献は微々たるものである（市之瀬 2000；2004；2010；小川 2010）. また，いずれの研究もカーボ・ヴェルデが議論の中心になく，歌謡モルナにかんする邦文で書かれた研究は未だ存在しない.
　一方，欧文にかんしてはこれまでのモルナの先行研究となりうる文献が多々ある. クレオール研究同様，モルナ研究にかんしても「モルナが何か」を理解することから始まり，モルナの音楽様式の詳細な記述をおこなうこと，とくにモルナを定義づけることが問題の関心であった.

（１）定義の追究

　モルナの先駆者として知られる Tavares (1932)，そしてモルナの新しい様式を作り出した Cruz (1933) はモルナの作詞・作曲家であり，モルナについて多くの記述を残している. なかでも両音楽家が関心を抱いていたのは，モルナの音楽的特徴や定義である. 同じく Tavares の友人であった作家 Cardoso (1983) はカーボ・ヴェルデ文化や民俗文化の説明のひとつとしてモルナを紹介している. 20 世紀初頭に出版されたこれらの書物は，モルナの定義や形式など貴重な記述であることが理解できる. 20 世紀初頭のカーボ・ヴェルデ（カーボ・ヴェルデ共和国として独立するのは 1975 年のことである）といえば，モルナが Tavares の出身島であるブラヴァ島から Cruz（別名 B. Léza）が生まれ育ったサン・ヴィセンテ島へ伝播し，カーボ・

ヴェルデ全島民の間で普及し始めた時代である．したがってモルナがどのような音楽であるかを定義することが問題の関心であったことは当然のことである．

（2）歌詞の分析

　このようにモルナの定義と様式の記述を基にしてモルナ研究は進展した．モルナがカーボ・ヴェルデの人びとにとっていかなる音楽であるのか，その音楽ジャンルは誰によってどのようにして歌われているのかといった本格的なモルナ研究はカーボ・ヴェルデが独立した 1975 年以降に始まり，とくに 20 世紀後半，活発的な研究活動がおこなわれている．本格的な研究とは，後述するように，Martins (1988) の民族音楽研究，Nogueira (2005; 2013; 2015) や Dias (2010) らの人類学研究，リスボンにおけるカーボ・ヴェルデ人移民に注目した Monteiro (2011) の音楽文化研究を挙げることができる．このような本格的な研究のなかでも，とりわけモルナの歌詞分析は圧倒的に多い．たとえば，人類学的視点から歌詞を分析した Lima (1992)，モルナの変遷に着目した Tavares (2005)，そして 20 世紀におけるモルナを政治社会学観点から研究した Silva (2005)，同じく 20 世紀のモルナを文学的な手法を持って洞察を深めた Rodrigues and Lobo (1996) などである．いずれの文献もモルナを研究するうえで欠かせないものである．

　歌詞研究における課題を指摘するならば，カーボ・ヴェルデ人の精神として認識されている情感・感性についての研究がなく，歌詞分析を中心とした研究に偏っていることである．これまでの歌詞の分析は，各時代のモルナを概説するのみであり，モルナをもっとも特徴づけている情感——*sodade*, *cretcheu*, *morabeza*——（青木 2013）にかんする研究はみられない．唯一，音楽にみられる情感・感性について研究したのは Lima (2002) である．Lima (2002) はボア・ヴィスタ島におけるモルナとルンドゥン[13] の関係性について分析しており，その中で *saudade*（郷愁にかんすること）にかんして記している．ポルトガル語の *saudade*[14] から *sodade* という語が生まれたため，*saudade* を詳細に取り上げている Lima (2002) の研究は興味深く，*sodade* の変遷をみる際に大いに参考になると言える．しかし，*saudade* と *sodade* を区別することはなく，研究対象としている地域もボア・ヴィスタ島に限定されており，またその実情についても触れていない．

---

[13] Cascudo によれば，ルンドゥンとは「アフリカ起源の舞踏や歌謡であり，バンツー系の奴隷によってとりわけアンゴラからブラジルへ伝播した音楽」である（Lima 2002: 264 からの引用）．
[14] 本研究で主張しているように，*saudade* と *sodade* は異なる意味を有しており，これら二語が一般的に同様の意味としてもちいられていること自体を問題として捉える．

（3）人類学的研究

　20 世紀後半から 21 世紀初頭までにみられるモルナ研究の動向は，「人」ではなくモルナの歌詞に注目した歌詞研究，そして反対にカーボ・ヴェルデにおける音楽文化，越境するカーボ・ヴェルデ人移民の音楽文化といった人類学的研究である．

　これらふたつの研究領域においてもっとも注目されているアプローチは，カーボ・ヴェルデ音楽・祭事を網羅的に記述した Gonçalves (2006) である．彼の記述は Tavares と Cruz のように主観的ではなく，それぞれの音楽を検討するうえでインタビューをもちいており，モルナに限らず現代カーボ・ヴェルデ音楽（祭事・楽器・歌い手・作詞家・音楽ジャンル）を包括的にまとめた最初の書物である．このように Gonçalves (2006) がカーボ・ヴェルデ音楽についてまとめている点は非常に高く評価できるが，モルナ研究に限定して考えれば，Gonçalves (2006) が紹介している音楽文化を発展させたアカデミックな研究が必要である．

　Gonçalves (2006) は人類学的視点をもって音楽文化の歴史をみたり，楽器論および音楽家の人生を描写したり，多角的なアプローチをもちいたカーボ・ヴェルデ音楽の「辞典」のような存在として考えられている．

　しかし，Gonçalves (2006) を除いたカーボ・ヴェルデ音楽研究者は人類学と歌詞研究を切り離して考えており，これらふたつの領域を包括的にアプローチしていない．歌詞研究 (Silva 2005; Tavares 2005) は，時代背景に触れているものの「歌詞」というテクストに縛られてしまい，現在のモルナとカーボ・ヴェルデの人びととの関係性をとらえることはできない．同様に，島民の音楽文化を理解することを試みる音楽人類学的研究 (Monteiro 2011) は，これまでの歌詞の表現や内容がどのように変化したかといった通時的考察はおこなっていない．たとえば Monteiro (2011) の研究はカーボ・ヴェルデ移民に焦点をあてた音楽研究である．越境，ディアスポラの現象によってどのようにカーボ・ヴェルデ音楽が継承されているかという現在（21 世紀初頭）における重要な視点を提供した．本研究で論じるようにカーボ・ヴェルデ人によるディアスポラは多大であり，世界中にカーボ・ヴェルデ人コミュニティが散在している．このように，ある地域からみた外側（越境・移住）の世界に目を向けたような研究に加えて，特定の地域に限定した人類学的研究がある．Monteiro (2011) は「越境」や「移民」に着目しているが，対象としている音楽がモルナではない．したがってモルナ研究には，越境や移民と連関させた研究をすることで，移民によって創造・継承される異なる様式をもったモルナと接続するような相対的な研究が必要となるだろう．

　移民に注目した研究がある一方，カーボ・ヴェルデ国内を対象としたモルナにかんする人類学的研究がある．なかでも Dias (2010) や Nogueira (2005; 2013) の研究は多大な貢献をなしている．Dias (2010) の民族誌的研究は自らがモルナを実践することと，その実践にかかわりを持つ人びとの行為に着目し，モルナが演奏される

までの人びとの意志作用や心情，感情を捉えることを試みている．また，Nogueira
の最近の研究 (2005; 2013) ではモルナのみに着目せず，カーボ・ヴェルデ音楽全
体を対象に伝統と近代に二分される音楽を研究することで，カーボ・ヴェルデ社会
とアイデンティティ，言語と移民，そして世代間の意見の食い違いについて光をあ
てている．Grecco (2010; 2011; 2012) は，モルナとブラジル音楽の比較研究やモル
ナをつうじてカーボ・ヴェルデ人の「精神」 (*Alma* という表現をもちいている) に
ついて研究しており，モルナ研究への貢献という点では非常に優れている．

（4）モルナ研究の課題

　このようにモルナ研究は，その起源を模索することから出発し，現在は越境に着
目したトランスナショナリズム研究やアイデンティティ研究に視野が拡大してい
る．しかし，現在におけるモルナ研究の最大の課題は，モルナをカーボ・ヴェルデ
人の文化や文化的アイデンティティという枠にはめ込むのではなく，モルナの構造
を解明することでクレオール文化システムがどのように機能しているか，あるいは
混淆を基盤とするクレオール文化がどのような発展性を有しているか突き詰める
ことである．これまでみてきた先行研究に共通するところは，モルナの歌詞内容の
概説，モルナの定義といった形式的な側面に目を向けており，モルナがどのように
ほかの音楽ジャンルと混ざり合い，そこにはどのような社会背景が潜んでいるか，
さらにはモルナとほかの音楽が混淆すること，これがクレオールの現象とどのよう
に結びついているのか，といった実態に接近していない．別言すれば，モルナの「古
典的研究」——モルナの意味や起源，構造を追究した研究——と，モルナをつうじ
て外国の文化に目を向けている「現代的研究」，すなわちトランスナショナリズム
や移民研究を結びつけるような位置づけを持つ研究がない．

　本研究で扱うクレオール論は，このような「古典的研究」および「現代的研究」
を結ぶための架け橋になるような役割を持っている．本研究の着想は，数少ないモ
ルナ研究を通時的・共時的に分析し，クレオール現象を組み込むことで新たな視点
を提示することである．それは上で示したように，トランスナショナリズム研究な
ど外に視点を向けたような「現代的研究」とモルナの意味を見出すような「古典的
研究」を二元論的に対立させてみるのではなく，それらを結束させる意味を持って
いる．

5．研究の目的

　クレオール研究・モルナ研究における課題は多く，とりわけクレオール・アイデ
ンティティにかんする研究は重要な観点であることが先行研究からわかる．したが
って本研究では，ポルトガル語系クレオールを濃厚に映し出すカーボ・ヴェルデ人
の複合的なアイデンティティ，すなわちクレオール・アイデンティティを歌謡モル
ナの側面から明らかにすることを目的とする．とりわけモルナの変遷過程や構造に

着目することによって，現代社会に際立つ異言語文化接触における意味を見出すことを追究することにある．

　具体的には，歌謡モルナに表象されている情感，あるいはカーボ・ヴェルデの人びとをカーボ・ヴェルデの人びとたらしめる概念として捉えることができる *sodade*（郷愁），*cretcheu*（愛），*morabeza*（ホスピタリティ）がどのような意味を含み，植民地時代や独立後の国家形成などの背景において，いかなる変遷を遂げてきたのか，そしてこれらの情感がカーボ・ヴェルデにおけるクレオール・アイデンティティに何をもたらしているかを検討する．

6．本書の構成

　第1章は，序章で論じるカーボ・ヴェルデの概観をより発展させ，カーボ・ヴェルデの北部バルラヴェント諸島と南部ソタヴェント諸島の言語文化的特徴を比較し，その類似および相違性を明確にする．続いて，カーボ・ヴェルデにおける奴隷と文芸の関係についてまとめる．また，第2章の主題となるカーボ・ヴェルデのクレオールについて論じるために，第1章では，一般的に認識されているクレオールの意味を辞書や辞典から分析し，極めて複雑な概念として捉えることができるクレオールについての問題を提起する．

　第2章では，クレオールの意味や現象についての問題を探求するために，具体的にカーボ・ヴェルデにおけるクレオールがどのようなコンテクストにおいて成立し，なぜクレオールがカーボ・ヴェルデのアイデンティティの核を成し得たのかについて論じる．また，奴隷制時代のカーボ・ヴェルデ社会を概観し，クレオールを形成するにあたってどのような人びとが接触し，相互に影響していたのか，そしてその結果生み出された言語や文化がなぜ「クレオール」として今もなお存続できたのかについて考察を深める．

　第3章は，モルナ史（モルナの起源から現在まで）に注目し，モルナを通時的に分析する．とりわけ時代の変化とともにモルナも変容しているために，モルナ研究を推進するための第1ステップとしてモルナの類型化を試みる．また，通時的分析によってモルナを類型化するためには，モルナ史における時代区分が必要である．したがって，第3章のもうひとつの目的は，通時的にみた際のモルナを分析するための時代区分を提示することである．続いて，モルナが混淆し進展していく中で，複合的な概念を担っているクレオールにおいて何が「伝統」として捉えられていて，どのような背景の中で混淆現象が起きているのかにも着目する．さらに，さまざまなタイプのモルナにおいて *sodade*, *cretcheu*, *morabeza* がどのように反映しているかも浮き彫りにする．

　第4章では，第3章で提示する時代区分に沿ってモルナの歌詞中に顕著に現れる *sodade*, *cretcheu*, *morabeza* がどのような意味としてもちいられており，いかに

相互に影響を及ぼしているかを分析する．分析にあたっては，モルナの歌詞を 50 曲取り上げ，第 3 章で浮き彫りにされたモルナのタイプと照合しながら歌詞の意味分析をおこなう．

第 4 章ではさらに，*sodade, cretcheu, morabeza* を個別に検討し，それぞれがどのように派生し，どのような背景で誕生したのかを理解することで，それぞれが持つ特徴を明らかにし，最終的には，相互にかかわっている歌詞分析の場合と個別にみた場合の 3 つの情感を包括的に捉えることを試みる．とりわけ *sodade* にかんしては，ポルトガルの *saudade* やブラジルの *saudade*[15] と同等の意味として一般的に認識されているが，それぞれのコンテクストに目を向けると，それは別の意味であることが暗示される．つまり，カーボ・ヴェルデの *sodade* とポルトガル・ブラジルの *saudade* は，語源が同じであるが，それぞれが異なる意味を有するということを明らかにする．

第 5 章では，*sodade, cretcheu, morabeza* の情感を概念として捉え，それらの情感が現在の日常生活においてどのような意味を包含し，どのような概念としてもちいられているかを探るために，コンセプト・マップを援用して分析する．また，歌詞中にみられるこれらの概念の意味と日常にみられる概念において，どのような類似・相違性があるかを比較検討し，クレオール・アイデンティティにおいてどのように位置づけられるかを示す．

最後に，クレオール・アイデンティティが潜在的に持ち合わせている適合性や順応性がいかに現在を生き抜くための指針として重要な意味を持ち，21 世紀という新たな時代を切り開くための可能性があるのか検討し，結論に結びつける．

7．調査の方法

2012 年 2 月から 2012 年 3 月までの 1 ヶ月間，南部サンティアゴ島および北部サン・ヴィセンテ島で予備調査をおこない，2013 年 9 月から 2014 年 3 月まで長期調査を実施し，北西部に位置する 3 島で参与観察をおこなった．具体的にはサン・ヴィセンテ島（主要都市ミンデーロ）に 4 ヶ月，サント・アンタゥン島（ポルト・ノーヴォ港）とサン・ニコラウ島（タラファウ港）にそれぞれ 1 ヶ月調査を実施[16]した．サン・ヴィセンテ島で生活したはじめの 1 ヵ月は，言語習得（カーボ・ヴェルデ・クレオール語），島民の生活，基本的な行動や倫理を理解するためにカーボ・

---

[15] ブラジルでは *saudade*（「サウダーデ」）ではなく，*saudade*（「サウダージ」）と発音する．

[16] 2013 年 9 月−10 月はサン・ヴィセンテ島，10 月−11 月はサント・アンタゥン島，11 月−1 月は再びサン・ヴィセンテ島，そして 2014 年 2 月−3 月はサン・ニコラウ島で調査をした．

ヴェルデ人の一般家庭で空き部屋を借りて生活を送った．カーボ・ヴェルデの島々にはそれぞれのクレオール語が話されているが，カーボ・ヴェルデ北部のバルラヴェント諸島のクレオール語はよりポルトガル語に類似しており，南部ソタヴェント諸島は西アフリカの影響が強い（第1章1節を参照）．とりわけバルラヴェント諸島のもっとも重要な都市，ミンデーロのクレオール語を習得すれば，バルラヴェント諸島のクレオール語はおおよそ理解可能である．調査しながら同時に言語習得を試み，3ヵ月目（12月）にはインタビューするにおいて不自由なくサン・ヴィセンテ島（ミンデーロ）のクレオール語を話すことができた．調査における日常の生活（飲食店，ホテル，インタビューなど）ではクレオール語をもちい，改まった場所（ラジオ，大学，学校など）では公用語であるポルトガル語を使用した．また，長期的にアメリカやフランスに居住していた人，さらに1960年代にミンデーロで日本人と接触した（漁業関係）カーボ・ヴェルデ人がいた．このような背景をもった人とは英語，フランス語で会話し，日本語でも会話することがあった．

　第6章のモルナの伝播および日常生活における3つの情感の認識についてはとりわけインタビューをもちいている．インタビューは音楽家を主にターゲットとし，インタビュー対象者の好む言語で行われた（大多数がカーボ・ヴェルデのクレオール語とポルトガル語）．カーボ・ヴェルデはダイグロシアな国であり，ポルトガル語とカーボ・ヴェルデ語を話す人が多い．とくにミンデーロの場合は観光都市であることから，これら2言語のほかにも，上述したようにフランス語，英語，さらにはスペイン語，イタリア語のいずれかを話せる人も少なくない．

　ミンデーロでの生活は日中が文献収集とインタビューの実施，夜半は演奏の撮影であった．文献収集は基本的に図書館（主に大学の図書館と国立図書館），書店でおこなった．とりわけニョ・ジュンガ（Nho Djunga）という書店には頻繁に通った（写真12）．ニョ・ジュンガは頻繁に音楽ライブの催しがあり，日が暮れると酒場の空間になるためミンデーロ市民と観光客に人気であった．このようにニョ・ジュンガは，音楽家，ミンデーロ市民，観光客など多くの人びとの集いの場であり，情報収集および文献収集，さらには音楽家によるライブや音楽家との交流の場として栄えており，ここへ通うことは日課であった．ミンデーロの中心にあるニョ・ジュンガを拠点にすることで，人の日常における行動パターン，音楽にかんするあらゆる情報，ミンデーロのニュースなどさまざまな情報共有が自然な会話をとおしておこなわれる．

　午後10時を過ぎると，カーザ・ダ・モルナ（Casa da Morna）へ向かうようにしていた．カーザ・ダ・モルナとはモルナの演奏を聴きながら飲食ができる，カーボ・ヴェルデ（サン・ヴィセンテ島）ではやや高めの飲食店である．

　この飲食店はモルナ歌手として有名なTito Parisが経営しており，観光客とミンデーロの人びとがお洒落に着飾ってくる場所である．カーザ・ダ・モルナのステー

ジではモルナのほかに，サンバ，ボサノヴァ，ジャズ，ファド，カーボ・ヴェルデ北部の伝統音楽コラデイラなどさまざまな音楽ジャンルが演奏される．

　10 時から 1 時頃まで演奏されるため，夜半はカーザ・ダ・モルナで演奏を撮影することに集中した．また，演奏を聴きにくる音楽家も多々おり，インタビューの約束を交わす絶好の場でもあった．カーザ・ダ・モルナでの撮影が終わり，次に向かう場所は中心地のホテルまたは中心から少し離れたラジーニャ (laginha) と呼ばれる海沿いにあるレストラン街である．前者は，しばしば観光客向けに特別な演奏（たとえばモルナの偉大な作曲家であった Manuel de Novas を祝した記念演奏）がおこなわれ，後者は若者が集う場所でもあり別の風景をみることができる．いずれもビデオカメラを持ち，モルナに限らず幅広い音楽ジャンルを撮影した．

　翌日は必ずビデオの編集，フィールドノートの整理，カヴァキーニョの練習に励み，できるだけ多くの人と会話できるように町を歩くことを心がけた．このような生活をおくり，モルナを感覚的に理解することを試み，10 月から独学でカヴァキーニョを学び始めた．12 月末には同居人であった 50 代半ばの男性と 2 人で *São Silvestre* 祭に参加する機会に巡り会えた（写真 13）．この祭事は年末年始を祝うために毎年おこなわれ，各音楽グループが民家へ一軒ずつ回りながら何曲[17]か演奏し，終わると報酬を受け取るという内容である．「報酬」は金銭が一般的であるが，飲食をするだけの場合もあり，その年は合計で 3600 カーボ・ヴェルデ・エスクードス[18]を受け取った．

　この年はミンデーロでもうひとつの重要な行事，モルナ・フェスティバル（写真 14）がおこなわれた．そこには数々の著名なモルナの音楽家がカーボ・ヴェルデ全島から集まり，ライブをするという行事内容であり，多くの歌い手の歌唱方法を撮影することができた．そして 1 月には音楽家 B がカヴァキーニョを教授してくれることになった．彼はカーザ・ダ・モルナとニョ・ジュンガでもたびたび演奏している音楽家であり，カヴァキーニョの正しい演奏方法，音楽におけるカヴァキーニョの役割などについて快く語ってくれた．第 6 章のコンセプト・マップおよびインタビューのデータは，このような関係を築いてきた人びとだけでなく，対象者に偏りをもたせないために直接関係がなかった人にも依頼し，収集した．

---

[17]　もっとも有名な曲は *Boas Festas* である．
[18]　日本で約 4716 円相当である（2013 年 12 月 31 日の為替レートで 1 エスクード ＝1.31 円）．

写真 12. ミンデーロの書店ニョ・ジュンガでは即興演奏が始まる.
（撮影地：サン・ヴィセンテ島，撮影年：2013 年，撮影者：青木敬）

写真 13. *São Silvestre* 祭で民家を訪れ演奏している様子
（中央）著者，（右）同居人.
（撮影地：サン・ヴィセンテ島，撮影年：2013 年，撮影者：Nelson Silva）

　上述した生活はサン・ヴィセンテ島だけでなく，サント・アンタゥン島とサン・ニコラウ島においてもおこなった．しかし，サント・アンタゥン島とサン・ニコラウ島は午後 10 時過ぎには酒場も閉まり，街が暗くなるため，祭事・行事がない日

はサン・ヴィセンテ島のように夜半に行動することは少なかった．サント・アンタゥン島ポルト・ノーヴォ港で参加した祭事は60年代をイメージした祭り (*Festa dos Anos 60*) であり，朝まで歌謡コラデイラを踊るものであった（写真15）.

　また，サント・アンタゥン島の都市リベイラ・グランデ (*Ribeira Grande*) では *Sete Soís Sete Luas* という国際的な音楽行事（ライブ）を撮影した．サン・ニコラウ島では毎年恒例であり，伝統祭事としておこなわれるカーニバルを撮影する機会に恵まれた．これら2島では毎日音楽家とともに行動を共にし，サン・ヴィセンテ島（ミンデーロ）のような観光都市にはみられない，別の生活様式を理解することにつながった．それは重要なことであり，たとえば第5章で論じるカーボ・ヴェルデ人の歓迎の精神（モラベーザ）をサント・アンタゥン島およびサン・ニコラウ島で体験することができた．その一例として宿泊先の状況を取り上げることにする．サント・アンタゥン島では無料でインフォーマントの義兄（インフォーマントの義兄はサン・ヴィセンテ島で出会った）に空き部屋を提供してもらい，インフォーマントは毎晩，家まで送迎してくれた．またサン・ニコラウ島では，ある民家の門を叩き，その日から3週間の宿泊を無料で承諾してもらえた.

これら3島で調査を実施できたことは，上記したとおり，生活様式，言語文化の理解，音楽の演奏，祭事に対する考え方において非常に重要なことであった．また，これら3島は図5が示しているようにカーボ・ヴェルデの北西部に位置しており，ひとつの地理的なグループとしてとらえられている．北部の都市として機能しているミンデーロの混沌は人の激しい島間の移動の結果であり，3島を調査地とすることでそれらの共通性と相違性を理解する一助となった．また，本研究における現地調査はカーボ・ヴェルデ北西部以外の島でおこなっていない．したがって，北西部に位置する3島に限定したうえで「クレオール・アイデンティティ」を論じる.

写真 14. モルナ・フェスティバルで歌うモルナ歌手 Maria Alice.
(撮影地：サン・ヴィセンテ島，撮影年：2013 年，撮影者：青木敬)

写真 15. *Festa dos Anos 60* で歌謡コラデイラを踊る島民.
(撮影地：サント・アンタゥン島，撮影年：2013 年，撮影者：青木敬)

1章 コロニアリズムが生んだ「負の遺産」としてのクレオール

　本章の目的はカーボ・ヴェルデの根底に「クレオール」が存在していることを明確にすることである．そのために，前章の「カーボ・ヴェルデの島々」の中で論じた地理的特徴を踏まえたうえでカーボ・ヴェルデの歴史をみる．

　はじめに，前章で論じたバルラヴェント諸島とソタヴェント諸島の言語文化における類似性および相違性について簡潔に記し，ヨーロッパと西アフリカの影響が濃厚に現れていることを論じる．次に，カーボ・ヴェルデに学校施設がポルトガル人によって建設されたことで，白人と奴隷という相対的な立場が徐々になくなり始め，カーボ・ヴェルデで文芸活動が活発になるまでの経緯について概観する．最後に，これらのプロセスを経て，白人と黒人の間に共有される「クレオール」という用語に注目し，「クレオール」の意味について辞書や辞典をもちいた分析をおこなう．

1．バルラヴェント諸島とソタヴェント諸島の類似性および相違性

　サン・ヴィセンテ島をはじめ，バルラヴェント諸島にはヨーロッパや中南米，アメリカ合衆国などさまざまな人の出入りがあり，白人と黒人の間に混淆が生じた．先に触れたように，サン・ヴィセンテ島の祭事のひとつに，リオ・デ・ジャネイロから影響を受けたことにより伝統と化したカーニバルがあり（写真 16），料理を取り上げれば，フェイジョアーダ (feijoada)[19] や豚の煮込み料理などポルトガルやブラジルに類似していることが生活面において認められる．

　ソタヴェント諸島はアフリカ大陸の影響が強いために，黒人がもっとも多く，そのことは生活様式からも確認できる（写真 17）．たとえば，サンティアゴ島にはバトゥク (batuku) と呼ばれる伝統音楽がある．バトゥクはアフリカからカーボ・ヴェルデに伝わった舞踏が変化した音楽というのが通説である．バトゥクは 1/2 のリズムを持ち，女性によって演じられる．女性は円になって，その円の中心に 1 人の女性が入り，激しく踊り，ときには憑依をする．もうひとつのサンティアゴ島の伝統音楽とされているフナナ (funaná) で使われる楽器にフェリーニョ (ferrinho) がある．これは片手に薄板の金属（鉄や鋼）で作られたものを持ち，もうひとつの手にはより小さい薄板の金属で摩擦させるように擦り音を出す楽器であり，リズムを作る役割を持つ．また，西アフリカ文化が反映された単語が非常に豊かな点も指摘できる．たとえばトウモロコシを粉状にした伝統料理を意味するシャレン (xarem) や大きな黒蟻をあらわすドゥンドゥ (dundu) などが特徴的である．

---

[19] ポルトガルやブラジルの伝統的な料理である．

写真 16. ミンデーロのカーニバル.
（撮影地：サン・ヴィセンテ島，撮影年：2012年，撮影者：青木敬）

写真 17. プライアの市場.
（撮影地：サンティアゴ島，撮影年：2012年，撮影者：青木敬）

　バルラヴェント諸島にはコラデイラ (*coladeira*) と呼ばれる音楽がある．コラデイラはモルナとバトゥクが混じり合ってできた音楽である（図 8）．具体的な特徴を挙げると，モルナのリズムよりも速く，4/4（コードは「C」に相当）のリズムを持ち，歌詞は社会風刺が主なテーマとしてみられる．コラデイラの大部分はモルナから影響を受けており，ひとつの音楽ジャンルとして成立している．その主な楽器はギター (*viola*)[20]，カヴァキーニョ，ベースなどヨーロッパ起源の楽器が多い（写真 18）．

　ソタヴェント諸島にみられるアフリカ大陸の影響は，言語学的視点からも指摘できる．言語学者 Quint (2000: 26) によれば，「ソタヴェント諸島のクレオール語は40％が西アフリカのマンディンカ語語彙を含んでいる」．彼はその主な要因をふたつ挙げている．

　ひとつ目は地理的要因である．「マンデ諸語（マンデ諸語にはマンディンカ語，マリンケ語，ソニンケ語，カソンカ語，バンバラ語，ジュラ語などがある）に属しているマンディンカ語は西アフリカ沿岸部に話されている言語であり，ポルトガル人がそれらの地域を統治していた頃のカーボ・ヴェルデではマンディンカ人が住んでいた．したがって，マンディンカ語がリングワ・フランカとして話されていたのはごく自然なことであった」（Quint 2000: 28）．

　ふたつ目は歴史的要因である．「18 世紀から 19 世紀にかけてマンディンカの人びとはカザマンス地方[21]とギニア・ビサウにガブ王国を創った．そして，ガブ王国はヨーロッパ人，とくにポルトガル人を対象に奴隷売買することで繁盛した．ポルトガル人の奴隷売買にとってガブ王国はひとつの行きつけの場となり，ポルトガル人の手に渡る前まで，多くのバディウ人（サンティアゴ島民の呼称）の先祖はマンディンカ人によって奴隷として扱われていた．ガブ王国の奴隷として拘束された人びとは，完全にその社会に服従するしかなかった．さらに，ガブ王国から売り飛ばされた数々の奴隷にはマンディンカ人の支配者が密着していた」（Quint 2000: 28）．カーボ・ヴェルデに連行された奴隷は 9 島の中でもっとも大きな島であるサンティアゴ島に送られた．次いで，ほかの島々が発見され，同じように多くの奴隷が送られた．

　したがって，西アフリカと深淵な関係にあったソタヴェント諸島の言語に，両地を行き来していたバディウ人とマンディンカ人を媒介してマンディンカ語語彙が混じ入ることは決して不思議ではない．マンディンカ語を含んだ西アフリカの語彙に着目すると，畳語の存在が認められる．

---

[20] ヴィオラのほかにポルトガルギターがもちいられることもある．
[21] セネガルの南西部に位置する．

写真 **18**. ヴィオラ（左），カヴァキーニョ（右）.
（撮影地：サン・ヴィセンテ島，撮影年：2013年，撮影者：青木敬）

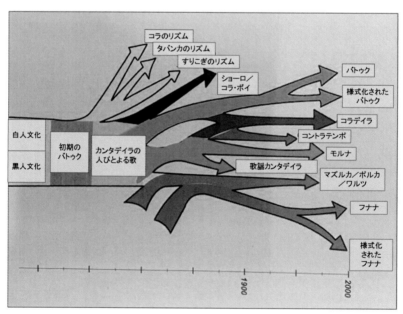

図 **8**. カーボ・ヴェルデ音楽の形成過程図[22].

---

[22] Gonçalves (2006: 260) の図に日本語訳を加えたものである．この図には，フナナ
(*funaná*) や様式化されたフナナ (*funaná estilizado*)，マズルカ (*mazurcas*)，ポルカ
(*polcas*)，ワルツ (*valsas*) など起源が不明瞭な音楽ジャンルがあるが，モルナとコ

　この現象は西アフリカから黒人奴隷が多く連行されたソタヴェント諸島にみられる．たとえば，表2を見ると，*feti-feti* や *lemba-lemba* などの反復が目立つ．表2が示しているように，日常生活に現われる単語が多く見受けられ，とりわけソタヴェント諸島の生活に西アフリカの影響がみられる．

　続いて，ソタヴェント諸島とバルラヴェント諸島における言語的相違を取り上げる．*papia* という単語はサンティアゴ島では，「話す」を意味する動詞であり，西アフリカ地域に位置するセネガンビアから由来しているが，反対に，サン・ヴィセンテ島において「話す」は *falá* と言い，ポルトガル語の動詞 *falar*（「話す」の意）に由来していることがわかる．また，「トマト」はソタヴェント諸島のクレオール語では *kamáti*（西アフリカで話されるマンジャク語とマンカニャ語の *ka-mati* に由来する）であるのに対し，バルラヴェント諸島ではポルトガル語に類似しており，*tumáti* または *tumate*（ポルトガル語の *tomate* に由来する）と言い，ほかにも多くの西アフリカの語彙が認められるが (Quint 2000; Rougé 2004)，上の2例を示すだけでも十分にその影響が理解できる．

　なぜこのような相違がみられるかは地理的・歴史的観点から概観すれば一目瞭然である．カーボ・ヴェルデは大西洋に位置しているため，西アフリカから黒人奴隷を中南米とヨーロッパへ向けて輸送する際の中継地点として活用されていた．そのため，ヨーロッパ人にとって地理的により近かったバルラヴェント諸島，とりわけミンデーロは重要な港町として繁栄し，奴隷制時代はヨーロッパ，20世紀初頭はブラジルの多大な影響を受けることになった．

表 2. サンティアゴ島のクレオール語にみられる西アフリカの語彙

言語	語彙	意味
マンディンカ語	bága-bága	大きな赤蟻
	bur-bur	粉状の
	futi-futi	もがく，暴れる
	menhi-menhi	色のついた小さな斑点
ウォロフ語	feti-feti	洗濯物を手で洗う
キロンゴ語，キンブンドゥ語	lemba-lemba	湿った地帯にある大木

Quint (2000: 275–278, 291–292)

ラデイラ，バトゥクの起源にかんしては，それぞれ「カンタデイラの人びとによる歌」（*cantiga das cantadeiras*）から発展したものであることは理解できる．

　事実，Peixeira (2003) が説明するように，「新大陸」を発見したコロンブスやブラジルを発見したカブラル，初の世界一周に関与したマゼラン（順に 1498 年，1500年，1552 年にカーボ・ヴェルデへ到着）などといった多くの航海士は，目標としていた最終地点（アフリカや新大陸）へ到着する前に，食料や物資を調達するためにカーボ・ヴェルデへ立ち寄った．人が移動することで，その人びとの言語や文化も同じように定着するとは必ずしも言えないが，多くの西アフリカの人びと，そしてそれらの人びとの言語や文化がカーボ・ヴェルデに強い影響をもたらしていることは上で示したとおりである．

2．奴隷の教養から文芸への発展

　前節でみてきたように，カーボ・ヴェルデが北部のバルラヴェント諸島，南部のソタヴェント諸島でそれぞれ多様な地域から影響を受けており，その背景には奴隷制時代があった．奴隷制時代はカーボ・ヴェルデにもうひとつの歴史的遺産を残した．それは文芸活動と教育である．

　Osório (1998: 109) によると，「1595 年，ポルトガル人はカーボ・ヴェルデに聖職者を派遣させ，黒人の聖職者を育成した」．つまり，カーボ・ヴェルデの人びとは高い教養を得ていたと考えられている．それは早い段階で誕生した文芸活動による影響に起因するが，それ以前にヨーロッパ人，とりわけポルトガル人がカーボ・ヴェルデに与えていた教育や布教から始まっていた．ポルトガル人神父 António Vieira (Osório 1998: 110 からの引用) は次のように述べている．

　　　　　「炭のように真っ黒な黒人聖職者であるが，非常に教養があり，博識な人であり，音楽の才能がある．それに加え，慎み深い人で行儀の良い人である[23]」

　当時，音楽は非常に重要なことであり，演奏できる人は教養のある人とされていた．この教養と 17 世紀における奴隷の状況について Quint (2000: 117) はその著作 *Le Cap-Verdien: Origines et Devenir d'une Langue Métisse*（『カーボ・ヴェルデ語――混淆言語の起源と成立』）で次のように論じている．

　　　　　「アフリカ大陸の国々に住んでいた黒人は奴隷供給地であるカーボ・ヴェルデへ連行され，新たな地と多くの民族とその伝統が入り混じる事態にあったことで困惑状態に陥った（...）．サンティアゴは 1640 年まで

[23) 第 2 章で論じるラディーノスのことである．

は奴隷のポルトガル語教育の中心の場とされていた．奴隷をブラジルや
アンティル諸島へ送り込む前に，語学やカトリック教についての基礎知
識や専門的な技術を施すことを目指した」

　したがって，このような証言や事実はポルトガルとカーボ・ヴェルデが支配
的・隷属的という関係があり，カーボ・ヴェルデの人びとはポルトガル文化に適
応させられたことが考えられる．このように16世紀には「知識人」としての黒人
が一層増えた．
　カーボ・ヴェルデには，次のような順で学校が建設されている．まず，1817年に
カーボ・ヴェルデのプライアに初等学校が創立され，次いで1848年にはブラヴァ
島に最初の中等学校が開設され，1860年，高等学校がプライアに建てられた．そ
の6年後の1866年にはサン・ニコラウ島に神学校 *Seminário-Liceu*（写真19）が建
てられたが，1931年に起きたマデイラの反乱 (*Revolta de Madeira*) でポルトガルか
ら追放された人びとを保護するための施設として活用され，同年に廃校となった．
これらの学校ではカトリックを基盤とした教育がなされ[24]，カーボ・ヴェルデの人
びとは教養を積んだ．しかしながら，このようにカトリックとポルトガル語の教育
を受けたカーボ・ヴェルデの人びとは白人の密輸取引という手段によって高値で中
南米へ売られた[25]．

写真 19.　現在のサン・ニコラウ島の神学校.
（撮影地：サン・ニコラウ島，撮影年：2014年，撮影者：青木敬）

---

[24] サン・ニコラウ島の神学校の場合では，ポルトガル語やフランス語，ラテン語
などの言語に加え，哲学，神学，地理学などの授業が開講されていた．
[25] 奴隷制は1878年に廃止される．

その際, ポルトガル語の教育は必ずしもカーボ・ヴェルデでおこなわれていたわけ
ではなく, ポルトガルのリスボンで教育され, カーボ・ヴェルデへ戻ってから中南
米へ奴隷として売られた. 当時アメリカ大陸では黒人奴隷が利用され, その仕事に
従事するためにはリスボンで教育を受ける必要があった. つまり, カーボ・ヴェル
デでおこなわれていた教育とは, ヨーロッパ人から見て「無知」な奴隷に付加価値
がつくように, カトリックに改宗させ, 言語を身につけさせることであった. 別言
すれば, 奴隷貿易の目論見が背後にある意図的な教育であった.
　また, その教育された奴隷には, 西アフリカのほかの奴隷を調達するための通訳
としての役割もあったことを Quint (2000: 117) は述べている.

　　　　「カーボ・ヴェルデで生まれた混血と黒人は, しばしばアフリカ大陸
　　　へ行く際の通訳としても利用されていた. 奴隷はアフリカの言語とポル
　　　トガル語, あるいはプロト・クレオール語をアフリカ沿岸部で使用して
　　　おり, (...) 奴隷と商人を探すためにギニアを略奪していたランサードス
　　　やタンゴマオス, そして彼らと仲を深めていた白人は, しばしばカーボ・
　　　ヴェルデ出身であった」

　上の引用では, 彼らは白人でありつつも, カーボ・ヴェルデで生を授かったとい
う解釈ができる. また, ここでみられる「通訳」とは奴隷であり,「リングワ」*lingua*
（言語の意）という呼称を持っていた. つまり, 奴隷を調達するためにランサード
スといった人びとはリングワを利用し, 西アフリカまで航海した. そのリングワが
西アフリカの言語をランサードスに通訳していたことは明白であるが, 何語に訳し
ていたのだろうか. Quint (2000: 117) は, 次のようにカーボ・ヴェルデ人の立場や
当時話されていた言語について説明している.

　　　　「ギニアの多くの地域はカーボ・ヴェルデ出身の混血（都会に住むア
　　　フリカのポルトガル語圏植民地領の中産階級者）で成り立ち, これらの
　　　混血や白人は当時, とりわけグルメテス（キリスト教徒のアフリカ人）
　　　の間で起きたように, ギニア・ビサウにおけるサンティアゴ方言のプロ
　　　ト・クレオール語の形成とその発達に大いに貢献した」

　この時代に話されている言語については, さまざまな見方があるが, それが「プ
ロト・クレオール語」[26] であろうが「クレオール語」であろうが, クレオールと呼
ばれていた混成言語であったことには違いない.

[26) クレオール語という言語が成立する前の言語段階を指す.

　当時のアフリカの奴隷制にかかわっている地域の情勢や国家間の状況などを考慮すると，カーボ・ヴェルデにおける奴隷を対象とした宗教・言語教育は積極的に進められていたと考えられる．

　このような高い教育を強制的に受けさせられていた奴隷制時代が終わりを迎え始めると，19世紀末からカーボ・ヴェルデで徐々に文芸が発展することになる．それは，教会関係の学校，宗教者を目指す者の教育機関，グーテンベルグの印刷機の発明に支えられていた．

　当時カーボ・ヴェルデでは，ヨーロッパ人の人口が黒人や混血よりも少なかったにもかかわらず，ヨーロッパ文化はカーボ・ヴェルデ人にとっての基盤であった．それは，社会・文化的に抑制されていた民衆が，徐々にヨーロッパ人に植えつけられた習慣や生活様式に適応しなければならないと感じ始めたからである．そして，カーボ・ヴェルデ社会は政治的に学識のある白人や現地で生まれた混血によって支配されていた．彼らの多くは19世紀初頭にかけてサン・ヴィセンテ島に植民したために，その後もバルラヴェントの島々に居住した．

　本節の冒頭で示したように，教養を得ていた奴隷もいたが，もともとカーボ・ヴェルデに住居していた人びと（白人，黒人）の能力や言語・文化の形態そのものは，ふたつの相対的な立場で成り立っていたと言える．立場的に優勢だったヨーロッパ（ポルトガル）は公共施設——学校，病院，裁判所，政府機関など——の設立をおこない，一方で立場が弱かったアフリカ（カーボ・ヴェルデ）は教育機関が乏しく，「読み書きができない黒人」[27]（混血の人びとも含まれていたことが想像できる）の集まりとされていた．「カーボ・ヴェルデに住居していた人びと」とはいえ，島によって文化の状況が異なっていた．ヨーロッパ文化の影響が強かったサン・ヴィセンテ島に対して，アフリカ文化が根づいていた元奴隷だった黒人——ほとんどの人びとが読み書きできず，非文化人であると見なされていた——が居住していたサンティアゴ島は文化的相違がみられた．

　たとえば，ソタヴェント諸島民がアフリカ独特の語りの文化である口頭伝承の影響が関係している．それはほかにも，タバンカ祭 (Festa de Tabanka) やバトゥクなどといった芸能的側面もあれば，死者に対する扱い方といった宗教・信仰的なアフリカの文化伝統も存在した．その文化とは単一的ではなく多様な文化（宗教的な場合もあれば世俗的な場合もあった）の混淆であった．このような混淆されたアフリカ文化がサンティアゴ島の特徴であったが，その濃厚なアフリカ文化の影響はヨーロッパ人から低俗だと見なされていた．

---

[27] 読み書きができない黒人という言い方は当時の西欧的発想であり，アフリカの多くの地域では「文字を書かない文化」，つまり，多くの場合，口頭伝承の文化を持っていることを忘れてはならない．

　しかし，この相対的な立場はポルトガル人が社会に必要不可欠と見なしていたインフラを構築し始めたことによって弱められ，言語文化の形態は「発展」した．それはたとえば，男女のための初等・中等・高等学校の設立，活版印刷や電信技術の導入，交番・軍事施設などの建設である．さらに，19世紀のミンデーロの港における外国（イギリス，フランス，オランダ，アメリカ合衆国など）との接点という役割は重要なものであり，カーボ・ヴェルデ社会を大いに発展させた．

　このように，あらゆる教育機関が整備されたことによってカーボ・ヴェルデは独自の文化，文芸を発展させることになる．エリート出身のカーボ・ヴェルデ女性で「初めて新聞に表向きに名を出したのは，ヨーロッパ系カーボ・ヴェルデ人の貴族 Antónia Pusich (1805–1883) であり（…）」(O Leme 2005)[28]，家父長制が強かったものの，1841年に初めて出版することが認められた．このような「ヨーロッパ系のカーボ・ヴェルデ人は，カーボ・ヴェルデと関係が強いポルトガルへ移住することが度々あり，彼女もその1人だった」(Osório 1998: 111)．リズボエッタ（リスボン出身者）に影響を受けた彼女は，ポルトガルの首都リスボンで作家としての道を歩み，徐々に外国，とりわけポルトガルへカーボ・ヴェルデに関係した文芸・芸術作品を発信した．

　カーボ・ヴェルデにある数々の文学作品のなかでも，とくに詩が文芸として早くに現れた．詩は社会や経済を題材にしたものが多く，カーボ・ヴェルデの独立（1975年）までに至る苦悩の日々を描いた作品が生まれた．ほかにもポルトガルのロマン主義文芸の書物からわかるように，カーボ・ヴェルデがポルトガルの *saudade* や憂鬱などの題材，または歌詞のテーマから影響を受けたということが歴史的過程によって理解できる．*saudade* はポルトガル語の概念とされていて，カーボ・ヴェルデに *sodade* というカーボ・ヴェルデの人びととその歴史を理解するうえで極めて重要な概念をもたらした．*sodade* は，カーボ・ヴェルデの四大音楽のひとつであるモルナの本質的な要素を構成し[29]，モルナのパイオニアと呼ばれている詩人 Eugénio Tavares はカーボ・ヴェルデ人としてのアイデンティティを確立するために *sodade* の概念をもちいた．このようにして奴隷制時代に行われた教育は，後の文学や音楽などの文芸の発展につながった．

　本章では，ここまでカーボ・ヴェルデの北部バルラヴェント諸島と南部ソタヴェント諸島について歴史と地理的な観点からそれぞれの文化的な相違点を論じた．また，カーボ・ヴェルデは地域と島を包括して言語文化，そして教育の事情が深く結びついていることを示してきた．これらの要素を結びつけているものが「クレオール」であり，カーボ・ヴェルデにおいて欠くことができない概念である．ここで問われることは，クレオールが具体的に何を指し，意味しているかということである．

---

[28] http://www.leme.pt/biografias/pusich/からの引用（アクセス日：2017年2月16日）.
[29] 第3章から第5章までを参照.

「クレオール」という用語は，宗主国のあらゆる言語においてその定義が異なるうえに，それぞれの「クレオール」の意味も広義的である．次節では，カーボ・ヴェルデにおけるクレオールがどのような意味を有しているかを考察するために，まず，辞書や百科事典で「クレオール」がどのような意味として説明されているかを整理する．

3．クレオールの認識論的分析

　カーボ・ヴェルデの民族は「クレオール」として認識されているが，「クレオール」という用語を，より言語的に捉える人も少なくない．また文化的産物についても関係する「クレオール」の意味が一般的にはどのように理解されているのかを辞書や百科事典をもちいて分析する．具体的には，支配者の立場にあった宗主国の言語（ポルトガル語，スペイン語，フランス語，英語，イタリア語）[30] にあるそれぞれの辞典[31] をもちい，どのような意味として捉えられているかを分析する．

（1）ポルトガル語における「クレオール」

　はじめに，ブラジルの辞書『新ポルトガル語辞典』 (*Novo Dicionário da Língua Portuguesa*)[32] (De Holanda 1986) のクレオール (*crioulo*) の定義をみる．
1.　ヨーロッパの旧植民地，とくにアメリカで生まれた白人．
2.　1 の定義の白人が話す方言．
3.　アメリカで生まれた黒人を意味していた．
4.　特定の地域における土着民がもつもの，あるいは関係しているもの (i.g. クレオールのタバコ．クレオールの馬など)．
5.　カーボ・ヴェルデ，またはほかのポルトガル領アフリカ諸国で話されるポルトガル語の方言．
6.　鶏．
7.　異なる複数の言語が単純化し，混淆したことによって形成された土着の言語．また，会話でのみもちいられる言語．
8.　一般的に黒人を指す．
9.　ゾフジルの州で生まれた人．

---

30) 「クレオール」は，ポルトガル語で「クリオウロ」*crioulo*，スペイン語で「クリオージョ」または「クリオーリョ」*criollo*，フランス語で「クレオール」*créole*，英語で「クリオール」*creole*，イタリア語で「クレオーロ」*creolo* と言うが，本研究では日本語でもっとも馴染み深い「クレオール」に統一して表記する．
31) 本研究ではオランダ語を含めない．
32) *Dicionário Aurélio* の名で知られており，1975 年に第一版が出版されている．

10.　主人の家で生まれた奴隷.

11.　藁で作られたタバコ，または巻きタバコ.

　また，最新の *Aurélio* (2016)[33] には，上記にはない別の意味もクレオールの意味に含まれている.

1.　ブラジル出身の黒人.

2.　多くの変種を含むカーボ・ヴェルデで話されるポルトガル語系ベースの言語.

3.　カーボ・ヴェルデのクレオールに関係すること.

　次に，ポルトガルの辞書『ポルトガル語辞典』 (*Dicionário da Língua Portuguesa*) (Porto Editora 2011)[34] をみる.

（形容詞）

1.　黒人奴隷貿易が起きた国から生じたもの.

2.　植民者と土着民間から発展した接触言語の結果，形成された方言または言語.

3.　カーボ・ヴェルデで話される方言.

（名詞）

1.　ヨーロッパ人の先祖をもち，ヨーロッパの旧植民地で生まれた人.

2.　元来，土着の言語とヨーロッパの言語が接触したことにより生まれた言語をある共同体に属する人びとが母語化したもの.

3.　ブラジルで生まれた黒人.

　ポルトガルの辞書にみられたクレオールの意味は，ブラジルの辞書と同様に，ポルトガル語方言としてとらえている.確かに「言語」として定義しているが，形容詞としての3の定義をみると，「カーボ・ヴェルデの方言」としている.問題は，何の方言かということであるが，ブラジルおよびポルトガルの辞典から推測できることは，ポルトガル語方言という捉え方であろう.つまり，クレオール語には差別的なニュアンスが包含されていたこともみて取れる.また，クレオールは，主に「黒人」にかんする定義と人びとの出生地について記されている.黒人と白人を区別するための用語としてもちいられてきた.最後に，人種や系統について多く記されていることが挙げられる.

---

[33] Dicionário do Aurélio Online: https://dicionariodoaurelio.com/crioulo （アクセス日：2016年11月2日）

[34] Porto Editora はポルトガル最大の出版社である.

（2）フランス語における「クレオール」

　フランス語の辞書では，次のようにクレオール (*créole*) について記述されている．*Le Robert* (Robert 1992)[35] では以下のとおりである．
1.　（ブラジルの黒人と白人の混血にかんして）家で育てられた召使い．
2.　アンティル諸島（植民地）で生まれた白人．
3.　白人と黒人奴隷の植民によって特徴づけられた熱帯地域に属する国々に関係すること．
4　フランス語，スペイン語，ポルトガル語，英語，オランダ語とアフリカの民族の共通言語，または，アンティル諸島で形成されたある共同体において母語化した言語体系（母語でないピジンやサビール[36]とは異なる）．

　フランスの百科事典 *Grand Larousse Encyclopédique* (Larousse 1960)[37] では，次のように定義されている．
1.　旧ヨーロッパ植民地（アンティル，レユニオン，ブルボン）で生まれた白人．
2.　アンティル諸島で生まれた黒人とアフリカから連行された黒人を区別するための用語．
3.　ピジンから派生され，ある共同体に存在する唯一の言語と変化したもの．
4.　クレオールはほかの言語を獲得せず，自身の言語を失った人びとによって完全に話されている発達された言語．連行された黒人奴隷の場合，個人的に住みついた，あるいは異なる言語間における小集団による場合と同様である．話者は文法形態の単純化によるものだと捉え，主にベースとなっている言語（フランス語，スペイン語など）の単語が含まれている．それらのベースとなっている言語は，クレオールの人にとって音声的に困難であるためにクレオール語の文語を定めた．
　以上のフランス語の辞書・百科事典の記述にかんしては，以下の3点の指摘ができる．

---

[35] *Le Robert* とはフランス語の辞書を専門的に扱っている出版社であり，1951年に第一版が出版されている．
[36] サビール (*sabir*) とは，ピジン語の一種であるが，中世の時代にヨーロッパ人とアラブ人が交易して混じり合ってできた言語であり，ピジン語よりも限定的な意味である．
[37] *Grand Larousse Encyclopédique* とは，フランス語の単語を専門的に扱っている百科事典であり，1960年から1964年の間に出版されている．

　第1に,「アンティル（諸島）」という語が頻繁に使用されていることである. つまり, フランス語の百科事典や辞書で記されているクレオールの意はフランス語やフランスに関係するものが多いことが確認できる.

　第2に, フランスの百科事典 *Larousse* ではアンティル（諸島）とアメリカが区別の対象とされているのが際立つ. つまり, フランス語の百科事典や辞書で記されているクレオールの意はフランス語やフランスに関係するものが多いことが確認できる.

　第3に, ポルトガル語の辞書では, クレオールが, ふたつ以上の言語が接触したことで生成された言語を母語化したものであると記載されていたのに対し, 百科事典 *Larousse* ではクレオールを「ほかの言語を獲得せず, 自身の言語を失った人びと」と記述している.

（3）英語における「クレオール」

　英語の辞書 *The New Shorter Oxford English Dictionary on Historical Principles* (Brown 1993) では, 次のような定義がされている.

1.　ブラジルで生まれた黒人. 西インドやラテンアメリカで生まれた奴隷. アメリカ合衆国南部, とりわけルイジアナを植民したフランス系の人. さらに, 黒人系ヨーロッパ人の混血も指す.
2.　中心部で発達したピジン語の体系, あるいはある共同体に住む人びとの母語.

　英語の百科辞典 *The New Encyclopedia Britannica* (Gwinn 1988) には, 次のふたつの意味が記されている.

1.　もともとは 16 世紀から 18 世紀までにおいてアメリカにあるスペイン語圏で生まれた白人とスペインで生まれたアメリカ人を区別している.
2.　黒人の集団の中でピジンが母語化したもの. 一般的にある言語話者が経済的・政治的にほかの言語話者と支配関係になり, とくに文語が存在しない場合にクレオールは形成される.

　以上の英語の辞書および百科事典に記されているクレオール語の定義について重要と思われる点をふたつ取り上げる.

　第1に, 人種についてアメリカ大陸のスペイン語圏で生まれた人とスペインで生まれた人の区別がなされている.

　第2に, ほかの辞書ではクレオールの起源の形成過程についての情報が少ないのに対し, *Oxford* の辞書にはその現象が詳述されている.

（4）スペイン語における「クレオール」

スペイン語の辞書 *Diccionario de Uso del Español* (Moliner 1989)[38] では，クレオールにかんして次の4つの定義が挙げられている．

1. もともと主人の家で生まれ育った黒人．
2. ある国で生まれたヨーロッパ人神父の息子．
3. スペイン人神父の子孫やアメリカのスペイン語圏で生まれた人
4. 出身地を離れた人とは異なり，アメリカで生まれた黒人．

『スペイン語辞典』（*Diccionario de la Lengua Española*）(Real Academia Española 2014)[39] には *criollo* にかんして次の7つの定義が挙げられている．

1. アメリカの旧スペイン領，またはアメリカのヨーロッパ旧植民地で生まれたヨーロッパ人の子供，子孫．
2. アフリカから［アメリカへ］連行された黒人とは別に，アメリカの旧スペイン領で生まれた黒人．
3. イスパノアメリカで生まれた人（後略）．
4. 土着の人，またはイスパノアメリカ，あるいはその双方を指す．
5. 言語としての *criollo* にかんすること．
6. ある特定の言語にもとづいて生成された混淆言語であり，かつての植民地で頻繁に生じた数多くの要素［人や物］．ピジン［語］とは異なり，親から子へと［その言語＝ピジンが］伝わり，次第にある共同体の言語となるもの．
7. 8分の6拍子のリズムをもつキューバ民謡および大衆舞踏．

　ブラジルの辞書でみられた定義と同様に，大半が植民地の文脈において説明されており，イスパノアメリカで誕生した人を指している．興味深いことは，キューバの民謡と舞踏のことを *criollo* と呼ぶことであり，ポルトガル語の辞書で確認できなかった，植民地生まれの人びとによる芸能産物について記されていることである．

　いずれの言語にも共通することは，*crioulo* と *criollo* がそれぞれの旧植民地との関係において創造された産物という意味である．

---

[38] 1966年から1967年にかけて出版されたスペイン語の辞書であり，辞書学者によって手がけられた．

[39] この辞書は，第一版が1780年に出版されたスペイン最大の辞書である．

（5）イタリア語における「クレオール」

　イタリア語の辞書 *lo Zingarelli Vocabolario Della Lingua Italiana* (Zingarelli 2005)[40] には，次のように定義づけされている.
1.　　ラテンアメリカで生まれたフランス人，スペイン人，ポルトガル人を指す.
2.　　白人の父とインド人の母の間でアンティル諸島やアメリカで生まれた混血.
3.　　クレオールの人.
4.　　各クレオール方言.

　イタリア語の辞書は 2005 年に出版されているにもかかわらず，クレオールを未だに「方言」とみなしている. 意味や定義も少なく，クレオール研究の発展がみられないという事実は，イタリアが長い間クレオールを形成するための要因を持っていなかったこと（そのひとつは当然ながら植民していた国が少なかったこと，もうひとつは植民していた地域はクレオールが発生しやすい島嶼地域でなかったこと）に由来すると思われる.

　ここでクレオールの意味について整理する. それぞれの言語にみられる百科事典や辞書には異なる定義がなされている. すなわち人種や言語としてのクレオールにおける記述である. ここで指摘したい点が 2 点ある.

　第 1 に，クレオールとは，ある共同体でふたつ（あるいはふたつ以上）の異なる言語が話されている状況で，つまり，リングワ・フランカが話されている中で，その言語を母語化することを指す. 母語とは親の第 1 言語ではなく，親がコミュニケーションを図るために使用していたリングワ・フランカが母語化したものであることを強調しておく必要がある. そして，その子供たちがリングワ・フランカを発展させ，結果的に彼らの母語と変化することである.

　第 2 に，クレオールは「方言」ではなくひとつの「言語」であるという点である. たとえば，*Novo Dicionário da Língua Portuguesa* (De Holanda 1986) にみられたように，未だにクレオールがヨーロッパの言語の方言であると定義されているが，現在（21 世紀）におけるクレオール語研究者の間では，その言語を学び，その文法体系（音韻，形態，統語，意味）が言語とみなせるものだと指摘し定義づけている. *Diccionario de la Lengua Española* (Real Academia Española 2014) を除く辞書や百科事典にはクレオールを文化として解釈されている箇所がさほどみられない. 『言語学大辞典』(亀井 et al. 1989) に記載されている「文化的クレオール」は上記で概観した視点とは根本的に異なっている.

　『言語学大辞典』(亀井 et al.1989) のクレオールの定義を調べると，もともと「クレオール」の用法として 1. 料理法，2. 音楽の種類（ジャンル），3. 習慣，4. 住

---

[40] *Zingarelli* はイタリア語の辞書であり，第一版が 1917 年に刊行され，それ以降，毎年出版されている.

民の気質と記されている．もうひとつ重要なことは，クレオールはしばしば，アイデンティティのシンボルや出身地を指すということである．『言語学大辞典』(1989: 442) には「クレオール言語は，各地域の文化的独自性やアイデンティティ意識の象徴となる場合が多いことから，国名や島名を言語名に転用する傾向が強まっている」と記されている．すなわちクレオールという用語は，非常に広範囲の意味を包括する語であり，非特定的であり，総称的である．

4．小括

　カーボ・ヴェルデにはそれぞれの島に固有の言語文化が存在し，多様性を持った国であると言える．また，カーボ・ヴェルデは北部バルラヴェント諸島と南部ソタヴェント諸島のように南北で区分されており，本章の1節目で論じたように，言語文化的にも大きな相違がみられた．このことを2節目では，奴隷と文芸というふたつのキーワードを基に検討し，これらの相違が存在するものの，言語文化そして教育などカーボ・ヴェルデのあらゆるものを結びつける要素が「クレオール」であることを示した．3節目では，さまざまな辞書や辞典をつうじてクレオールの意味について確認した．それは，ある特定の集団が交易をつうじて話す言語が母語化したものであったり，または宗主国生まれの白人と植民地生まれの白人，あるいは同様の条件で黒人を区別するための用語であったり，民族の混淆そのものを指していたり，その人びとの文化を意味することもある．しかし，この中で共通していることは，「混淆する事物」がその要素として存在していることである．これらのクレオールの意味については，言語学的・人類学的・文化学的研究からのアプローチが多く，さまざまなクレオール研究者によって分析されている (Holm 1989; 2000; Arends et al. 1995; ショダンソン 2000; Pereira 2006; Stewart 2007; Matras 2009; Cohen and Toninato 2010)．先行研究にかんして述べたように，ほかにも多くのクレオール研究者によるアプローチがみられるにもかかわらず，それらの研究で示されている「混淆する事物」としてのクレオールが何を意味しているか，その本質を追究した研究は極めて少ない．

　第2章では，クレオールがどのようなコンテクストにおいて形成され，それがカーボ・ヴェルデの人びとにとってなぜ不可分な関係になったのかを論じる．つまり，クレオールを本質的に理解するために，カーボ・ヴェルデの歴史に注目し，混淆された人びと，その人びとが形成した社会をつうじて誕生した混成言語，さらに彼らが伝統として築いてきた混淆文化をみることで，これらの事物がカーボ・ヴェルデの人びとに何をもたらしていると言えるかを論じる．

2章　カーボ・ヴェルデにおけるクレオールの発生

多義的である「クレオール」という概念は，異種混淆性（ハイブリディティ），グローバリゼーションや国際化，コンタクト・ゾーン，接触言語や媒介言語など非常に多くの分野において研究されている．本章では，これらの研究分野で論じられているように「クレオール」を前提にして議論することはせずに，「クレオール」の起源とも言われているカーボ・ヴェルデを地域的・歴史的に再考し，本来クレオールは何を指し，どのようにしてその複雑な概念が変化してきたか，そしてカーボ・ヴェルデにおけるクレオールにはいかなる特徴が存在するのかを論じる．そのためには，詳細にカーボ・ヴェルデの歴史を検討せねばならない．まず，大航海時代，ポルトガル船団によって発見されたカーボ・ヴェルデの島々を論の出発点とし，奴隷制時代において複雑に構成されていたカーボ・ヴェルデ社会やその集団に属していた人びとの相互の関係性を論じ，次いで，どのようなコンテクストにおいて，それらの人びとが独自の言語を自然発生的に形成したのか，そして最後に，いかにして彼らはカーボ・ヴェルデ文化を創造したのかを検討する．したがって「人」，「言語」，そして「文化」，その中でもとりわけ「音楽」の3点に着目することで，カーボ・ヴェルデにおける「クレオール」の定義を提示する．

まず，「人」についてのアプローチにかんしては，歴史学者 Carreira (2000) の著作 *Cabo Verde: Formação e Extinção de uma Sociedade Escravocrata*（『カーボ・ヴェルデ──奴隷社会の形成と廃止』）と Andrade (1996) の文献 *Les Îles du Cap-Vert de la «Découverte» à l'Indépendance Nationale (1460–1975)*（『カーボ・ヴェルデの島々──「発見」から独立国まで（1460年−1975年)』）を参考にし，「言語」へのアプローチは言語学者 Couto (1992) の *Lançados, Grumetes e a Origem do Crioulo Português no Noroeste Africano*（『アフリカ北西部のポルトガル語クレオールの起源とランサードス，グルメテス』）を，そして最後に「音楽」にかんしては，Gonçalves (2006) の *Kab Verd Band*（『カーボ・ヴェルデ・バンド』）を主に参考にする．

1. カーボ・ヴェルデ史の発端

カーボ・ヴェルデでクレオールが形成される前に，カーボ・ヴェルデはどのような地域であり，どのような場所であったのか．入植される前のカーボ・ヴェルデについて簡潔にまとめる．

（1）カーボ・ヴェルデ諸島の「発見」

　カーボ・ヴェルデはもともと無人島であり，牛や馬など他国では日常的にみられる動物すら存在しない，乾燥地帯の地域である．白人によるこの無人島の「発見」の前に，すでにアフリカの人びとやギリシア人，アラブ人地理学者によって発見されていたという説 (Andrade 1996: 32) があるが，その起源は定かでない．しかし，カーボ・ヴェルデ人作家 Jorge Barbosa (Chantre and Stoenesco 2006: 32 からの引用) がカーボ・ヴェルデの発見時の様子を自らの想像で記した詩がある．

Prelúdio	『はじまり』
Quando o descobridor chegou à primeira ilha	最初の島に航海者が到達したとき
nem homens nus	裸の男も
nem mulheres nuas	裸の女も
espreitando	現れなかった
inocentes e medrosos	植林の奥で，罪人も怖がる者もいなかった．
detrás da vegetação.	
Nem setas venenosas vindas no ar	空を飛び交う毒矢すらなく
nem gritos de alarme e de guerra	おたけびや戦もなく
ecoando pelos montes.	山に木霊が響くこともなかった．
Havia somente	そこにいたのは
as aves de rapina	鋭い爪を持つ野生の鳥
de garras afiadas	
as aves marítimas	海の鳥
de vôo largo	羽を大きく広げて
as aves canoras	歌う鳥
assobiando inéditas melodias.	聞いたことのない口笛を吹きながら

（著者による翻訳）

　この詩からわかるように，カーボ・ヴェルデには人はおろか，鳥を除いたほかの動物が存在しない不毛の地であった．支配者が入植する前は，上記の詩からも伺えるように，生物や植物などにかんして非常に乏しい，「無」の島であった．その「無」の島々に人が移入したことにより，言語や文化がもたらされた．

　カーボ・ヴェルデが発見されたのは 1460 年であるが，この 15 世紀は，大航海時代のはじまりでもあった．金七（2003: 69, 70）によれば，大航海時代は「1415 年による北アフリカ，セウタの攻略に始まり」，「時計回りに北大西洋を回流するアソーレス海流はコロンブスの新大陸「発見」の航海に有利に作用し，ポルトガルは新大陸から帰航する船がこの海流を利用できる位置にあった」として，ポルトガルのようなヨーロッパの小国がなぜアフリカ・アジアだけでなく新大陸へ進出できたのかを説明している．

図 9.　トルデシリャス条約によって二分された世界.

　その背景には，領地拡大を求めていたポルトガルの経済的事情や隣国スペインとの政治関係があった．海外進出に向けて対立関係にあったポルトガルとスペイン（カスティーリャ）は 1492 年，「カーボ・ヴェルデの西 370 レグア (1,770km) の海上を通る西経 46 度 30 分経線で，それ以東をポルトガル領，以西をスペイン領と定めるトリデシリャス条約を締結した」（金七 2003: 79）．

　図 9 のように，ポルトガルとスペインが世界を二分し，海外進出および支配し始めた中，カーボ・ヴェルデはポルトガル船団によって発見された．Andrade (1996: 33) はカーボ・ヴェルデ諸島のうち，「最初に 5 つの島——サンティアゴ島，フォゴ島，マイオ島，ボア・ヴィスタ島そしてサル島——が 1460 年に発見され，残りの島——ブラヴァ島，サン・ニコラウ島，サン・ヴィセンテ島，サンタ・ルズィア島，サント・アンタゥン島，そしてラゾやブランコなどの小島のグループは 1460 年から 1462 年の間に発見された」としている．カーボ・ヴェルデの島々の「発見者」についてさまざまな説はあるものの，Andrade (1996: 33) によれば，はじめに発見された上の 5 つの島は「エンリケ航海王子の下で働いていたジェノヴァ人 António da Noli とポルトガル人航海士 Diogo Gomes である．そして，残りの島々はポルトガル人 Diogo Afonso によって発見されている」．

（2）カーボ・ヴェルデの入植

　カーボ・ヴェルデは，当初，マデイラ島やアソーレス諸島のようにポルトガル人
（あるいは白人）のみによって入植されるはずであったが，すでに述べたように不
毛の地であり，乾燥地帯という厳しい自然環境下でプランテーションを成功させる
ことは容易ではなかった．また，ヨーロッパ人用の食料として重要であった穀物が
栽培できなかったために，ポルトガル王国からの正式な指令の下，ギニアの地域（当
時のギニアの地域はセネガル川からシエラ・レオネまでの範囲を指していた）から
黒人奴隷を奪取し，カーボ・ヴェルデへ連行することが許された．「白人」，「黒人」，
「奴隷」と一口に言えど，これらの人びとは多くの社会的役割を担い，また身分や
出生地などが異なるためにそれぞれに名称があり区別されてきた．したがって，入
植について説明する際に，まずは区別されてきた人びとを明らかにし，これらの名
称には十分に注意を払って論じる．

　カーボ・ヴェルデの島々は，15世紀に白人によって「発見」[41]されたが，その
「発見」後，直ちに入植されたわけではなく，島によって入植された状況が異なる．
最初に入植された島はサンティアゴ島（1460年）であり，その後にフォゴ島（1480
年から1493年の間）が植民された．サンティアゴ島が最初に入植された理由とし
て，次の4つが挙げられる．「①もっとも広大な島であること，②カーボ・ヴェル
デの島々の中で，乾燥していない，③岩に覆われていない，④もっとも船で接近・
到着しやすい」（Andrade 1996: 51）．フォゴ島は1490年に航海士 Diogo Afonso に与
えられた土地であり，おそらく動物や奴隷が移入されていた．カーボ・ヴェルデで
織物業が盛んになる前，フォゴ島では木綿が多く生産され，アフリカ大陸沿岸部で
の黒人奴隷との交換品として重要視されていた．また，当時のフォゴ島の特徴は，
「サンティアゴよりも混血されていた人びとが若干多かった」（Andrade 1996: 52）
ことである[42]．

　これら2島の入植を推し進めたのは白人および黒人奴隷である．どのような人
物がカーボ・ヴェルデに居住していたかにかんしてさまざまな記述がある中，
Carreira (2000) は白人について次のようにまとめている．白人は，ポルトガル国王
に承認され支持を得ている「貴族の家系」，そして「アレンテージョ地方およびア
ルガルヴェ地方のポルトガル人」，あるいは「アルガルヴェ地方出身の夫婦」であ
る．また，1472年，王に届いた手紙によると，サンティアゴ島およびフォゴ島の入

---

[41] アラブ人，ベルベル人がカーボ・ヴェルデを発見している可能性がある．
[42] 17世紀までは，白人が大多数を占めていたのにもかかわらず，19世紀になると，
全島民13,150人のうち，白人は150人，黒人が8,000人，そして混血が5,000人で
あった 1950年になるとフォゴ島民の 97%は混血，黒人と白人がそれぞれわずか
2%，1%である．

植は,「ポルトガル人（貴族，平民の白人，流刑に処された者）」(Carreira 2000: 283)
を含み，白人の中には，ポルトガルの貴族以外にも，「王によって送り出されたジ
ェノヴァ人，スペイン人とその子孫，フランドル地方の入植者もいた」(Carreira
2000: 281) ことを記述している．さらに，Andrade (1996) は「カーボ・ヴェルデ人」
が形成されるプロセスにおいて，ポルトガル人の中でももっとも人数が多かったの
は，ポルトガルのリスボンから南西に約 1,000km の大西洋上にあるマデイラ島の
出身者であると結論づけている．このように白人のみを切り取ってみるだけでも，
入植者の出自がいかに複雑か伺える．

　ここで，「白人」という分類をまとめれば，上層者（貴族）であったポルトガル
人（主にアレンテージョ地方およびアルガルヴェ地方，リスボンの出身者，おそら
くマデイラ島民），ジェノヴァ人，スペイン人やその子孫，ユダヤ人（ヨーロッパ
系），フランドル地方の人に加え，平民や流刑に処された者がいたことになる．し
たがって，カーボ・ヴェルデへの入植にあたり，これらの 2 島には実に多様な人び
とが存在し，白人が少数であったため容易に接触や混淆がなされる状況にあった．
そしてカーボ・ヴェルデの植民地政策においてサンティアゴ島およびフォゴ島が重
要な島であった．

　ボア・ヴィスタ島は「野生動物の群れを管理するために 1490 年，Rodrigo Afonso
に与えられた土地である．ヨーロッパ人による入植が始まったのは 16 世紀末であ
り，家畜の番をさせるためにサンティアゴ島から奴隷の子孫や若干の混血が送られ，
西アフリカ沿岸部から奴隷が連れてこられた」(Lima 2002: 27)．また，「マイオ島も
ボア・ヴィスタ島同様，Rodrigo Afonso に与えられた島である．1642 年から徐々に
サンティアゴ島からの移住者が増え始めたことにより植民が始まったが，小さな村
程度の規模であった．1718 年には，わずか 60 人しか住人がおらず，ほかの島々と
比較しても日光が強く，不毛に近かったため非常に貧しかった．さらに，塩を求め
てイギリス人がポルトガル植民地の官吏に許可なく押し寄せることも度々あった」
(Lima 2002: 27).

　サン・ヴィセンテ島は 15 世紀末，商業を促進させるために多くの白人が家族で
移入した（後にサン・ヴィセンテ島の主都市であるミンデーロはその港の発展によ
り多大な価値が置かれた）が，後にサント・アンタゥン島について説明するように，
サン・ヴィセンテ島が本格的に入植され始めるのは 19 世紀前半であり，まだ歴史
が 1 世紀ほどしかない．植民地司令官によってカーボ・ヴェルデからはフォゴ島
民，ポルトガルからは 44 組の夫婦，そして何人かの囚人がサン・ヴィセンテ島に
送られることになった．しかし，サン・ヴィセンテ島が繁栄するのは，1838 年，イ
ギリス人 John Lewis が最初の石炭の保管所をつくり，イギリス領事 John Rendall が
1850 年代にミンデーロで石炭事業を開始する頃である．石炭事業の目的は「イギ
リス東インド会社のために燃料を供給すること」(Lima 2002: 54) であった．これに
より，ミンデーロは大西洋を横断するため極めて重要な港町へと変貌する．このよ

うに外へ開かれており，外国から大勢の人びとが物資や食料の供給のために訪れていたミンデーロは，やがて多様な慣習を持つようになり，ヨーロッパの影響が多大であった．

　サン・ニコラウ島は17世紀に入植が始まり，「まずマデイラ島出身のポルトガル人と彼らの奴隷が住み始め，多くの混血が誕生した」(Carreira 2000: 314)．また，「農業がもっとも成功した島であり，ギニアから奴隷の輸入が多いことが特徴的であり，白人がさほど支配的でなかった」(Lima 2002: 53).

　反対にブラヴァ島は，1680年のフォゴ島の火山噴火により多くの人が避難してきたという事実があるものの，「最初の入植者がヨーロッパ人（マデイラ島，ミーニョ地方，アルガルヴェ地方の出身）であったために，白人が支配的であった」(Lima 2002: 53).

　サント・アンタゥン島は，サン・ヴィセンテ島のように，カーボ・ヴェルデの島々の中でも遅くに入植され，住民はほかの島から移り住んだ．この島の特徴は，「17世紀から18世紀末まで自由黒人しかいなかったことである．そして本格的な入植は18世紀末から始まった」(Lima 2002: 54).

　サル島は，Lima (2002: 55)によれば，「1830年以降，白人の家族と多くのボア・ヴィスタ島出身の奴隷が家畜および，名前のとおり（サルsalはポルトガル語で「塩」を意味する）製塩のために移入した」．

　カーボ・ヴェルデは無人島であったために，その歴史，あるいは「クレオール」と呼ばれる人びとの誕生は入植されてから始まる（表3）．「クレオール」という曖昧な用語には，どのような潜在的要素が包含されているのか，ここからが議論の出発点である．

表 3. カーボ・ヴェルデの島で植民が開始された時期

年号	島
1462年	サンティアゴ島
1480〜1493年	フォゴ島
16世紀後半	ボア・ヴィスタ島, サン・ニコラウ島
1642年	マイオ島
1680年	ブラヴァ島
1790年	サント・アンタゥン島
1830年	サル島
1838年	サン・ヴィセンテ島

2．カーボ・ヴェルデの人びと——人種・階級・役割

　Baleno (2001: 157) は，カーボ・ヴェルデの奴隷制時代（1460 年から 1836 年まで）の人びとを 3 つの層（階級）に区分している．すなわち，「①もっとも人口が少なかった白人，②フォロス (forros) と呼ばれていた自由黒人，そして③人口がもっとも多かった黒人奴隷である」．

　すでにサンティアゴ島およびフォゴ島について概説したように，①の白人は，カーボ・ヴェルデ社会で支配者層に属しており，彼らの中にはランサードス (lançados) と呼ばれる人びとがいた．

　ランサードスは，ポルトガル人をはじめ，スペイン人，フランス人，イギリス人，さらには罪を犯したために社会から追放されたユダヤ人などのアフリカへ「身を投げ出した」[43] 人たちのことである．しかし，ランサードスは必ずしもヨーロッパからきた人とは限らなかった．Quint (2000: 117) が述べているように，「多くのランサードスおよびタンゴマオス（Tangomaos, 下で詳述する）はカーボ・ヴェルデの出身」であった．つまり，ランサードスとは，ヨーロッパから「追放」された者とカーボ・ヴェルデで生まれた者を指し，とりわけ後者が大多数であった．

　また，ランサードスについて Couto (1992: 110–111) は「彼らはカーボ・ヴェルデに住み，アフリカ人と同じように生活していた．ランサードスは裸足で歩き，まるでトカゲや蛇のように体に縦や横線を引いていた．彼らは土着の人の言語を身につけていたために西アフリカでおこなわれていた貿易や商業に携わっていたヨーロッパ人と西アフリカの人びとの仲介人として重要な役割を果たした」と述べている．その重要な役割というのは，ヨーロッパ人と西アフリカの人びとの仲介人といった商業・交易関係によるものであるが，ほかにも，内陸部の入植やギニア川における探査，またヨーロッパ人の情報伝達手段に携わったことで支配階級という地位を占めていた．

　黒人奴隷が連れてこられた地域とは，現在のセネガル川からシエラ・レオネにかけての西アフリカ地域である．Quint (2000) の言語起源の調査から理解できることは，西アフリカ沿岸部で話されているマンデ諸語（マンディンカ語，マリンケ語，ソニンケ語，カソンカ語，バンバラ語，ジュラ語などがある）がカーボ・ヴェルデの人びとに深く関係していることから，西アフリカ一帯の人びと（黒人奴隷）がカーボ・ヴェルデの地へ連行されたときに混ざり合ったと考えられる．Baptista (2002: 15) は，マンディンカの人びとのほかにも，「ウォロフやフラの人びともカーボ・ヴェルデで混淆している」と言及している．また，カーボ・ヴェルデ（フォゴ島）

---

[43] ポルトガル語で lançado は「投げつけられる」や「追放される」といった意味を持つ．

の出身であるが，ポルトガルの植民地大臣として従事した Ernesto de Vasconcelos (1883–1928) (Carreira 2000: 301 からの引用) による正確な記述が残されている.

> 「カーボ・ヴェルデが発見されたときは無人島であったがゆえに，バランタ族，パペル族，ビジャゴ族，フルベ族，ウォロフ族を血縁関係にして，植民地化を促進させる必要がある」

　そのため，これらの人と彼らの言語の混淆は非常に多かった. Carreira (2000: 301) によれば「サンティアゴ島とフォゴ島の黒人奴隷の人口は 1582 年の時点で 13,700 人であり，白人はおよそ 100 人である」. このように多様で多くの民族が西アフリカからカーボ・ヴェルデに奴隷として連れてこられた.
　そして，多様な民族が入り混じっていた中で重要な役割を担っていたのがランサードスであった. 彼らの周囲には類似の言語文化をもつムラート (*mulato*；黒人と白人の混血)[44] やフォロス (*forros*；自由黒人) といった人びとがおり，それゆえにランサードスは円滑にコミュニケーションを取ることができた. つまり，多種多様な民族が小さな空間に入り混じっていたカーボ・ヴェルデで，人びとは共通のコミュニケーション方法を持っていたということである. このような状況下で一時的に話される言語をピジン語，それが母語化したものをクレオール語と言う[45].
　アフリカに適合した「ランサードス」という用語に類似しているのが，「タンゴマオス」である. その類似性を Carreira (2000: 61) は示している.

> 「(1600 年頃) ここジャンバラ (*Jambra*) では，イギリス人，フランス人，フランドル人，ポルトガル人が交易をしていて，そこにはサンティアゴ島とカーボ・ヴェルデの島々出身の黒人，ムラート，クレオール (*criollos naturales*) がいた. それらの島々には，大勢の婚姻していたタン

---

[44] ムラートという用語は，言語によってさまざまな意味を持つが，本研究ではポルトガル語の意味に従い，白人と黒人の混血という意味でもちいる.
[45] 共通の言語を持ち始めた時期は，簡略化されたポルトガル語であったために，必要最低限なことしか表現できなかった. この共通語はピジン語と呼ばれる. そのピジン語が時代と世代を超えて，母語とする者が現れたときにクレオール語と呼ばれる. この定義はあくまでも，言語学において一般的に使われていることを強調したい.

ゴマゴス (*tangomagos*)[46]と呼ばれるポルトガル人がおり，彼らは商人や支配者の通訳をしていた」

Carreira (2000) の記述から理解できることは，タンゴマオスは，ランサードスと同じように白人と黒人の仲介をしており，「通訳」（リングア *lingua* とも呼ばれていた）であったという意味で確かに類似語である．また，「タンゴマオ (*tangomao*)」[47]は「男性」であるが，「タンゴマ (*tangoma*)」という言い方もあり，これはタンゴマスと同じ役割であっても「女性」（黒人奴隷）を指している．

Couto (1992) の論に従えば，白人であったランサードスと黒人女性であったタンゴマスの間に生まれた子供のことをフィーリョス・ダ・テーラ (*filhos da terra*；「土地の子供」) と呼ぶ．

これまでの説明でもわかるとおり，クレオールとは，支配者である白人と黒人奴隷の間に生まれた混血である．したがって，奴隷であったのか，あるいは支配者であったのか非常に曖昧である．もっとも論理的に考えられるのは，クレオールは中立の立場にいたということであり，奴隷でも支配者でもない．Couto (1992) が論じているように，ランサードスの周囲にはタンゴマオスやフォロス（自由黒人）などあらゆる奴隷が通訳として，ともに西アフリカ沿岸部へ同行した．そしてカーボ・ヴェルデでは，徐々に混血の人口が白人や黒人のそれを上回ることになる．Carreira (2000) は，人口や飢饉についての説明の中で，「支配的であった肌色が薄い（つまり白人により近い）メスティッソ[48]と白人が即座に…」(Carreira 2000: 312) と記述しているように，肌色によってより優勢な立場にいたかどうかを区別していたとの理解を示している．つまり，クレオールは奴隷でありつつも，人によっては，中立な立場にいた者もおり，Carreira (2000) の説明のように優勢な立場にあるクレオールもいたと解釈することが可能である．

ここで1点留意すべきことは，上で説明しているクレオールが言語ではなく，人を指していることである．言語としてのクレオール，つまり，クレオール語はサンティアゴ島で 15 世紀にはすでに話されているが (Quint 2000)，それは次節で論じるように，クレオールと呼ばれる人びとが話し始めた言語であるからだと考えられる．

---

[46] タンゴマスには，タンゴマオ (*tangomao*)，タンゴ・マゥン (*tango-mão*)，タンゴスマゥス (*tangosmaus*) などほかにも類似した言い方が多く存在するが，いずれも本研究で記しているタンゴマス (*tangomas*) と同じ意味である．

[47] ポルトガル語で，基本的に語末の "a"は女性形を示し，"o"は男性形を示す．

[48] Carreira (2000: 312) は *mestiço* と書いているが，この場合のクレオール (*crioulo*) と *mestiço* は同義語である．

　ほかのカテゴリーと同じように，クレオールもまたムラート（白人と黒人の両親をもつ子供）やメスティッソ（混血）以外で類似した名称がいくつかある．すなわちボサーレス (boçales；ポルトガル語で「無知な」)，ナトゥラーレス (naturales；「土着民」) そしてラディーノス (ladinos；「賢い」) である．

　ボサーレスとは，アフリカから連れてこられた黒人奴隷のことを呼び，ポルトガル語やカトリック教について「無知な」奴隷を指していた．反対に，ナトゥラーレスはカーボ・ヴェルデで生まれた「土着民」[49] のことであり，ボサーレス同様，奴隷であった．そしてラディーノスとは，「カーボ・ヴェルデに連行された子供のボサーレスがポルトガル語を学ばされ，カトリックに改宗した奴隷のことを指すが，クレオールと呼ばれていた」(Andrade 1996: 109)．つまり，もともとクレオールの人びとはポルトガル語やカトリックの倫理を知らなかったボサーレスであった．これはクレオールの語源を考えることでより深い理解を得ることができる．宗主国の言語（ポルトガル語，スペイン語，英語，フランス語など）によってその意味が異なるが，「クレオール」という単語の起源や語源は，一般的にポルトガル語あるいはスペイン語であると言われている．いずれにせよ，その語源はポルトガル語とスペイン語の「育てる」や「創造する」という意味の criar であると考えられる．つまり，ボサーレスとは西アフリカで生まれ，幼少期にカーボ・ヴェルデでポルトガル語やカトリックの倫理を教えられ，育成させられた人である．この意味で言えば，クレオールとは土着（カーボ・ヴェルデ）で生まれ育った「奴隷」である．

　ここで浮上する疑問とは，なぜラディーノスはポルトガル語やカトリックの教育を受けさせられたのかである．これについて Andrade (1996) や Carreira (2000) は，ポルトガル語が理解できカトリック教に改宗され，その文化倫理を理解している奴隷は，ボサーレスと比較して高値でアンティル諸島やカルタヘナ（コロンビア）の港町へ売買できるという根拠を示している．

　次に簡潔に触れておくべきは，グルメテス (grumetes) である．グルメテスはランサードスの配下的役割を担っていた黒人である．本来，語源はグルメテ (grumete) ＝下級船員，つまり，「下級航海士」という意味であり (Couto 1992: 111)，その「下級」の意味が変化なく残されたままだった．このように，名称に航海用語がもちいられるのは，当時，唯一の移動手段が航海であったことからも想像できる．グルメテスは「カーボ・ヴェルデで生まれた黒人奴隷であり，ランサードスとアフリカの人びとと深い関係にあった」(Couto 1992: 112)．このような記述があるものの，グルメテスにかんする情報は非常に少なく，特徴づけることが難しい．なぜなら，カーボ・ヴェルデ史においてより一般的にもちいられているナトゥラーレスと同じ特

---

[49] ナトゥラーレスは，スペイン語の criollos の意味にあてはまる．つまり，ナトゥラーレスもクレオールも同じ意味である．

徴を持つからである．したがって，本研究ではより一般的な「ナトゥラーレス」という呼称をもちいる．

　フォロス（自由黒人）という呼称の使用は，カーボ・ヴェルデが発見された120年後，つまり1580年頃から増え始めた．Carreira (2000: 306) が述べているように，「バニュン人，ブラーメ人，カサンガ人の商人，宣教師，航海士に同行した自由黒人がおり，ポルトガル語やカトリック教徒に改宗しており，真にラディーノス［らしいラディーノス］である」．しかし，Peixeira (2003: 57) によれば，フォロスと呼ばれた自由黒人とは，「主人から解放された自由黒人」（または解放奴隷）である．行き場がないフォロスの多くは島の奥地へ向かい，そこで労働させられていた奴隷と一緒に，家畜や農業に関係した労働をしていた．

　これまで概観してきたカーボ・ヴェルデの奴隷制社会を構成していた人びとは表4のようにまとめることができる．本節で「クレオール」が，もともと奴隷をあらわす用語であったことが確認できた．しかし，後に論じるように，カーボ・ヴェル

表 4. カーボ・ヴェルデ社会における人びとの階級および内容

階級	名称	役割
支配者	ランサードス (*Lançados*) タンゴマオス (Tangomaos)	ポルトガル人をはじめ，スペイン人，フランス人，イギリス人，そして罪人であったユダヤ人などの白人男性．
自由黒人 解放黒人	フォロス (*Forros*)	カーボ・ヴェルデで解放された元奴隷．
奴隷	タンゴマス (*Tangomas*)	黒人女性であり，ランサードスの妻．
	フィーリョス・ダ・テーラ (*Filhos da Terra*) クレオール (*Crioulos*)	ランサードスとタンゴマスの間に生まれた子供．「土地の子」を意味する．クレオールと同じ意．
	ボサーレス (*Boçales*)	アフリカから連れてこられた黒人奴隷であり，ポルトガル語やカトリック教について「無知な」奴隷．
	ナトゥラーレス (*Naturales*)	カーボ・ヴェルデで生まれた「土着民」であり，奴隷．「土着民」であるため，「クレオール語」を話していたことが推測できる．
	ラディーノス (*Ladinos*)	カーボ・ヴェルデに連行された子供のボサーレスがポルトガル語を学ばされ，カトリックに改宗した奴隷のこと．クレオールの呼称を持つ．

デのようなヘテロジニアスな社会とは人びとが混淆していたために，奴隷と支配者を簡単に二分できるとは言えないはずである．すでに触れたように，これらの複雑な民族構成の中で，白人，奴隷，解放・自由奴隷などの人びとがひとつのコミュニティ内において相互に接触し合うことでクレオールと呼ばれる人と言語が形成される．

　次節では，カーボ・ヴェルデのクレオール語が形成された背景に，どのような人びとが相互に関係していたのかを論じる．

3．クレオール語の形成

　言語としてのクレオールは，すでに述べたように，Quint (2000) のカーボ・ヴェルデにおける言語研究によって明らかにされており，クレオール語はサンティアゴ島で 15 世紀にすでに話されている．実際にクレオール語の形成についてアプローチする場合，もっとも適切な方法は社会言語学的視点である．したがって，以下，社会言語学的にクレオール語の形成について考察している Couto (1992) に従って論を進める．

　Couto (1992: 113) は「最初のクレオール人[50] の世代は，習得せねばならない 3 つの言語学的『インプット』」として次の 3 つを挙げている．

① 母方の言語——アフリカの言語（複数言語である可能性が考えられる）
② 父方の言語——「ベビートーク」[51] や「フォリナートーク」[52] と呼ばれる簡略化されたポルトガル語[53]
③ 父母の間で使用される言語——ポルトガル・ピジン語．

---

[50] 原文では，フィーリョス・ダ・テーラと記している．すでに述べたように，本研究では呼称を統一させるためにフィーリョス・ダ・テーラをクレオールに置き換えるが，その際にクレオールが言語であるのか，人であるのか不明であるため，「クレオール語」，「クレオール人・クレオールの人びと」と区別する．

[51] トッド（1986: 58–59）によれば，Bloomfield によって提唱されたピジン語の起源説のひとつであり，ピジン語が単語を覚え始めた子供の話し方と似ていることが特徴的である．つまり，「使用人の不正確なことばを主人が模倣した」（トッド 1986: 58–59）という説明であり，この現象を「赤ん坊ことば」(baby talk) と命名している．

[52] フォリナートークとは，「外国人に対し母語話者が使うことばである」（市之瀬 2010: 135）．

[53] 実際は，ピジン語やクレオール語の起源として提唱されている仮説であるため，ポルトガル語であるとは言い切れない．

これらの①から③を Couto (1992: 113–114) は次のように分析している.

　　　　「①にみられるアフリカの言語の場合，クレオール人は母以外にもグ
　　　ルメテスや西アフリカの人びととアフリカの言語をもちいていた. また,
　　　クレオール人の両親の周囲にいたヨーロッパ人やアフリカ人とはおそ
　　　らくポルトガル・ピジン語を話していたと推測する. このポルトガル・
　　　ピジン語をクレオール人が母語として習得したときに，それはクレオー
　　　ル語と呼ばれた」

　これをより具体的に言えば，ピジン語とは奴隷制社会の中で円滑に労働を捗らせ
るために自然に生まれた言語であるため，労働するにあたって必要な単語や表現し
かなく，したがって語彙的に乏しく，表現力に欠ける言語である. 反対にクレオー
ル語とは，話者の母語であるために，より豊かな語彙力と表現力がある. ピジンに
ついての説明は Couto (1992: 112) の次の文章からも理解できる.

　　　　「ランサードスはグルメテスに単純なポルトガル語（動詞の活用，名詞
　　　と形容詞の性数の一致を省いた）で会話し，その基礎的なポルトガル語を
　　　聞いていたグルメテスとタンゴマスはポルトガル語を単純化し，日常的に
　　　繰り返した.その基礎的なポルトガル語とグルメテスやタンゴマスの使用
　　　していた言語，すなわち，アフリカの言語が混淆し，ポルトガル語系ピジ
　　　ン語が生まれた」

　当時のカーボ・ヴェルデ社会において「ピジン」という用語はみられず，「クレ
オール」のみがあらわれている. つまり，本研究において重要な点となるのは，前
節で論じたクレオールと呼ばれていた人びと（あるいはフィーリョス・ダ・テーラ
のようにクレオールと同義語としてもちいられていた名称）が話していた言語は，
それがピジンであろうがなかろうが，彼らの言語をクレオールとあらわしていたこ
とである. それは時の経過とともに，より混淆現象が進行していたことを想定する
と，大勢の人びとがクレオール語を話していたことが容易に想像できる.
　ともあれ，歴史学者 Carreira (2000) と言語学者 Couto (1992) の双方の主張を照
合すると，上の①から③で記しているクレオール人の両親は，ランサードス（父）
とタンゴマス（母）であることがわかり，前節と同様のことが理解できる. さらに，
このような植民地の状況（奴隷と支配者が深い関係にあること）は，クレオール語
が形成されるまでのプロセスに貢献している. また，白人や支配者の大多数がポル
トガル人であると記したが，ほかの白人によって支配されていた時期も度々あった.
なぜならば,ポルトガルの経済情勢の悪化や勢力の弱体化によって植民地へのしか

るべき統治が行き届かなかったからである[54]. 具体的にカーボ・ヴェルデが占領された時期をみると, まず, 1537年にフランス人, 次に1562年, 1563年, 1566年, そして1585年にはイギリス人, 1598年にはオランダ人, 1655年にはドイツ人に占領されていた (Peixeira 2003: 58).

このような植民地の状況を想像すると, カーボ・ヴェルデは必ずしも常にポルトガル人の支配下にあったわけではなく, 真の意味での支配者は「クレオール」であったと言うべきかもしれない.「アフリカ人化」していたランサードスは, 奴隷と親密な関係にあり, 商業の利益が向上するにつれてグルメテスやタンゴマスを雇い, 取引を目的に西アフリカ沿岸部やギニア地域の内陸部にともに向かっているからである. すでに論じたように, ランサードスとタンゴマスは婚姻関係にあり, その混血の子供がクレオールと呼ばれた. Couto (1992: 61) の分析に従えば, グルメテス, タンゴマス, 彼らを雇ったランサードスの間には接触が生じている. 主体はもはや「白人」でも「黒人」でもなく,「混血」になるわけである. すなわち決められた階級に属しておらず, カーボ・ヴェルデで大多数の人種を占めていた混血, クレオールである. 言語学的視点からみても, もっとも拡大し, 発展した言語はポルトガル語でも西アフリカの言語でもなく, クレオール語である.

このようなコンテクストから考えると, ランサードスがカーボ・ヴェルデを「支配」していたことは言うまでもないが, クレオールの立場は限りなくランサードスに近かったのではないか. そして, この階級社会とは世代を超え, さらに混血化されることで支配的立場はランサードスから徐々にクレオールへと変化していったのではないだろうか. このように捉えると, クレオールもある種の「支配者」であったと考えられる. その結果, ヘテロジニアスな社会が自然に形成された事実は不思議ではない. 加えて,「15, 16世紀にクレオール語がすでに話されていたとしても, 商業や社会関係においてもちいられるという意味で『真正な』クレオール語が話され始めたのは18世紀や19世紀からである」 (Carreira 2000: 268) というように, クレオール語とは, 人びとの混淆とともにカーボ・ヴェルデで普及し拡大し, やがてはカーボ・ヴェルデの「真正な」言語となった. それは言語だけでなく, 文化にも同様のことが言える.

歴史家Davidson (1989: 11) は「『カーボ・ヴェルデ人』は1700年頃に形成されたと推定している. その頃にはすでに「ムラートでも, メスティッソでも, 混血でもなく, 定められた土地に生まれ育ち, 独自の民族性を持つようになった人びと」,

---

[54] 「ポルトガル領の土地が狭められていた. 事実, インド洋, 太平洋もポルトガル人によって発見された地域であるが, すべての土地を実際に支配するための人が不十分だった. ポルトガルが欧州のなかでもとくに貧困国であり, 土地を探索するための財政的不足があった」(Couto 1992: 119).

すなわちクレオールが誕生していた．このプロセスをここでは，言語学的に使用される「クレオール化」という用語で表現する．

　一般的に「クレオール化」という表現は言語学的にもちいられる．ピジン語を母語とする人が現れた際にそれをクレオール語と呼び，そのプロセス自体が「クレオール化」である．しかし，本研究ではクレオール語のみならず，「クレオール」という用語を包括的（人種・言語・文化的側面）に論じるために，言語のクレオール化だけでなく，人のクレオール化（クレオールの人びとが誕生するまでのプロセス）という意味でももちいる．

　したがって，18 世紀にはすでに，「クレオール化」（言語・人種）した結果，クレオール人ないし「カーボ・ヴェルデ人」が形成されたというわけである[55]．多くの作家や歴史学者は，カーボ・ヴェルデ社会はあらゆる土地からきた人びとと言語が混淆したことで生まれたと考えるが，それならば文化もまた混淆というプロセスを経て形成されたと考えて当然である．しかしながら，文化の形成における決定的な裏づけはなされておらず，限られた資料しかない．Cruz (2010: 373) はカーボ・ヴェルデの音楽について次のように言及している（文中の［］は著者による補足）．

① クレオール語を詩的に使用することにより，［クレオールの］歌の基盤を形づくった．

② 奴隷制という背景において音楽は人間性を孕み，それが奴隷の情感を表出させた．

③ 音楽とは人間関係や社会において必要なことである．あるいは，無人島［という隔離された空間において］文化的，精神的に生き残るための手段である．

　つまり，アフリカから伝わった音楽はカーボ・ヴェルデに根づき，300 年もの間，ある種の文化的シンクレティズムが起きた．

　これら 3 つの論点からわかるように，カーボ・ヴェルデにおいて音楽は奴隷制時代から重要な文化的表現であった．Cruz (2010: 373) が言及しているように，「モルナは 18 世紀後半から 19 世紀初頭にかけてすでに存在していた音楽」であり，カーボ・ヴェルデ文化とは混淆文化の結果であり，音楽も例外ではない．この時点で明確なことは，クレオールの人びと，言語，文化はそれぞれ形成された時期が異なる

---

55) クレオール（人種）とカーボ・ヴェルデ人は同義語である．もちろん，クレオール化は，カーボ・ヴェルデ以外の地域でも生じているため，それらの地域にもクレオール人は存在する．しかし，それらの人びとが自らを「クレオール」と呼ぶかどうかは別の問題である．ここで，強調しておきたいことは，カーボ・ヴェルデの人びとの場合，自らのことを「クレオール人」(crioulo) あるいは「カーボ・ヴェルデ人」(caboverdiano) と呼び，そして両方の語（クレオール人とカーボ・ヴェルデ人）は同じ意味としてもちいられていることである．

にせよ,「真正の」クレオール[56], クレオール語, そしてクレオール文化という意味では, 一貫して18世紀から19世紀にかけて確立されたと言える.

4. 小活

　「クレオール」とは, 当初, コロニアリズムのコンテクストにおいて形成された植民地的「遺産」[57] であった. それは, 本章のふたつの着目点——人と言語——で論じてきたように奴隷と支配者の関係性によって確立されたからである.「人」と「言語」からのアプローチは,「クレオール」と呼ばれる現象について理解するためには非常に有効な手段であった. これらふたつの側面から分析した結果, クレオールをひも解くための鍵が浮き彫りにされた. すなわち, クレオール社会を形成した支配者・奴隷, そしてその関係性, つまり混淆現象である. すでに述べたが, カーボ・ヴェルデは社会的に混淆しやすい状態にあったという事実は非常に重要な点である.

　カーボ・ヴェルデにおいてクレオールと言われる人びとは, 入り組んだ複合的な社会において, 柔軟性・順応性を自然に習得し, それが言語・文化に反映されている. 換言すれば, 混淆が必ずしも強制的ではなく, ある種「当然」のように繰り返しおこなわれ, 混淆そのものをもちいて自らを変貌させるような潜在的要素を孕んでいる.

　このように, クレオールの現象をひも解く作業を試みると, クレオールをほかの文化と区別するための機能 (クレオール人, クレオール語, クレオール料理, クレオール音楽など)[58] とクレオールの根本的な意味 (柔軟性に富んだ混淆の賜物) のふたつの視点を確認することができ, 本研究では前者のクレオールを「分類としてのクレオール」(*creole as a classification*), 後者のクレオールを「現象としてのクレオール」(*creole as a phenomenon*) と呼ぶ.

　本章で論じたクレオールの形成について見返すと, クレオールの人びとによってクレオール言語やクレオール文化が誕生したと言うことができる. しかし, これまで論じてきた段階では, クレオールとはコロニアリズムをつうじて生まれた産物として捉えてきた. 確かにクレオールの人びとはクレオール言語・文化を築き, その一貫としてモルナを生成したわけである. しかし, 奴隷制時代 (奴隷制度は19世紀末に廃止される) まで歌われてきたモルナは, 上で論じたように, コロニアリズ

---

56) このクレオールは人種を指している.
57) ここで遺産というのは, 植民地支配者による遺産ではなく, 支配者と奴隷, そしてそのほか大勢の人びとの相互関係によって成立した結晶という意味である.
58) クレオールの用法としては, 名詞と形容詞の両方がある. 人を指す場合は「クレオール」(名詞), 言語を指す場合は「クレオール」(名詞) あるいは「クレオール語」(形容詞), そして文化を指す場合は必ず形容詞がもちいられ,「クレオール文化」(クレオール音楽, クレオール料理など) と表現される.

ムの背景の賜物であり，決してカーボ・ヴェルデの人びとが意識的に，あるいは意図的に構築した独自の文化ではない．反対にモルナは，カーボ・ヴェルデがまだ奴隷制にあった頃に，あらゆる人と言語文化が混淆した，一種の成り行きで生まれたと捉えることができる．したがって，モルナは奴隷制時代が廃止されるまでに成立したコロニアリズムの産物であって，カーボ・ヴェルデの人びとが意図的・意識的に作り上げたクレオール・アイデンティティではない．

　次章からは，ここまで論じてきたクレオールのなかでも，クレオール文化論を基盤に，モルナの変遷をキーワードとして持ちながら，クレオールとモルナの関係性について論じる．とりわけ，モルナに表象される情感や概念を中心に，カーボ・ヴェルデのクレオールの人びとがどのようにクレオール文化であるモルナを継承し，変貌させたのかを追究する．

3章　モルナの類型論的分析[59]

　前章では，クレオールという視点から「人」と「言語」に着目点を置き，クレオールの現象について論じた．本章では，モルナがどのように分類できるか模索し，それを通時的に分析する際に効果的な方法を明示することである．

　はじめにモルナの起源説を取り上げることで，クレオールとモルナの関係性を浮き彫りにする．具体的には，クレオール音楽と言われるモルナになぜ「クレオール」という形容詞が付加されるのか考究する．クレオールが「混淆」を意味しているのであれば，あらゆる音楽は「クレオール」ではないか，という非常に素朴ではあるが，これまでのクレオール研究で議論されてこなかった主張もある．この問いに答えるためにもモルナの歴史（とくに起源）を概観し，どのようにしてモルナが生まれて，なぜクレオール文化と言えるのかを明らかにする．起源はしばしば，証明することが難解なために踏み入ることが容易でなく，仮説に留まってしまう．しかし，本研究ではモルナの起源自体を明らかにするのではなく，その起源を概観することでクレオールと言われる文化概念の理解を目的とする．

　次に，モルナの変遷やモルナを作詞・作曲した詩人が生きたそれぞれの時代におけるモルナの特徴を明らかにすることで，モルナの分類と時代区分を提示する．

1．クレオール音楽——モルナの起源からの模索

　モルナは，Tavares (1932: 7) の記述から推測できるように，18 世紀半ばから 19 世紀の間に形成されたと言われ，カーボ・ヴェルデでもっとも古い音楽ジャンルのひとつである．モルナの起源についてはさまざまなことが語られているが，概して一致していることは，Tavares (1932: 7) が記しているように「ボア・ヴィスタ島がモルナの発祥地であり」モルナが多様な文化と接触し合ったことで生まれたこと，そして「早い段階から音楽として認識されていた」(Gonçalves 2006: 74) ということである．このように，モルナについての確かな情報というのは非常に少ない．Monteiro (1998: 18) も同様のことを指摘している．「João Augusto Martins の著作，*Madeira de Cabo Verde e Guinée*（カーボ・ヴェルデとギニアのマデイラ島）やほかのカーボ・ヴェルデ音楽にかんする資料にはモルナの情報が一切記されていない」．考えられる原因は，カーボ・ヴェルデ文化は口頭伝承を基礎としており，クレオー

---

[59]　本章は，青木（2015a）を主に参考としている．

ル語にかんしては無文字言語であった[60] ということである．実際，モルナにかん
する文献や記述が出されたのは 20 世紀初頭になってからである(Alfama 1910;
Lopes 1929; Tavares 1932; Cruz 1933; Cardoso 1983[61])).

　モルナの起源にかんする考え方は下記の起源説でみられるようにいくつかある．
たとえば Lopes (1929) はモルナを苦悩と関連づけた．20 世紀初頭以降，文学者は
モルナの語源を追究しはじめ，その語源はフランス語の *morne*（陰気な，憂鬱な）
あるいは英語の *to mourn*（嘆く，悲しむ）から派生されたと考えた．つまり，Lopes
はモルナに悲観的感情があらわれているとした．それはたとえば Tavares (1932: 7–
10) の記述にもみられる．

> 「モルナはボア・ヴィスタ島で誕生した．後にカーボ・ヴェルデのほ
> かの島へと伝えられた．(...) われわれの誇りであり，約 100 年間も歌わ
> れ続け，そしてわれわれの民謡の中でもっとも美しいであろうブラヴァ
> 島の最古のモルナは『ブラダ・マリア』(*Brada Maria*) である．この曲は
> 落ち込んでいる状態の悲痛な叫びを表現しているのだ」

　『ブラダ・マリア』の歌詞にはある少女の失恋について語られた悲惨な物語が綴
られている．

[...]	（前略）
Sorveu num beijo toda a minha vida	私の人生は彼の口づけによって盗まれ
E deixou-me caída toda esmaiecida.	そして彼は私を色褪せた.
Depois abandonou-me só na estrada	光らなくなった星のように
Morta como uma estrela já apagada.	道に捨てられた.
[...]	（後略）

（著者による翻訳）

　もうひとつの考え方としては，Mariano (1952) の言うように「モルナの本質的な
要素として *saudade* が存在している」(Gonçalves 2006: 73 からの引用) と考えるこ
とである．しかし，このポルトガル語の *saudade* が根幹にあるというような表現は
非常に曖昧である．つまり，*saudade* が何を意味するのかが不明である．

---

[60] 文化都市ミンデーロにおいてカーボ・ヴェルデ文化・社会・政治に対する運動
によって初めてカーボ・ヴェルデの文芸雑誌クラリダーデが誕生した．それは，1936
年のことである．

[61] Cardoso (1983) は第 2 版であり，第 1 版は 1933 年に出版されている．

もしも *saudade* という用語を一般的に使われる意味で考えるのならば，それは上にある Lopes (1929) の例のように，苦悩や悲観的であるといった感情に加え，歓喜的側面も包含される．Monteiro (Martins 1988: 39 からの引用) によれば，「モルナはリズミカルで陽気な音楽であった」(Martins 1988) と言う．その意味では，モルナの起源に対する考え方が漠然としているものの，より広義的であり複雑な概念であると考えられる．

このように，モルナにかんする考え方がいくつかある．以下，モルナがどのようにして形成されたのか，その起源説を 6 つ概観することで，モルナがどのような「混淆」を果たしてきた可能性があるかを検討する．

（1）カンタデイラ起源説

カンタデイラ (*cantadeira*) とは，19 世紀末あるいは 20 世紀初頭までカーボ・ヴェルデに存在した女性のグループによって歌われていた伝統音楽である．カンタデイラは，現在のモルナよりも早いリズムであるが，以下の引用文からも確認できるように「古いモルナ」(*Velha-Morna*) と呼ばれていたことから，モルナがモルナとなる前の音楽であったのではないかと考えられている．Gonçalves (2006: 80) はモルナがサンティアゴ島の伝統音楽バトゥク（アフリカから伝達された即興性の音楽である）を想起させると記し，カンタデイラについて説明している．

> 「私 (Carlos Filipe Gonçalves) の親類（とりわけ 1898 年に生まれた私の叔母と作家である António Aurério Gonçalves（1901 年生））は『古いモルナ』*Velha-Morna*（現在のモルナに比べ，よりリズムや拍子が速いモルナ）について語ってくれた．[叔母によれば] それらの女性が歌っていたモルナをカンタデイラ *Cantadeira* と呼んでいた．サリバーナ *Salibana* はボア・ヴィスタ島起源のカンタデイラであるが，ミンデーロで非常に有名になった」

また，1986 年に行われた Gonçalves (2006: 81) によるインタビューで Rodrigues は「モルナは中心から離れた場所にいた女性によって進展した．唯一この空間へ入り込むことができたのは音楽家であった」と語っている．Gonçalves と Rodrigues の記述から，カンタデイラは「古いモルナ」であったことが確認でき，ここから想定できることは，「モルナ」という名称は，この頃にはまだ存在せずカンタデイラと呼ばれていたことである．Gonçalves によれば，「即興性を伴う音楽」や「女性のグループによって構成されていた」などのさまざまな記述から，カンタデイラがおそらく 19 世紀末にバトゥクから発展したものであると考られる．

モルナの起源がカンタデイラであるという根拠を補足するために，Gonçalves (2006: 82) は次の 4 つの特徴を挙げ，カンタデイラを「プレ・モルナ」(*pré-morna*),

すなわちモルナが形成される前のモルナの形として定義づけている(以下の文中にある［］は著者による補足).

①　バトゥクは女性を中心とした音楽である. そしてカンタデイラを歌う際には女性が集まる.

②　「モルナと呼ばれるバトゥク」が歴史的記述として残っている. おそらく類似した特徴が存在したこと, あるいはモルナがバトゥクの影響を受けたという理由から, モルナとバトゥクの区別がつきにくく, その意味で特定させることが難しかったと指摘できる.

③　［カンタデイラに即興性があり, モルナには即興性がないことについて次のように説明できる.］バトゥクは即興的であり, カンタデイラの歌にも即興性が存在する. バトゥクが進展し, モルナへと変化していく中で「即興性」という特徴を失った.

④　アフリカ文化の継承のために, カンタデイラの女性たちは広い場所［つまり中心から離れた場所］で限られた空間で歌っていた. すなわち, 彼女らはバトゥクの演奏時と同じように, 当初は広い土地で歌っていた.

さらに, 「古いモルナは, バトゥクがサンティアゴ島からボア・ヴィスタ島, サン・ヴィセンテ島, サント・アンタウン島へ伝わった際に, そのバトゥクの要素から進展した」(Gonçalves 2006: 82) とソタヴェント諸島からバルラヴェント諸島へ伝播した結果,「古いモルナ」, すなわちカンタデイラが形成されたと想定している. 事実, 島の入植時や奴隷の移動を概観した際に, サンティアゴ島は最初に「発展させられた」島であり, バルラヴェント諸島の島々はサンティアゴ島民が移入されたことで発展した. このことを考えると, カンタデイラ起源説は理にかなっているが, 次のルンドゥン起源説を提唱する Martins (1988) のように, 音楽学的視点も重要であると思われる.

（2）ルンドゥン起源説

Martins (1988) はルンドゥン[62] (*lundum, lundú, landú*) とモルナの関係性にその起源が隠されていると考えている.

Martins (1988: 43) によれば, 「ルンドゥンはもともとアフリカ起源（おそらくアンゴラのバントゥー, ギニア湾の地域, ギニアの奴隷から生まれた音楽）であり, リオ・デ・ジャネイロ出身のブラジル人作詞家 Caldas Barbosa によってポルトガルへ普及された. (...) 彼が作詞していた音楽ジャンルはドス・ルンドゥン・ショラ

---

[62] ルンドゥンには何とおりかの綴りがあるが, 意味は同じである. ここではさまざまな文献でもっとも多くもちいられているルンドゥン (*lundum*) と表記する.

ード (*doce lundum chorado*) [63)] と言い，ファドの起源でもある[64)]．そのルンドゥン
が直接ブラジルからカーボ・ヴェルデへ伝播されたか，間接的に[65)] 伝播されたか，
あるいは 17 世紀初頭にカーボ・ヴェルデに残され牧畜業をしていた奴隷[66)] 自身に
よって普及されたか，ルンドゥンの伝播は定かでない」．

　また，ルンドゥンは舞踏音楽であったが，ポルトガル宮廷では下劣であるという
理由から踊ることが禁止されていた．ボア・ヴィスタ島とサント・アンタゥン島に
は特有のルンドゥンがみられるが，カーボ・ヴェルデ全体では徐々に衰退していっ
た[67)] (Gonçalves 2006: 57)．カーボ・ヴェルデであらゆる混淆が生じ，音楽にも同様
のことが言えるのであれば，ルンドゥンは衰退する前にモルナと何かしらの関係性
があった可能性は否めない．Martins (1988: 43) は，音楽の起源を追究するうえで音
楽学的分析はもっとも有効であるとし，カーボ・ヴェルデ音楽について説明を施し
ている．

　　　　　「人びとは孤立していたカーボ・ヴェルデの島々において文化を同化
　　　　　させ根づかせた．それは後に多音・多声（ポリフォニック）の楽器（た
　　　　　とえばギター），または旋律的な（メロディック）楽器（たとえばヴァイ
　　　　　オリン）がカーボ・ヴェルデに持ってこられ，カーボ・ヴェルデの真の
　　　　　精神が確立された（...）そしてモルナは徐々に，この精神を基盤にした
　　　　　ことで形成された」

　つまり，Martins の説をまとめると，植民者によってブラジルからボア・ヴィス
タ島へ幾波にも渡り連行された奴隷がルンドゥンを普及させたということである．
そして奴隷の隔離された状態と，後々の弦を使用した楽器の導入が結果的にカー
ボ・ヴェルデ人の真の精神[68)] へと導き，このような状況がモルナを形成するきっ
かけとなった．

[63)] 直訳すれば，「甘美で悲しげなルンドゥン」である．
[64)] ファドは今では，ポルトガルの国民的音楽であるが，その起源はブラジルと言
われている．
[65)] 「間接的に」とは，おそらくブラジル→ポルトガル→カーボ・ヴェルデの順を
意味している．
[66)] アフリカからカーボ・ヴェルデへ送られてきた奴隷は中南米に売られた者もい
るが，カーボ・ヴェルデに残された者も多々いた．ここで説明している奴隷の主人
はサンティアゴ島とフォゴ島に住んでいた．
[67)] ルンドゥンは現在ボア・ヴィスタ島で祭典や結婚式など特別の場でのみ現存し
ている (Gonçalves 2006)．
[68)] Martins は「カーボ・ヴェルデの真の精神」が具体的に何かを説明していない．
もしも，この「真の精神」が本研究で論じる「複合的核概念」(*sodade, cretcheu,
morabeza*) と関係があれば，カーボ・ヴェルデ人の「真の精神」＝「複合的核概念」

（3）サロン起源説

　次の起源説は，カーボ・ヴェルデ音楽を文学的手法で研究する Rodrigues and Lobo (1996: 19) によるもので，彼らは現地の中産階級者以上の人びとがモルナを誕生させ，ほかにもピアノがモルナの形成に大きく関係していたと言う．彼らの場合は，音楽学と文学的側面に基づいた主張である．

　　　　　「歌詞を含めたカーボ・ヴェルデの伝統的な文芸テクストはそれぞれの特徴（リズム，メロディー，テンポ）によって，間違いなくサロン［社交的集まりの場］またはカーボ・ヴェルデの上流階級者の間で 17 世紀後半から 18 世紀前半にかけて生まれた」（［］は著者による補足）

　彼らの視点は中立的であると言える．Rodrigues and Lobo (1996) は，アフリカに音楽の起源を求めず，同じようにヨーロッパに音楽の起源を求めていない．それはカーボ・ヴェルデ文化の状態が常に動的であると考えているからであり，「カーボ・ヴェルデ人によって構築されてきた文化は常に不安定な状態である」(Rodrigues and Lobo 1996: 19) からと指摘している．すなわち，「クレオールが実現されたディアスポラ社会のうえで成り立っている」(Rodrigues and Lobo 1996: 19) と主張する．つまり，ヨーロッパ起源やアフリカ起源からアプローチすることを問題にするのではなく，クレオールという観点からアプローチすることが重要であると述べている．しかし，彼らは文学的視点から追究しており，彼らが主張する具体的なクレオール的アプローチを持ってモルナの論を展開していない．

（4）アラブ起源説

　第 4 の説はアラブ起源説である．この説はポルトガル人研究者の António Duarte (Monteiro 1998: 18 からの引用) によるもので，ボア・ヴィスタ島に存在するマグレブの要素がモルナを確立させたという考えである．その根拠として当時のアラブ人航海者について次のように論じている．

はモルナが形成される以前に，すでに根づいていたことになる．しかし，本研究で結論づけているように，これらの精神の内，*sodade* のみがモルナの形成以前に根づいていた可能性があることを示しており，「真の精神」を「複合的核概念」と同等の意味として扱うことはできない．いずれにせよ，「真の精神」の意味は不明であり，本研究は「本質」を探究することを目的としていない．

　　　　　「多くのアラブ人は難破や海賊による攻撃によってボア・ヴィスタ島
　　　　に漂着したと思われる．それらのアラブ人は島民と交流し，最終的にア
　　　　ラブ文化や彼らの習慣をボア・ヴィスタ島の人びとに強要した」

　さらに，ボア・ヴィスタ島で使用されているヴァイオリン（カーボ・ヴェルデで
はレベッカ *rebeca*，ラベッカ *rabeca* と呼ぶ）は，おそらくラバ (*rabâh*) と呼ばれ
るアラブの二弦ヴァイオリンが変形したものだと推測する．これについて 20 世紀
初頭の作詞家 Jorge Monteiro (Monteiro 1998: 20 からの引用) はカーボ・ヴェルデの
レベッカがもともとアラブのラバであることは確実だと述べている．それは彼自身
の経験が物語っている．

　　　　　「私は作詞家 B. Léza[69] の *Doutor Adriano* というモルナの作曲を手伝
　　　　い，完成したために家へ帰ることにした．その道中で，とある床屋に立
　　　　ち寄るとその完成したばかりの曲と B. Léza について話し，早速歌って
　　　　みせた．すると，スコットフィールドと名乗るロシア人が話しかけてき
　　　　た．『この歌をどこかで聴いたことがある』と．私はすぐに答えた．『B.
　　　　Léza が作曲し，私が作詞したばかりの歌をどうして聴き覚えがあるのか』
　　　　と．そういうわけでロシア人が *Doutor Adriano* に非常に似た曲を歌い始
　　　　めた．私はすぐさま，どこでその曲を聴いたのかを問うと，彼は答えた．
　　　　『私は長い間アルジェリアに住んでいたが，あちらの音楽によく似てい
　　　　る』」

　このようにアラブ音楽[70] とモルナが類似していることから，モルナはアラブの
影響を受けて形成されたという考え方がアラブ起源説である．Martins (1988) はア
ラブ起源説に対して，アラブ人によってモルナが形成されたという仮説は頻繁にみ
られるが，非常に批判が多く，アラブ起源説を否定する立場である．彼はモルナが
アラブやベルベル音楽の特徴である 4 分音を持たず，ふたつの構造とふたつの異
なる体系で成り立っていると反論する．いずれにせよ，アラブ起源説は有力な根拠
がなく，上の Jorge Monteiro の体験は音楽にみられる同時多発性，偶然多発性，あ
るいは単なる類似性に過ぎないと思われる．

---

[69]　本名は Francisco Xavier da Cruz である．B. Léza という名前は「素晴らしい」や
「美しさ」などを意味するポルトガル語 "Beleza"から由来しており，略語の "B."
ではない（ポルトガル語で "B"は「ベ」と発音する．したがって，B. Léza を発音
すると「ベレーザ」となる）．
[70]　先行研究では，具体的にどこの地域をアラブと定めているのか，「アラブ音楽」
が何であるかなどの説明が曖昧である．

（5）ファド起源説

第 5 の起源説はモルナがポルトガルの歌謡曲ファドにその起源を求めるという
ファド起源説である．ファドにはモルナと同じ要素，つまりアラブの影響とルンド
ゥンより派生されたブラジル音楽の混在がみられる．ファドは元来，ブラジルの舞
踏のことを指し (Monteiro 1998: 20)，1820 年からリスボンの下町で歌われ始めた．
モルナとヨーロッパの関係についてカーボ・ヴェルデ音楽の専門家 Eutropio Lima
da Cruz (Monteiro 1998: 21 からの引用) が次のように言及している．

> 「モルナの表現方法がヨーロッパのロマン主義のそれによく似てい
> る．モルナの形成過程はバロック主義，古典主義，ロマン主義における
> 音楽に影響を及ぼされたと思われる．モルナは歌も曲もバロック時代の
> 音楽ほど複雑ではない．しかし，モルナの構造は非常に規則的であり，
> 必ずひとつやふたつ以上のリフレインを合唱する」

モルナがファドより派生された音楽でないというカーボ・ヴェルデ人による学説
は多々あるが，実際に 1890 年から 1910 年にかけて使用されていたポルトガルギ
ターの影響力は多大である．

しかし，Monteiro (1998) によると，ファド起源説はカーボ・ヴェルデで受け入れ
られておらず，その根拠としてはファドが長い間リスボンで歌われ，その後ようや
くコインブラやポルトといった町で親しみを持たれるようになり，カーボ・ヴェル
デやブラジルといったポルトガル国外へ歌謡としてのファドが行き渡ったことが
ないのは確かな事実であるからだとする．反対に，モルナはボア・ヴィスタ島で形
成され，すぐ後に歌謡音楽，舞踏音楽としてカーボ・ヴェルデのほかの島々へと拡
がりを見せたと主張している．

ファドとモルナの違いは音楽の構造にあると Reis (Monteiro 1998: 20–21 からの
引用) は次のように記す．「ポルトガル民謡や外国の歌謡にモルナの音楽的特徴を
見出すことは難しい」．そして Rodrigues and Lobo (1996) は「ファドは実に運命論
的であるのに対してモルナは幸福を語るために，まず苦難について語り始める
(Monteiro 1998: 20–21)」と主張する．また，Reis (Monteiro 1998: 20–21 からの引用)
は音楽学的視点から，そして Rodrigues and Lobo (1996) は歌詞的視点から分析した
結果，モルナの起源がファドにはないということを明確にし，ヨーロッパ起源説に
対し別の立場をとっている．

（6）アンティル起源説

　第 6 の起源説はアンティル起源説である．作家 Manuel Ferreira (Gonçalves 2006: 74 からの引用) は以下の引用文にみられるブラジル人人類学者 Gilberto Freyre の説について次のように指摘している．

　　　　「1950 年頃，Freyre はカーボ・ヴェルデを訪れた際にモルナを聴き，その後モルナの語源をアンティル諸島にすでに求めていた Archibald Lyall の仮説に賛成し，それを Lyall のように語源のみに託すのではなくさらに深く追究した．そしてモルナの起源はアンティルにあると唱えた」

　このアンティル起源説に対して，Lopes (Gonçalves 2006: 74–75 からの引用) は反論をし，新たな説を提唱しているが，そこでの議論は興味深いものである．

　　　　「ポルトガルのアレンテージョ地方に『モルナ』mornas と呼ばれる大衆に歌われる歌唱が存在する．おそらくそれは，悲痛で叙唱風であろう．（...）しかし，今日もなお，アレンテージョ地方で泣き悲しむように歌われるこの叙情的な『モルナ』は，ムーア人とアフリカ人から伝わったはずである．したがってわれわれ［カーボ・ヴェルデ人］の『モルナ』は別の音楽から派生したということになる．（...）われわれカーボ・ヴェルデ人と類似している人が住む麗しきマルティニック島では，大半の貧困の人びとが Saint-Pierre 周辺の丘に定住している．（...）その丘はフランス語で『モルヌ』(mornes) と名づけられていた．（...）そして，彼らは陽気な叙情的な歌唱を『丘の歌』(chansons des mornes) と呼んでいる．このとおり，『モルヌ』という単語はわれわれカーボ・ヴェルデ人の『モルナ』と関係がある」

　Lopes (Gonçalves 2006: 75 からの引用) は同論文の結論として，「モルナが語源的に英語の mourn（嘆く）と関係があると示したが，フランス語の morne には「丘」という意味のほかにも，英語同様「悲しい」という意味を持つことを忘れてはいけない」と締め括っている．この説もまた，アラブ起源説同様，科学的根拠に乏しく音楽に存在する類似性として片付けられてしまう．

　これらの起源説を簡潔にまとめると，まず Gonçalves のカンタデイラ起源説，そして Martins によるルンドゥン起源説，Rodrigues and Lobo のカーボ・ヴェルデのサロン起源説，Duarte のアラブ起源説，そしてファド起源説を唱える Cruz，最後に Ferreira や Freyre によるアンティル起源説があり（表 5），それぞれの説を裏づけるための証言や実体験に基づく根拠を挙げているが，はじめの 3 つの起源説以外は

科学的根拠が不足している．したがって，モルナの起源についてわかっていること
は，18世紀から19世紀にかけてボア・ヴィスタ島で形成された音楽であり，その
誕生までのプロセスには，多様な地域の坩堝の文化が相互に影響を及ぼし続けてき
たことである．

　この議論で何よりも重要な点は，モルナがクレオール文化として認識されており，
それは混淆の産物として継承されていることである．モルナの起源説を総合的にみ
ると，すでに17世紀頃の奴隷が音楽に触れており，それはルンドゥン説でもみら
れるようにアフリカ，ブラジル，そしてヨーロッパからカーボ・ヴェルデに伝達さ
れた文化的要素である．奴隷が音楽に触れていたことは非常に重要な点であり，ク
レオールの「人」について論じたように，音楽に触れていた奴隷とは前章で論じた

表 5.　モルナの起源説

起源説	提唱者	内容
カンタデイラ	Carlos Filipe Gonçalves	南部の音楽バトゥクから影響を受け形成された．また，女性によって演奏されるカンタデイラの様式に酷似していることから，モルナが生成される前の段階，プレ・モルナであると考える．
ルンドゥン	Vasco Martins	アンゴラの音楽であろうルンドゥンが奴隷によってブラジルへ伝播され，ブラジルからボア・ヴィスタ島に伝わった，あるいはポルトガルを経由して伝達された．その際にファドや別の音楽と混淆したことでモルナが生まれた．
サロン	Moacyr Rodrigues / Isabel Lobo	カーボ・ヴェルデの上流階級者の間で親しまれていたクレオール音楽がモルナであった．それはサロンで演奏され，ヨーロッパ人とアフリカ人が混淆したことで誕生した．
アラブ	António Duarte	アラブのヴァイオリン（ラバ）とカーボ・ヴェルデのヴァイオリン（レベッカ）の類似性から，アラブの影響によって作られた音楽である．
ファド	Eutropio Lima da Cruz	モルナの表現方法がポルトガルロマン主義に似ているため，モルナはファドが発展したことで生まれた．
アンティル	Gilberto Freye / Archibald Lyall	同じクレオールの人びとが居住するマルティニック島には叙情的な歌唱を「丘の歌」＝モルナ（丘の意）の歌という．その類似性からモルナとマルティニックの歌には関係があると考える．

タンゴマス, ラディーノス, ナトゥラーレス, クレオール (必ずしも奴隷ではない) であった可能性が高い.

　注意したいことは, モルナ起源説で説明している「奴隷」が具体的に誰なのかは明らかでないことである. 反対に, ここまでみてきたモルナ起源説で明確なことはヨーロッパ人とこれらの奴隷の間で音楽が共有されていたということである.

　もう 1 点思い出して起きたいことは奴隷の移動についてである (図 10 を参照). つまり, はじめにアフリカからカーボ・ヴェルデへ (①), 次にカーボ・ヴェルデからヨーロッパや中南米へ(②), そしてイギリスを中心とした世界地図でみると, 東から西・北へ奴隷が移動していることになる. しかし, その反対にブラジルから直接カーボ・ヴェルデへ (③), あるいはブラジルからポルトガルを経由してカーボ・ヴェルデに人や文化の流れがみて取れる (③). よって, カーボ・ヴェルデの場合, 単に東から西・北へ奴隷が直線的に一方向へと移動しているわけでなく, 東 (アフリカ) から西 (ブラジル) へ, 西 (ブラジル) から北 (ポルトガル) を回って南 (カーボ・ヴェルデ) へと大西洋三角貿易の形が, このように他国との線で結ばれており, 相互関係が構築されてきた.

　つまり, カーボ・ヴェルデ, ブラジル, ポルトガルの 3 つの地域においてそれぞれが相互に影響を及ぼしていた (ブラジルだけでなく, 中南米にも奴隷は売られていたためブラジルを中心とした中南米からの影響が色濃い). とりわけ小地域で奴隷の中継地であったカーボ・ヴェルデは, もっとも混淆が起きやすい状況にあったはずである. カーボ・ヴェルデはいわゆる大西洋三角貿易で結ばれた線に属する.

　しかし, カーボ・ヴェルデの場合, アンティル諸島の地域のように大西洋地域という枠内に留まらず時代の移り変わりとともに, アジアを含む数多くの地域と「交流」することで独特な「クレオール性」を恒常的に生産することになる. カーボ・ヴェルデのクレオール・アイデンティティは多種多様な人びととの接触において恒常的に再生産され, 構築されていく. このことが意味するところは, もっとも混淆しやすい状態・状況にある「クレオール」の現象をひも解く重要な要素を握っているということである.

　以上, モルナの起源説を論じてきた. モルナの起源は明らかでないものの, あらゆる音楽や民族の混淆によって形成されたことは浮き彫りにした. 1 節目で論じたモルナは, プレ・モルナ (*pré-morna*) と呼ばれる (Gonçalves 2006). つまり, モルナの起源, あるいはモルナがモルナとなる前の音楽形態として認識されている. このプレ・モルナをひとつの時代として認めることができる. それは, 次節で取り上げる Rodrigues and Lobo (1996) の時代区分でいうところの「① 19 世紀」に相当する. そして 19 世紀末以降になると, 初めてモルナがひとつの音楽ジャンルとして確立される.

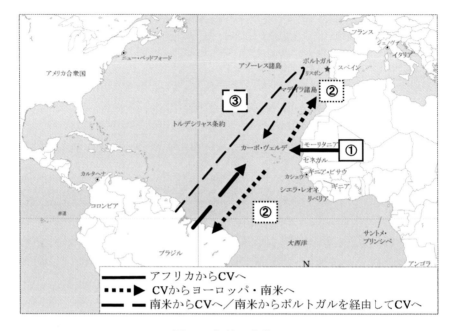

図 10. 奴隷の移動.

　次節からは，主に 19 世紀末以降のモルナを通時的に分析し，どのようなタイプ
のモルナがみられるかを論じる.

2．モルナにおける時代区分の問題

　モルナを通時的にみる場合，Rodrigues and Lobo (1996) と Gonçalves (2006) のモ
ルナに対する見方が重要である．Rodrigues and Lobo (1996) の場合，モルナ史を次
のように区分している.
①　19 世紀
②　第 1 期（1920 年代から 30 年代まで）
③　第 2 期（1940 年代から 50 年代まで）
④　第 3 期（1960 年代から 70 年代まで）
　モルナの区分は通時的分析をするうえで重要なことであるが，Rodrigues and
Lobo (1996) の区分にはふたつの問題が見受けられる．まず，すべての時代を 20 年
ずつにわけていることである．下の Gonçalves (2006) の時代区分のように音楽家や
モルナの進展など，ある程度の基準に基づかなければ通時的に分析する重要性を失
うことになる．もう 1 点指摘しなければならないことは，第 3 期が 70 年代で終了

していることである．つまり，この区分の方法は 1980 年代からのモルナを等閑視
してしまっていることになる.

Gonçalves の場合はモルナを進展させた音楽家に従い，次のように区分している.

①　Eugénio Tavares 前の時代（19 世紀中葉から 20 世紀初頭まで）

②　Eugénio Tavares の時代（1920 年から 1930 年まで）

③　B. Léza の時代（1930 年から 1958 年まで）

④　B. Léza 後の時代（1958 年から 1970 年まで）

⑤　現代（1970 年から現在）

Gonçalves (2006) の区分法については 2 点指摘しなければならない.ひとつは「現
代」がほかの 4 つの時代に比べて過度に長期的であり，いつまでを現在と見なして
いるのか不明であり，仮に現在が *Kab Verd Band* が公刊された 2006 年までと考え
るのならば，1970 年から 2006 年までの間を「現代」として一括りにしてしまって
いる点である．もし，モルナの音楽構造的特徴や歌詞変化などを分析したうえで分
類を試みたのであれば，20 世紀後半から 21 世紀までを「現代」に限定することは
強引であると考えざるを得ない．Lesourd (1995), Andrade (1996), Gonçalves (2006) が
指摘するように，1975 年にカーボ・ヴェルデが独立したことを考えると，独立後
は独立前と比べて人びとの生活様式や思考が国の発展とともに徐々に変化するこ
とはごく当然であり，音楽が生活面において顕著に現れているカーボ・ヴェルデ社
会では，とりわけ 70 年代以降のモルナには変化が生じていることが自然である．
さらに，1960 年代から 70 年代にかけて，電子楽器が流行したのにもかかわらず，
モルナが変化しないとするのは不自然である（第 3 章，第 5 章を参照）.

もうひとつは，21 世紀のモルナにかんして分析されていない点にある．これは，
モルナにかんする分析が極めて少ない現在，重要な研究である．Gonçalves (2006)
や Rodrigues and Lobo (1996) がなぜ時代区分として 20 世紀の後半までしか論じら
れていないのかという点にかんしては，以下のふたつのことが考えられる[71]．第 1
に，本章で論じていくように，これまでは大詩人が新たな音楽的要素（メロディー
やリズム，そしてモルナのテーマ）を少しずつ取り入れることでモルナを進展させ
てきたが，20 世紀後半，とりわけ 20 世紀末以降は，モルナが主に歌い手によっ
て変化させられてきていることである．そのため，彼らはモルナを時代で区分する
際に，モルナを作曲してきた詩人・作曲家のみに着目してしまい，歌い手の視点を
見落としがちになってしまっていることが想像できる．また，20 世紀末から 21 世
紀にかけて活躍した歌い手の傾向としてみられるのは，昔のモルナ，つまり Tavares
や B. Léza，Manuel de Novas などの大詩人のモルナを歌っていることである．その

---

[71] Rodrigues and Lobo (1996) の場合は 20 世紀末に出版されているため，21 世紀の
モルナについては記述することはもちろん不可能である.

ために，20世紀末から21世紀にかけてはモルナに変化が生じていないように見えるのではないか．

3．モルナのタイプ

　本節では，モルナを類型化するだけでなく，モルナの起源から21世紀に入るまでのモルナの特徴や傾向，動向を示し，歌い手の時代も含めた新たな時代区分を提示する．

（1）郷愁のモルナ

　Gonçalves (2006: 89) によれば，モルナの大詩人と謳われる Tavares が誕生する前の時代にみられるモルナは，「人から人へモルナを伝えていく口頭伝承であったために，多くの歌が書き残されておらず，モルナにかんする詳しい資料が非常に乏しい」．さらに，モルナの実際の起源は Tavares が示しているようにボア・ヴィスタ島である．しかし，大多数のカーボ・ヴェルデの人びとはモルナがすべての島々に普及した音楽であると認識しているために，Tavares のモルナが起点であることが Martins の記述[72]や参与観察をとおして理解できる．つまり，モルナの実際の起源と島民の認識には差異があることを理解しなければならない．

　Tavares は，この時代に歌われたモルナ，『ブラダ・マリア』(Brada Maria) は「深く悲しく，落涙しながら聴いてしまう」と語っている (Tavares 1932: 10)．また，ブラヴァ島のモルナについて次のように説明している．

　　　　　「ブラヴァ島の男性は海と結ばれ，(...) 彼らの人生は［航海という］
　　　　危難が迫り不幸であるがゆえに，甘美な saudade を持つ．モルナは蒼い
　　　　海を見つめることで感傷的なその情感を受け入れる」(Tavares 1932: 9–
　　　　10)

　Tavares のこれらの記述から当時のモルナは非常に悲しみに満ちたものであったことが伺える．その特徴として示されているのが「落涙」や「不幸である」といった悲壮感を表現する心情である．

　A.A. Gonçalves はこの時代のモルナを Morna-Saudade（モルナ・サウダーデ）という用語であらわしている (Lima 2002: 228)．Tavares が作曲した『惜別のモルナ』(Morna de Despedida) の一部分は Morna-Saudade をあらわす良い例である．

---

[72]「Eugénio Tavares はもっとも重要な作曲家の1人であり，［カーボ・ヴェルデで］最初に認められた音楽家である」(Martins 1988: 57)（［ ］は著者による補足）．

　Tavares が作曲した歌の中でも有名なモルナのひとつであるこの詩は，かけがえのない人が遠くへ去ってしまい，惜別の感慨にふけるという内容である．この情感を理解するためには，sodade[73] の契機について知らなければならない．

　19 世紀，大勢のカーボ・ヴェルデ人がアメリカ合衆国へ移住し，大規模なカーボ・ヴェルデ人コミュニティが存在した (Araújo and Abreu 2011)．Carreira (2000) によると，1900 年から 1926 年までの間を移住の第 1 期としていて，この時代は Eugénio Tavares の時代（第 4 章 1 節の（1）を参照）と重なる．Tavares もまた，より良い生活を求めるため渡米している[74]．これらの言及から，当時のカーボ・ヴェルデの人びとにとって移住とは生きるための手段であり，極めて重要であったことがわかる．したがって，sodade の背景に移住が反映されている．

Morna de Despedida	『惜別のモルナ』
Hora di bai,	去る時がやってきた
Hora di dor,	悲痛の時
Ja'n q'ré	私は望まない
Pa el ca mancê!	夜明けがやってくる！
[...]	（中略）
Dixa'n chorâ!	泣かせておくれ！
Destino de home:	人の運命
Es dor	それは苦しみ
Que ca tem nome:	それは名前のない苦悩
Dor de cretcheu,	*cretcheu* という苦悩
Dor de sodade,	*sodade* という苦悩
De alguem	誰かに対する
Que'n q're, que q'rem...	想いと愛する人が想う苦悩

（著者による翻訳）

　上の詩で表現されている sodade は「物理的な距離」や「離れてしまう」という事実が悲観的な感情をあらわしている．さらに，sodade の対象が cretcheu であることは明らかである．cretcheu とは，カーボ・ヴェルデ語で恋人や愛，かけがえのない人などを意味し，モルナの詩中に顕著に表現され，sodade 同様モルナの中心概念

---

[73] 「郷愁」や「懐かしさ」の意味を持つが，より広範な意味である（第 4 章を参照）．

[74] http://www.eugeniotavares.org/　（アクセス日：2015 年 11 月 30 日）

のひとつである（青木 2013）．つまり，かけがえのない人 (*cretcheu*) との惜別に悲壮感が漂っている (*sodade*) という情景をあらわした詩である．このようなモルナは *Morna-Saudade* として表現されているが，*sodade* がカーボ・ヴェルデ特有の概念や情感であることから，ここでは *Morna-Sodade* と表現する．

　モルナについて語る際に 2 人の大詩人 Tavares および B. Léza は必ず論の対象として挙げられる．彼らはモルナに新しい要素を組み込むことで，モルナを進展させたからである．本節で取り上げた Tavares の場合，モルナに *sodade* と *cretcheu* という重要な概念を組み込むことでモルナに大きな意味を与えた．さらに国民的音楽として普及させたモルナをもちいてカーボ・ヴェルデ人としてのアイデンティティを確立しようと試みた．

　本来，無文字言語であったカーボ・ヴェルデ語は，Gonçalves (2006) が言及しているよう文字に書かれることなく，代わりに宗主国の言語であるポルトガル語が文学や新聞などさまざまな場面でもちいられていた．しかし，『惜別のモルナ』のように Tavares が手がけた多くのモルナはカーボ・ヴェルデ語で作詞され，カーボ・ヴェルデ人の文化的アイデンティティの形成に多大な貢献を果たした．

（2）批評的なモルナ

　Tavares の *Morna-Saudade* に対し，B. Léza （写真 20）のモルナを「精神的モルナ」(*Morna-Estado d'Alma*) および「批評的モルナ」(*morna-comentário*) と A. A. Gonçalves (Gonçalves 2006 からの引用) は表現している．「批評」とは，いわゆる社会批判や風刺を意味し，「精神」とはカーボ・ヴェルデの人びとが強く発信している *sodade* の情感を示している．

　Lopes (Gonçalves 2006: 88 からの引用) によれば，「フォークロアとしてのモルナがもっとも意味を持ち始めるようになった年は 1930 年以降である」．事実，モルナは 1930 年代頃から大衆音楽として普及した．その意味では，B. Léza のモルナはカーボ・ヴェルデ全島民に広く普及し，強大な影響力を持っていたことが伺える．B. Léza のモルナには風刺的特徴を持つモルナや，Tavares のように *sodade* や *cretcheu* を表現しているモルナがみられる．A. A. Gonçalves (Gonçalves 2006) が命名した「批評的モルナ」は B. Léza 独特のモルナを実によくあらわしていると言える．しかし，上で述べたように「精神的モルナ」が *sodade* の情感をあらわしているのであれば，Tavares の *Morna-Sodade* と B. Léza の「精神的モルナ」はどのように異なるのか，という疑問が浮上する．ここで B. Léza が手がけたモルナの中で *sodade* をあらわしている歌詞の一部をみる．

Terra Longe	『遠い地』
[...]	（前略）
Dja m'oia terra grande	大きな地をみた
Dja m' conxê terra mas sab	だが，私はより良い地を知っている
Ma um dia da-m sodade	いつか私の*sodade*を感じさせる地
Di nha terra São Vicente	我らの地，サン・ヴィセンテ島
[...]	（後略）

（著者による翻訳）

　移住，あるいはディアスポラはカーボ・ヴェルデ史のいかなる時代を切り取っても無視できない，非常に重要な歴史的事実であることはすでに述べた．『遠い地』の詩でも，「私」が異国の地へ赴くことにより *sodade* を感じている.

　モルナひとつを取り上げてもわかるように，B. Léza の「精神的モルナ」には特徴を見出すことができず，したがって「精神的モルナ」よりも前に確立した *Morna-Sodade* が B. Léza の時代に継承されていると考えられる.

　最後に B. Léza のもうひとつの特徴とされている「批評的モルナ」の歌詞を分析し，その特徴を示すことにする.

Hitler	『ヒトラー』
Hitler ca ta ganhá guerra n' é nada	ヒトラーは戦争に勝てない，何も得ない
Guerra é di nôs aliado	勝つのは連合軍だ
Águia negra vencida na campo di batalha	黒い鷲は直ちに敗北する
Nô tâ pô fé na British	われわれはイギリス人を信じる
Nô tâ confiâ na tude sê valor	われわれは彼らの価値観に託す
[...]	（後略）

（著者による翻訳）

　このモルナはクレオール語で作詞されたが，「英語にも翻訳され，リスボンのイギリス大使館の出版部に送られた」（Nogueira 2005: 49–51）．1940 年に作曲されたモルナ『ヒトラー』は，第二次世界大戦におけるナチス・ドイツに対する批判と連合国（イギリス）への支持が明白に示されている．Nogueira (2005: 49) は『ヒトラー』の影響は国際的な訴えとしてだけでなく，国内，すなわちカーボ・ヴェルデ内におけるナショナルな喚起を示していると述べている．事実，「子供や大人は皆，未来を予想している信仰のように歌っていた」(Nogueira 2005: 49).

写真 20. モルナの神として讃えられている音楽家 B. Léza.
（出典：**Monteiro 1998**）

　このように，モルナには国内に関係した社会批判のみならず，国際的な批判を内容としたモルナも多くある．移住を繰り返していたカーボ・ヴェルデの人びとにとって外国[75] は非常に身近な存在である．Tavares と同じように，B. Léza も渡米し，ポルトガルへ赴いている．

　以上，「精神的モルナ」と *Morna-Sodade* は同一であることが明らかになり，したがって B. Léza のモルナにはひとつのタイプのモルナ，「批評的モルナ」を確認することができた．

（3）革命のモルナ

　1975 年はカーボ・ヴェルデが独立した年である．ポルトガルからの独立以降，国（インフラ整備，政治，経済など）の発展には時間を有することになるが，モルナの側面を切り取っても独立の前と後では大きく異なり，独立がひとつの分岐点として当然考えられる．政治・経済的状況にかんして記すべきことは多々あり，それに関係した音楽の反応[76] を考慮すると非常に重要な時代とも言える．モルナに限定すれば，Gonaçalves (2006) の時代区分で取り上げられている「現代」に Manuel de Novas (1938–2009, 写真 21) [77] が主として挙げられており，Jotamont[78] (1913–

[75) ヨーロッパ，アフリカ，アメリカ合衆国に多くの移民がいる．
[76) たとえば社会批判など．
[77) 本名は Manuel Jesus Lopes である．
[78) 本名は Jorge Fernandes Monteiro である．

写真　21. 音楽家 Manuel de Novas.
(出典：Monteiro 1998)

1998) をはじめ，独立前から独立後にかけて生き抜き，著名となったモルナ作曲家が多数存在する．しかし，Manuel de Novas を除いたモルナの作曲家は，Tavares の時代や B. Léza の時代からのモルナを受け継いでいて，モルナを分類するうえで独立したタイプのモルナとは言えない．したがって，ここでは Manuel de Novas のモルナに焦点をあてる．

　彼のモルナは，確かに Tavares のように移住が契機となって作曲した *Morna-Sodade* もあり，また B. Léza のように社会批判を呈したモルナも際立つ．その一方で，独立運動期に作曲した Manuel de Novas のモルナは「革命的モルナ」(*Morna Revolucionária*) と呼ばれている (Gonçalves 2006: 105).

　彼が作詞作曲した『我が民族』 (*Nos Raça*) というモルナでは「お父さん，僕たちがどのような民族か教えて」という質問形式で始まり，カーボ・ヴェルデ人の歴史について語られている．次いで「われわれは黒人と白人が時と共に混淆した民族だ／息子よ，奴隷制によって混淆されたのだよ」と「父」が答える．最終節は「われわれが国を築くために／新しい平和な国を民のために／過去に起きたことは横に置いておこう」と過酷な歴史を経験してきたが，最終的に国民の形成や自国の将来がより重要であるとして対話が締めくくられている．『我が民族』ではモルナをつうじてカーボ・ヴェルデという国，カーボ・ヴェルデ人という国民について語っており，すなわちナショナル・アイデンティティや民族アイデンティティをテーマとしたモルナであることがわかる．このように，独立とアイデンティティといったテーマを持ったモルナを「革命的モルナ」としてみることができるだろう．

（4）歌手 Cesária Évora のモルナ

　20 世紀後半になると，Tavares や B. Léza のようにモルナを進展させる詩人や作曲家ではなく，歌い手がモルナを発信する時代へと変化する[79]．それらの歌い手の中でもとりわけ重要な役割を果たしたのが Cesária Évora である（写真 22）．Tavares が「口頭伝承」から「文語」へと表現の変換をとおしてナショナル・アイデンティティを示したことに対して，Cesária Évora は書かれたモルナの「詩」を「歌う」（口頭伝承）ことで，ナショナル・アイデンティティを表現した．彼女はほかの歌い手とは一線を画した表現方法を持っていた．歌い手として裸足でステージに上がり，自然かつ純粋に己を表出させていた．つまり，カーボ・ヴェルデの言語（カーボ・ヴェルデ語）で歌い，伝統文化（衣装）や自らの自然なスタイル（裸足）を持ち，カーボ・ヴェルデを外の世界に向けて発信したということである．

　この時代には，ほかにも有名な歌い手が多く活躍していたが，いずれも Tavares や B. Léza, Manuel de Novas の時代のモルナ（とりわけ B. Léza のモルナ）を頻繁に歌っていた．前述したように別のタイプのモルナが形成されなかったわけではないが，*Morna-Sodade* を中心に「批評的モルナ」や「革命的モルナ」など，あらゆるタイプのモルナをもちいて新たな発信方法（過去のモルナを歌う行為）と発信先（外国）を作り出したという意味では，非常に重要な時代であり，過去のモルナの「再表現」として考えられる．たとえば，Cesária Évora の代表的なモルナ『*Sodade*』は，やはり移住を背景に離れ離れになってしまったかけがえのない人＝*cretcheu* に対する切ない想いをテーマとしている．

　この *Morna-Sodade* は時代背景が異なるが，Tavares 同様，*sodade* の情感をあらわしており，ポルトガル政府がとった政策によってカーボ・ヴェルデの人びとがサントメへ送られ，故郷を離れなければならない社会状況をテーマにしている．アメリカ合衆国と捕鯨活動や貿易などにおいて非常に強い関係を持っていたカーボ・ヴェルデは，1921 年から 1924 年の間に制定された移民に対しての制限をかけたアメリカ合衆国の新しい法律[80] により，アメリカ合衆国へ移住するカーボ・ヴェルデ人が激減した．

---

[79] モルナはこれまで「伝統」として演奏され，カーボ・ヴェルデの人びとが嗜好し歌っていたが，60 年代から 70 年代にかけて電子楽器の普及やレコーディングが活発になる．いわゆる音楽産業の発展である．これまでは，民衆が「歌い手」であったが，音楽産業の発展に伴い，音楽家としての「歌い手」が必要となった．
[80] その時代は世界恐慌だったため経済的負担もあり，アメリカ合衆国への移民にかんする法律が作られた．

Sodade	『*Sodade*』
Quem mostra' bo ess caminho longe?	誰が連れて行ったの
Ess caminho pa São Tomé	サントメまでの道を
Sodade, sodade, sodade	*sodade*，*sodade*，*sodade*
Dess nha terra São Nicolau	私の故郷，サン・ニコラウ島よ！
Si bo 'screve' me	あなたが手紙を書いてくれるのなら
'M ta 'screve be	私は返事をします
Si bo 'squece me	あなたが私を記憶から忘れるというのなら
'M ta 'squece be	私はあなたを忘れます
Até dia qui bo voltà	あなたが帰ってくるまでは...

（著者による翻訳）

　そのような時代に，カーボ・ヴェルデの人びとはポルトガル人によって強制的に，人口が少なかったサントメとアンゴラ（コーヒーやカカオのプランテーション）へ移住を迫られた．1920年から1970年までの間のカーボ・ヴェルデ人移住者は合計で87,385人おり，その内の79,392人はサントメへ送られた (Lesourd 1995: 274)．Cesária Évora が歌った『*Sodade*』が作詞されたのは20世紀初頭から中葉の間であると言われている．『*Sodade*』の歌詞と20世紀の移民状況を照合すると，*sodade* の情感が鮮明に浮かび上がる．

写真 22. ミンデーロの酒場で歌っていた頃の Cesária Évora.
(出典：Teixido 2008)

　Cesária Évora のみならず，多くのモルナの歌い手は一貫して，ここまで概観してきたモルナを歌っている．別言すれば，カーボ・ヴェルデという「内」の世界からヨーロッパを中心[81]とした「外」の世界へ発信するというひとつの流れは Cesária Évora の時代の特徴とも言える．この一方向への流れが次の節でみる「再表現的モルナ」でさらに進展する．

（5）現在のモルナ

　21 世紀のモルナは変化の途上にあるが，現地調査からその傾向を理解することができる．現在のモルナは Cesária Évora の時代から引き継いでいるため，詩人や作曲家ではなく歌い手の働きが極めて重要である．その一方で，モルナの音楽構造における変化が多くみられる．以下のインタビューからもわかるように，ボサ・ノヴァやサンバ，ジャズなどのリズムをモルナの音楽構造に取り入れる傾向が，歌い手自身の発言に明示されている．

　　　　　　　「モルナは建設的に進展していかなければならない．とりわけコード
　　　　　　や旋律はより美しく変化させる必要がある．たとえば，ボサ・ノヴァや
　　　　　　ジャズのような旋律がモルナをより美しくさせる」（40 代，男性歌手）

　当然，すべての歌い手がボサ・ノヴァやジャズの影響を受け，モルナに取り入れようとしているわけではないが，サン・ヴィセンテ島のレストラン「カーザ・ダ・モルナ」(Casa da Morna) で演奏されるモルナや度々モルナの演奏場として使われるホテルや飲食店などでは，「ジャズ風の」モルナが多く見受けられることは事実である（写真 23，写真 24）．さらに，上のインタビューからも明白であるように，歌詞よりも音により注目しているように思われる．カーボ・ヴェルデの人びとは，これまで演奏してきた Tavares や B. Léza のような「伝統モルナ」(Morna Tradicional)[82] に対して，しばしばそのようなモルナを「モダン・モルナ」(Morna Moderna) と呼ぶ．ある 30 代の歌い手 a は，次のインタビューで，「モダン・モルナ」という表現をもちい，その意味について語っている．

---

81) ヨーロッパが非常に身近な存在である根拠としてさまざまな背景が見受けられる．その一例として，パリは Cesária Évora をはじめ，数多くの歌手がデビューを果たした場所であり，また，ポルトガルはカーボ・ヴェルデの旧宗主国であり，ほかのヨーロッパの国々もカーボ・ヴェルデと強い関係にある．

82) 「伝統モルナ」はギター，ヴァイオリン，場合によってはカヴァキーニョやピアノなどの楽器をもちいて家や道途で演奏される．

30 代歌手 a）

　私はモルナを歌ってあなたはモルナで使用される楽器（たとえばピアノ
やギター，カヴァキーニョなど）をもちいてジャズ風に演奏する．しかし
これはフュージョン・音楽ではありません．

著者）

　つまり，これが「モダン・モルナ」だというわけですね．

30 代歌手 a）

　私にとってこれが「モダン・モルナ」です．「伝統モルナ」よりは使用す
る楽器の種類が多く，このことが「モダン・モルナ」のひとつの特徴とも言
えます．

　一般的にモダン・モルナと言えば，単に「現代風のモルナ」という意味であるが，
カーボ・ヴェルデの人びとがもちいる「モダン・モルナ」にはあるパターンがみら
れる．それは，Cesária Évora のように歌い手が「伝統モルナ」の歌詞をもちいて，
独自のスタイルを表出していることである．反対に，音楽家のみならず，モルナを
歌う際に人びとが価値を置いているのがメリスマ (melisma) と呼ばれる「即興的発
声」(improvised vocalization) である．これはカーボ・ヴェルデの人びとによる歌の
評価や価値観に関係していて，単にある単語を美声で表現するだけでなく，声や身
体をもちいて感情を顕にすることで，個人が持つ独特の感受性を表現することが重

写真 23. カーザ・ダ・モルナでの演奏．
（撮影地：サン・ヴィセンテ島，撮影年：2013 年，撮影者：青木敬）

写真 24. ジャズ・モルナ・フェスティバル.
（撮影地：サン・ヴィセンテ島，撮影年：2013 年，撮影者：青木敬）

要視され，このことは「伝統モルナ」から現在に至るまでひとつの表現方法として
もちいられてきた．たとえば，ある 30 代の歌い手 b は「カーボ・ヴェルデの人び
とは歌を上手に歌えなくても，自分たちの気持ちを歌にのせて伝えることは容易で
ある」と証言している．つまり，「伝統モルナ」の歌詞をもちいて歌いあげられる
「モダン・モルナ」は，その歌詞的側面ではなく，歌い手に注目することで特徴づ
けることができる．

　したがって，「モダン・モルナ」は，多くのカーボ・ヴェルデの人びとが感じて
いるように，現代風であるがゆえに，モルナと呼べるかどうか難しいと言われる反
面，「メリスマ」や「伝統モルナ」の歌詞をもちいるなど，「伝統モルナ」にみられ
る特徴が多々存在することが確認できる．すなわち，「モダン・モルナ」は「伝統
モルナ」を歌い手によって「再表現」されていると言える．

　「再表現」のひとつの要因として観光業の促進が指摘できる．Cesária Évora が外
国へ向けてナショナル・アイデンティティを発信したことによって数多くの観光客
がカーボ・ヴェルデを訪れる機会ができ，その際にモルナが「外」の人びとへ発信
される．これが「モダン・モルナ」特有の動向であると言える．

　しかし，すでに述べたように，現在カーボ・ヴェルデの人びとが表現している「モ
ダン・モルナ」という語は，「現在」[83] におけるモルナという意味である．このよ
うに考えると，3 節目の（1）と（2）以降で分析してきた Tavares や B. Léza などの
各時代を代表する音楽家は，その当時のモルナを「モダン・モルナ」と表現してい

---

[83] 現地調査をおこなった 2013 年から 2014 年までのことである．

た可能性があった．よって，21 世紀初頭のモルナのタイプを「モダン・モルナ」という語であらわすことはできない．このような理由から，現在のカーボ・ヴェルデの人びとが表現する「モダン・モルナ」の特徴＝伝統モルナの「再表現」を「再表現的モルナ」と呼ぶ．

　本節で議論した現在（21 世紀初頭）の歌い手にみられる特徴はふたつある．ひとつは「メリスマ」と呼ばれる「即興的発声」の存在であり，すなわち「伝統モルナ」の再表現である．もうひとつは，その背景にある観光業の促進である[84]．これらの特徴から，「再表現的モルナ」をひとつのモルナのタイプとして認めることができる．

4．小活

　本章では，モルナの実態を捉えるために，その起源説から論じ，音楽家によって進展してきたモルナを通時的に検討し，歌詞分析と参与観察をつうじてどのようなモルナが存在するのかを論じた．

　モルナの起源には，「カンタデイラ起源説」，「ルンドゥン起源説」，「サロン起源説」，「アラブ起源説」，「ファド起源説」，「アンティル起源説」の 6 つの起源説があり，それぞれを整理したことで，モルナがいかに複雑な混淆を成し遂げてたかを示した．また，これらの起源説に関係しているモルナを Gonçalves (2006) が示しているようにプレ・モルナ (pré-morna) という語であらわした．しかし，この時代のモルナにかんするわずかな記録しか残されていないことから，ひとつのモルナのタイプとして確認することはできなかった．

　モルナの先駆者である Eugénio Tavares はモルナに sodade や cretcheu などのカーボ・ヴェルデの人びとにとって重要な概念をモルナに取り入れた．その sodade とは悲観的で悲壮感をあらわすことが多いことから Morna-Sodade というタイプとして分類できた．

　B. Léza のモルナは，Tavares のように sodade や cretcheu を表現したが，同時に社会批判を特徴とした風刺的なモルナを作曲した．このことから「批評的モルナ」という新たなタイプが確認できた．

　Manuel de Novas は Morna-Sodade および「批評的モルナ」をもちいつつ，独立運動が活発であったがゆえに，カーボ・ヴェルデ人としてのアイデンティティをテー

---

[84] カーボ・ヴェルデの国立統計研究所によれば，カーボ・ヴェルデを訪れる外国人観光客は，2000 年で 115,015 人，2010 年で 342,714 人，そして昨年 2014 年には少し減少し，335,048 人であるが，10 年間で観光客の数が約 3 倍弱も増えていることがわかる．

マに多くのモルナを残した．これらの独立やアイデンティティを中心としたモルナを「革命的モルナ」として認めることができた．

　ここまで概観したモルナを「伝統モルナ」として位置づけた．「伝統モルナ」に対して「モダン・モルナ」は現在，新たなモルナとしてカーボ・ヴェルデの人びととの間で認識され始めているが，現在のモルナを分析した結果，伝統モルナの歌詞を「再表現」している特徴がみられたことから，「再表現的モルナ」という語であらわした．

　最後に「再表現的モルナ」を特徴づけるために，Cesária Évora の時代から現在にかけて検討し，モルナが変化の段階にあることが確認できた．モルナは作詞・作曲家が活動の場を広げていた「伝統モルナ」に代わり，産業としての音楽が繁栄し始めたことで，歌い手がより際立つようになった「再表現的モルナ」へと変化した．また，歌い手が外国へ発信するという動きがみられたことは極めて重要であった．さらに，歌い手が，これまで演奏されてきた「伝統モルナ」と同様の歌詞をもちいることで，「伝統モルナ」の再表現をしていることが浮き彫りになった．これらの特徴から「再表現的モルナ」という独立したタイプが現存していることが認められた．

　したがって，モルナの特徴を分析したことにより，*Morna-Sodade*，「批評的モルナ」，「革命的モルナ」，「再表現的モルナ」の 4 つのモルナに類型化することができた．以上のような再分類により，モルナの変遷が社会とともに変化していることが明らかになった．事実，いかなる音楽も社会変容に伴い，その形が変わっていく．その意味では，モルナが社会変容をとおして進展していくことは当然のことである．

　本章のもうひとつの目的であったモルナの時代区分の方法にかんして，次のように時代区分を提示する．

　第 1 期　プレ・モルナの時代（18 世紀中葉〜19 世紀末）
　第 2 期　詩人 Eugénio Tavares の時代（19 世紀末〜20 世紀初頭）
　第 3 期　詩人 B. Léza の時代（20 世紀初頭〜20 世紀中葉）
　第 4 期　詩人 Manuel de Novas の時代（20 世紀中葉〜20 世紀末）
　第 5 期　歌手 Cesária Évora の時代（20 世紀末〜21 世紀初頭）
　第 6 期　「再表現的モルナ」の時代（21 世紀初頭〜）

　この区分法について 2 点補足したい点がある．1 点目は，第 1 期から第 6 期までの名称は，各時代において代表的な音楽家，あるいは特徴づけられたものに因んでいることである．もうひとつは，18 世紀中葉から 19 世紀末まで，次いで 19 世紀末から始まっているように，時代と時代の間に「空白」の時期がないことである．これは第 1 期から第 6 期までの区分において，それぞれの時代にしかない，ある特定のモルナが存在しているというわけではなく，何重にも重なり合いながら共存していることを意味している．つまり，第 1 期のモルナは第 1 期の時代にのみ存在しておらず，それ以降のモルナ（たとえば第 2 期や第 3 期）にあらわれ

ているということである（もっとも，第3期「Manuel de Novas の時代」に歌われていた「革命的モルナ」は独立へ向かっていた動きであるため，独立前の第1期・第2期や独立後の第4期・第5期にはあまりみられない）．したがってこの区分法は，それまでには存在しなかった新たなモルナが生まれたという基準の下，おこなわれている．

　類型論的分析によって提示した時代区分は，次章で論じるモルナの歌詞の特徴をみるための重要な指標となり，より具体的な分析へと結びつけることができる．

　ここで，全体の問いとして挙げていたクレオールの形成にモルナがどのように関係しているかについて述べて，本章を締め括る．カーボ・ヴェルデにおいてクレオールは人と言語，そして文化（音楽）として認識され（第2章4節の「分類としてのクレオール」を参照），形成された．そしてその音楽（ここでは，モルナに限定する）とは，彼らのクレオールとしてのアイデンティティを確立するための重要な文化的要素であると同時に，「国家」創造に必要なイデオロギーとして「国民」を統合するために重要な道具であった．モルナとは，単に人びとが嗜好する音楽ジャンルではなく，クレオールという「負の遺産」（第2章を参照）を背景に持った伝統音楽であり，その変容には混淆現象が常につきまとう．ところが，混淆現象が常につきまとうからこそ，そのプロセスにおいて「負の遺産」を「正の遺産」へと変換させることも可能である．「クレオール文化」を語る際に，このような伝統と「遺産」が潜んでいることを等閑に付すことはできない．さらに，本章でみてきた類型論的分析によって，モルナの変容につれ，新しいタイプのモルナが生成されていることが明らかとなった．

　しかし，本章の議論で欠けていることは，いつからカーボ・ヴェルデの人びとによってモルナが意識的・意図的に形成されたかである．次の章で論じるモルナの歌詞の特徴では，モルナに描かれる心情を基にしてどのようにカーボ・ヴェルデの人びとがクレオール・アイデンティティを意識的に形成したのかについて論を進める．

4章　モルナの歌詞の特徴

　本章では，第3章で触れたモルナの特徴をより明確化することを目的とする．とりわけモルナの歌詞の特徴に焦点をあてることで，モルナに表出されている複合的核概念——sodade, cretcheu, morabeza がどのような意味としてもちいられているか，そしてそれらの複合的核概念はモルナをつうじて何を表出していると言えるのかを論じる．なお，「複合的核概念」という語をもちいる際に，それぞれの概念をひとつにまとめて「複合的核概念」として捉えているわけでなく，それぞれの概念 (sodade, cretcheu, morabeza) が複雑に構成されているという意味で捉えている．

　本章で論じる歌詞は次の文献およびディスコグラフィーからの引用であるが，翻訳は著者によるものである．また，*Mindelo Info*[85] も参照した．

　　① Chantre, T. and Stoenesco, D (2006) *Petite Anthologie du Cap-Vert*（カーボ・ヴェルデの小詩集）.

　　② Rodrigues, M and Lobo, I (1996) *A Morna na Literatura Tradicional-Fonte para o Estudo Histório-Literário e a sua Repercussão na Sociedade*（伝統文芸にみるモルナ——歴史文学的研究と社会反応の源泉）.

　　③ Monteiro, J (1987) *Música Caboverdeana*（カーボ・ヴェルデ音楽）.

　　④ Tavares, E (1932) *Mornas Cantigas Crioulas*（モルナ——クレオールの歌）.

　　⑤ Monteiro, C.A (2003) *Manuel d'Novas: Música, Vida, Caboverdianidade*（マヌエル・デ・ノーヴァス——音楽，人生，カーボ・ヴェルデ性）.

　　⑥ Dos Santos, Y (2006) *Ildo Lobo: A Voz Crioula*（イルド・ローボ——クレオールの声）.

　　⑦ Neuza (2013) *Flor di Bila*, Harmonia LDA（サンフェリペの花）.

　　⑧ Gabriel Mendes (2012) *Um Renovo Musical*, Coit Music（音楽の若芽）.

　　⑨ Nancy Vieira (2011) *No Amá*, Harmonia LDA（愛）.

　　⑩ Zé Luis (2012) *Serenata*, Lusafrica（セレナータ）.

1．歌詞の通時的分析[86]

　本節で取り上げるモルナの歌詞は，前章で提示した時代区分に沿って分析する．しかし，すでに述べたように，プレ・モルナの時代のモルナは残された資料が非常に少ないため，第2期から第6期までの5つの時代（第2期は詩人 Eugénio Tavares

---

[85] http://www.mindelo.info/（アクセス日：2015年11月30日）.
[86] 本節は，青木（2013；2015b）を参考にしている.

の時代（19 世紀末から 20 世紀初頭），第 3 期は詩人 B. Léza の時代（20 世紀初頭
〜20 世紀中葉），第 4 期は詩人 Manuel de Novas の時代（20 世紀中葉〜20 世紀末），
　第 5 期は歌手 Cesária Évora の時代（20 世紀末〜21 世紀初頭），そして第 6 期は
「再表現的モルナ」の時代）を対象とする．

　また，各時代を代表するモルナを上記の文献から 10 曲，合計 50 曲選び[87]，包括
的に分析する（各歌詞の原文と和訳は巻末資料を参照）．なお，本章の歌詞中にみ
られる 3 つの核概念（本章の 2 節を参照），郷愁にかんすることをあらわす *sodade*
(または *saudade*) には二重線を引き，愛の表現 *cretcheu* は太字，*amor* は下線であら
わし，ホスピタリティにかんする意味合いをもつ *morabeza* には太字と二重線で示
すことにする．

第 2 期　詩人 Eugénio Tavares の時代（19 世紀末から 20 世紀初頭）

1. *Brada Maria*『ブラダ・マリア』
2. *Unino*『集い』
3. *Serafim Jon*『セラフィン・ジョン』
4. *Mal de Amor*『愛の苦しみ』
5. *A Força de Cretcheu*『*Cretcheu* の力』
6. *Canção ao Mar – Mar Eterno*『海への歌―――永遠の海』
7. *Despedida*『惜別』
8. *Sodade de Quem Que'n Q're!*『*Sodade* を想う人よ！』
9. *Carta de Nha Cretcheu*『*Cretcheu* からの手紙』
10. *Morna de na Nha Santa Ana*『サンタ・アナへのモルナ』

第 3 期　詩人 B. Léza の時代（20 世紀初頭〜20 世紀中葉）

11. *Morabeza*『*Morabeza*』
12. *Dor di Sodade*『*Sodade* の苦しみ』
13. *Mar ê Morada d'Sodade*『海は *sodade* の居場所』
14. *Traiçoeira de Dakar*『ダカールの裏切り』
15. *Bejo di Sodade*『*Sodade* の接吻』
16. *Brasil*『ブラジル』
17. *Praia d'Aguada*　『プライア・ダグアーダ』
18. *Eclipse*『月食』
19. *Miss Perfumado*『ミス・ペルフマード』
20. *Um Vez Sãocente Era Sab*『あの頃のサン・ヴィセンテは良かった』

---

[87] ここで選定しているのは，出版されているモルナの歌詞の中から選択している
という意味であり，したがって先行研究に依拠している．

第4期　詩人 Manuel de Novas の時代（20世紀中葉〜20世紀末）

21. *Coração 'Scrabo*『奴隷の心』
22. *Santo é Bo Nome*『聖人とは君のこと』
23. *Stranger ê um Ilusão* 『外国は夢想』
24. *Fidju Maguod* 『苦しむ息子よ』
25. *Sodade Tcheu*『溢れる sodade』
26. *Gote Pintode*『誰しもが』
27. *Esse País* 『この地』
28. *Lamento d'um Emigrante*『ある移民の嘆き』
29. *Biografia di um Criol* 『クレオールの伝記』
30. *Sina de Cabo Verde*『カーボ・ヴェルデの運命』

第5期　歌手 Cesária Évora の時代（20世紀末〜21世紀初頭）

31. *Petit Pays* 『小さな祖国よ』
32. *Nôs Morna*『われわれのモルナ』
33. *Esperança di Mar Azul* 『蒼い海の希望』
34. *Terra Longe* 『遠い地』
35. *S'um Sabia*『もし知っていたら』
36. *Lua Nha Testemunha*『私のみた月』
37. *Luiza*『ルイーザ』
38. *Destino Negro*『黒い宿命』
39. *Nha Testamento*『私がみたもの』
40. *Separaçon*『さようなら』

第6期　「再表現的モルナ」の時代（21世紀初頭〜2015年現在）

41. *Ná Ó Minino Ná*『ナ・オ・ミニーノ・ナ』
42. *Deusa* 『女神』
43. *Segunda Geração*『次の世代』
44. *Rainha d'Estrela* 『星の女王』
45. *Sodade di Longe*『遠い sodade』
46. *Tchoro Quemode*『干からびた涙』
47. *Partida é um Dor*『旅立ちは辛い』
48. *Flor di Bila* 『サンフェリペの花』
49. *Tristalegria*『悲しさと喜び』
50. *Bartolomeu Dias* 『バルトロメウ・ディアス』

（1）詩人 Eugénio Tavares の時代（19世紀末～20世紀初頭）

　Eugénio Tavares の前の時代は陰鬱で寂しげなモルナが多い．前章の *Morna-Sodade*（第3章3節（1）を参照）で説明しているように『ブラダ・マリア』のモルナに悲痛さや苦悩があらわれていることは Tavares の記述から読み取れる．『ブラダ・マリア』は作者が不明であり，Tavares (1932: 10) が言うように，『ブラダ・マリア』は「ブラヴァ島のモルナにおいて最古の歌であり，100年以上も前に歌われていた」．また，Tavares の時代の曲『集い』と『セラフィン・ジョン』は19世紀末，あるいはそれ以前に作詞されたモルナであり，以下でみるように Tavares のモルナとは異なる特徴を持っていることがわかる．これらのモルナをどの時代（第1期，第2期）に区分するかという問題は，前章で分析したように非常に困難であるが，本研究では，19世紀末のモルナについて取り上げている Rodrigues and Lobo (1996) に従い，第2期詩人 Eugénio Tavares の時代として捉えている．

　『ブラダ・マリア』の1節目，「陰鬱で寒い夜，神に向かって叫んだ／その酷い夜は私の苦悩であった」，そして2節目，「暗闇の中で失ったあなたのことを叫ぶ／苦しき心が吐き出される気がした」からわかるように，Tavares 以前のモルナは暗いイメージが特徴である．この曲は，少女の愛が男性に届かなかったという内容であり，Tavares が作詞した多くのモルナと同じテーマである．すなわち愛を題材にしている．しかし，Tavares の表現する愛とそれ以前のモルナの愛には相違がみられる．したがって，愛に着目して「詩人 Eugénio Tavares の時代」のモルナを検討する．

A Força de Cretcheu	『*Cretcheu*の力』
Ca tem nada na es bida 　　Mas grande que <u>amor</u>	この世に愛を超えるものはない
Se Deus ca tem medida	神の存在ははかり知れないが
<u>Amor</u> inda é maior.	愛は神を超える
Maior que mar, que céu	海よりも，空よりも大きい
Mas, entre tudo **cretcheu**	ほかの*cretcheu*もあるが，
De meu inda é maior	私の*cretcheu*はそれよりも大きい
Cretcheu más sabe,	もっとも優しい*cretcheu*は
É quel que é di meu	私の*cretcheu*
Ele é que é tchabe	愛こそが鍵であり，
Que abrim nha céu.	私の空を開けてくれる．

Cretcheu más sabe	もっとも優しい*cretcheu* は
É quel qui crem	私が求めるもの
Ai sim perdel	嗚呼，もし*cretcheu* を失ってしまうならば
Morte dja bem	待つのは死のみだ
Ó força de **cretcheu**,	嗚呼*cretcheu* の力よ，
Que abrim nha asa em flôr	私の羽を咲かせ
Dixam bá alcança céu	天まで届ける
Pa'n bá odja Nôs Senhor	神に会うために
Pa'n bá pedil semente	神に生を授かるために
De <u>amor</u> cuma ês di meu	私のような愛を
Pa'n bem dá tudo djente	皆に与えるために
Pa tudo bá conché céu	皆が天を知るために

（著者による翻訳）

　まず，『ブラダ・マリア』の詩中にもちいられている愛とは，ポルトガル語の *amor* という単語であらわされているが，『*Cretcheu* の力』をみると *cretcheu* と *amor*[88] の双方が使われている．*Amor* とは，ポルトガル語でもカーボ・ヴェルデ語でも「愛」を意味する単語であるが，カーボ・ヴェルデ語にはもうひとつの「愛」，すなわち *cretcheu* がある．*Cretcheu* はすでに論じたように，愛よりも広義であり，恋人や愛，友情などを示す．このモルナをみると，*amor* は愛という意味として使われており，*cretcheu* は自らが抱く個人独特の愛である．すなわち *cretcheu* はより密接であり，*amor* は一般的にあらわされる愛であることが読み取れる（2 節の（2）を参照）．

　次に，モルナの内容にも違いがあることがわかる．それは，双方のモルナとも「悲痛さ」を感じているが，『ブラダ・マリア』が陰鬱であるのに対して『*Cretcheu* の力』は「悲痛さ」の中からプラスに働く美意識を持ち合わせていることである．ここで言う「プラス」とは肯定的，前向きな意味合いを指しており，「美意識」とは，本章で検討しているように，カーボ・ヴェルデの人びとが価値を置いている自らの心情や情感を指している．これらの心情は，モルナをつうじて表現されることを多くのカーボ・ヴェルデの人びとは発言していた．それを理解するためには，『*Cretcheu* の力』が作詞された背景をみるとより鮮明に浮かび上がってくる．

---

[88] ポルトガル語でもカーボ・ヴェルデ語でも *amor* は同じ意味の語として存在する．

　　　「Tavares の友人の Hermano de Pina は，医学部を卒業した後に，故郷
　　であるブラヴァ島に帰ってきた．ある日，彼はブラヴァ島の美しい女性，
　　"D. Aninhas" とすれ違い，魅了された．その魅力から恋へ変わったことは
　　素晴らしいことだった．しかし，恋から愛という人生でもっとも深い心
　　情へ変わったことは，さらに素晴らしいことだった．彼女を愛してしま
　　った Hermano は，友人である Tavares にその心の内を打ち明ける．その
　　女性と友人の愛をさらに賛美した詩人は，このようにして，自らの美と
　　愛にかんする最高の表現を発見し，もっとも美しいモルナを作り続けた．
　　自身にインスピレーションをもたらした人びとや最愛の息子たちに愛
　　情を注いでいた Tavares は，この甘美的な愛の話に心を打たれ，『*Cretcheu
　　の力*』を作詞する契機となった」(Eugénio Tavares.org から引用) [89]

　このように「ロマンチック」な背景が『*Cretcheu の力*』にはある．事実，Tavares
はポルトガルのロマン主義から多大な影響を受けている．このことは，『ブラダ・
マリア』との決定的な相違を示している[90]．さらに，ほかの Tavares の作曲したモ
ルナをみてもわかるように（巻末資料を参照）*cretcheu* という表現は頻繁に使われ
ている．
　しかし，上で説明した「プラスに働く美意識」の意味は『*Cretcheu の力*』を分析
するだけでは，理解することが困難であるため，ほかのモルナをみることにする．
ここでは下記の『永遠の海——海への哀歌』を概観する．この詩はポルトガル語で
書かれており，したがって *cretcheu* という単語はもちいられておらず，反対に *amor*
が際立つ．つまり，カーボ・ヴェルデ語とポルトガル語が混じり合うという現象は
みられない．これを踏まえたうえで 5 節目をみると，「愛する人」とあるが，これ
はポルトガル語の *meu amor* の訳である．これをカーボ・ヴェルデ語に訳すと，こ
の場合は *cretcheu* となる．つまり，美意識についてひとつ言えることは，Tavares の
cretcheu には独特の感性が秘められており，反対に *amor* にはそれが認められない．
このことは，音楽家がモルナを作詞する際にカーボ・ヴェルデ語を選択・使用した
ことが重要である．ポルトガルの植民地であったこの時代は，カーボ・ヴェルデ語
で書かれることが一般的でなかった．その中で Tavares はカーボ・ヴェルデ語でモ
ルナを作詞したというわけである．このことは，Tavares がカーボ・ヴェルデのク

---

[89] http://www.eugeniotavares.org/（アクセス日：2015 年 11 月 30 日）．
[90] Eugénio Tavares の前の時代のモルナは，風刺や批判的なモルナが多くみられる
　ことが特徴である（巻末資料の第 1 期詩人 Eugénio Tavares の時代にある『集い』
　および『セラフィン・ジョン』を参照）が，本研究では「愛」を着目点としている
　ため，論じないことにする．

レオール・アイデンティティを確立するために意図したものである（第 2 章 3 節目の Cruz の言及①に当てはまる）.

　ここまでの分析を振り返ると，*cretcheu* という単語の使用自体がある種の美意識の表現であると言うことができる. しかし，それだけでは *cretcheu* をプラスに働く美意識の表現であるとするための根拠が不足している. 以下は，『永遠の海——海への哀歌』の 7 節目と 8 節目の部分である.

Canção ao Mar: Mar Eterno	『永遠の海——海への哀歌』
Roubaste-me a luz querida do <u>amor</u>	私の大事な愛を奪い,
E me deixaste sem vida no horror	私を恐怖へと落とし入れた
Oh alma da tempestade amansa	嗚呼，平常な嵐よ
Não me leves a <u>saudade</u> e a esperança	私の<u>*saudade*</u>と希望を持っていかないで
Que esta <u>saudade</u> é quem, é quem	この<u>*saudade*</u>は唯一私を
Me ampara tão fiel, fiel	優しく守ってくれたから
É como a doce mãe	優しい母のように
Suavíssima c crucl	優しすぎて，残酷すぎる

（著者による翻訳）

　ここで *saudade* という表現がみられる. *Saudade* の意味については，前章の *Morna-Saudade* で論じた. ここで表現されている *saudade* は「愛する人」のことであり，*cretcheu* に酷似している. それは 5 節目と 6 節目にあらわれている. このモルナでは，「愛する人」に対して想う感情が *saudade* である. したがってこのモルナにみられる *saudade* と「愛」(*amor*) [91] は不可分な関係にあることがわかる. 次ページは，『永遠の海——海への哀歌』のほかの節である.

---

[91] ポルトガル語の *saudade* はクレオール語で *sodade* と訳され，ポルトガル語の「愛」(*amor*) はクレオール語で *cretcheu* と訳される.

Dá-me notícias do meu <u>amor</u>	私の愛する人が何をしているのか教えて
Que um dia os ventos do céu, oh dor	あのときの空の風
	なんて悲しいことか
Os seus abraços furiosos, levaram	熱烈な抱擁を持っていき
Os seus sorrisos invejosos roubaram	渇望し，盗んだあの人の笑顔
Não mais voltou ao lar, ao lar	私のところへ戻ってくることはなく
Não mais o vi,	愛する人に会うこともなくなった
oh mar	鳴呼，海よ
Mar fria sepultura	極寒の海は死であり，
Desta minha alma escura	私の魂は薄暗い

（著者による翻訳）

『永遠の海——海への哀歌』をより深く理解するために，作詞された経緯を概観する．この歌は Tavares が手がけたモルナの中でもっとも優れている詩のひとつであり，歌の内容は実らなかった恋についてである．

　　「ある日，アメリカ人の親子［父と Kate という名の娘］がブラヴァ島に到着し，Tavares は Kate に恋してしまう．しかし，このことを知ってしまった Kate の父はカーボ・ヴェルデを去ってしまい，2人が出会うことは二度となかった．詩人は深く悲しみ，すぐさまギターを持ち出し，『永遠の海——海への哀歌』を作詞した．そして，Tavares は海を眺めながら自らの夢や愛が絶望と悲哀の海に沈んでいくことを感じた」(Eugénio Tavares.org からの引用) [92]（［］は著者による補足）

　この感傷的な情感は，カーボ・ヴェルデ独特の悲痛ながらも，プラスに働いている美意識である．つまり，恋が実らずもう二度と会うことができないという事実は「悲痛」（マイナス）であるが，「悲痛」を糧にしてその気持ちを忘れずに生きていきたいという気持ち＝*saudade* を表現することはプラスの働きであると考えられる．
　しかし，前章で論じたように，*saudade* と *sodade* を同じ意味として捉えてはならない．『永遠の海——海への哀歌』は上の美意識を想像するためには良い例であるが，カーボ・ヴェルデ語で綴られたモルナを概観することがもっとも適切である．その意味では，下記のモルナ『サンタ・アナへのモルナ』で表現されている *cretcheu* および *sodade* の意味をみると，Tavares 独特のモルナが浮き彫りにされる．

---

[92] http://www.eugeniotavares.org/ （アクセス日：2015年11月30日）.

Morna de na Nha Santa Ana	『サンタ・アナへのモルナ』
Ja'n q'ré ojâ quem que cá tem,	私は見たい
Quem que cá tem **cretcheu** na es bida!	この世に**cretcheu**がいない人を見てみたい！
Pa más tanguido que corpo é,	体は汚れているけど,
Nos alma é libre, no tem que q'ré!	われわれの魂が自由であることを信じなければ！
A mi, de meu, pa nha pesar,	*cretcheu*よ,
Pa mal de todo nha pecado,	私にはたくさんの過ちがあるけれども,
El prometem nabiu na mar,	海へ出ることを約束してくれて,
El manda dam lancha encajado.	君は出航させてくれた.
El tiram luz que Nhor Dês dam,	神から与えられた光を奪われ,
El dixam sombra dc triaçam;	影に裏切られた
El lebam sol dês mocidade,	優しさから明かりを呼んでくれ,
El xam co dor de nha <u>sodade</u>.	*cretcheu*は<u>sodade</u>とともに苦しみを残していった.

（著者による翻訳）

　「光を奪われた」や「苦しみを残していった」などの表現から憂鬱や陰鬱というイメージを思い浮かぶかもしれない. 確かに *sodade* は, 「苦しみ」＝「悲痛」であるものの, 生きるための糧としての存在が大きい. そしてその *sodade* を感じる契機となっているのが, ほかのモルナの分析と同じように *cretcheu* である. *Cretcheu* は文脈から読み取れるように「愛」であり, 「愛する人」であり, また感覚として浮き出ているのが幸せと不幸の双方である. それを *sodade* はよく示している.

　Tavares を起点とした美意識はその後もモルナの「核」として顕著に表現されることになる. ゆえに, この独特の感性を「詩人 Eugénio Tavares の時代」のみを概観したうえで締め括るのではなく,「再表現的モルナ」の時代まで包括的に分析する.

（2）詩人 B. Léza の時代（20 世紀初頭〜20 世紀中葉）

　「詩人 B. Léza の時代」のモルナにおいて強調しておきたいことは *sodade* と *cretcheu* の使用が非常に多いことである. *sodade* の意味も歌詞中により明確に綴られている. 下記の『*Sodade* の苦しみ』では,「*sodade* の痛み／あまりにも痛む」,「この愛と同じほどに／愛しい人への痛み」とある.

　Sodade は「痛み」であり, それは詩のコンテクストから *cretcheu* との物理的な距離から生じていることがわかる. *Cretcheu* は愛の表現であるが, 2 節の（2）で論じるように, 人や国など愛の対象が幅広い. つまり「*cretcheu* との物理的な距離」というのは, カーボ・ヴェルデから外国へ移住し, 母国に対して愛を感じることや母国で待っている家族や恋人に対する心情でもある.

Dor di Sodade	『*Sodade* の苦しみ』
'M tem um do na nha pêto	心に痛みがある
Dor di <u>sodade</u>, dor di profundo.	<u>sodade</u> の痛み，深い痛み．
'M ca ta f'lâ ninguém êl.	それは誰にも話さない．
Êss dor di meu, stâ magoá-m coração	それは私の痛みだから， 　心の痛みだから
Êss dor tâ doê tanto.	あまりにも痛む．
Tâ doê c'ma <u>amor</u>.	この愛と同じほどに．
El tem-m fadigado.	不安に駆られる．
Êss dor di meu, dor di **cretcheu**,	それは私の痛みだから， 　**cretcheu** への痛みだから．
Êl tem-m tormentóde.	苦悩に満ちている
S'm incontrá nha **cretcheu**	**cretcheu** に会えないから．

（著者による翻訳）

　しかし，Tavares の時代のモルナ同様，「愛」の概念には注意を払わなければならない．上の「この愛と同じほどに」の「愛」は *amor* と表現されており，残りの「愛」は *cretcheu* である．これは愛が身近な対象としての表現であるのか，あるいはいわゆる感情としての愛なのかという違いである．つまり，*cretcheu* との距離が *sodade* という痛みを感じさせ，*amor* は *sodade* と直接的には結びつきにくい．

　『ダカールの裏切り』のモルナには同じように距離が関係している．「海の長い道のりは私に哀愁を一層漂わせる」とあるように，哀愁 (*sodade*) であり「海の長い道のり」が *sodade* という痛みを与える．カーボ・ヴェルデは島国であるだけなく，小さな島々で成り立っているため，国内の移動ですら *sodade* を痛感する．

　距離についての例を挙げれば，リスボンのテージョ川をカーボ・ヴェルデの海と連想させている『*Sodade* の接吻』がある．B. Léza がカーボ・ヴェルデの音楽グループの代表としてリスボンを訪れた際に病気になり，そのような状況の中，作詞したモルナである．入院していた B. Léza はほかの音楽グループのメンバーと一緒にカーボ・ヴェルデへ帰ることができず，その思いを *sodade* に込めた．

　このように海や川など水に関連したものと *sodade* とは，モルナの特徴を浮き彫りにするうえで欠かせない要素である．それは，海だけでなく，『月食』にみられるように，「月」もまた重要な要素である．海と月は，小さな島々を故郷とするカーボ・ヴェルデの人びとの生活において毎日目にする自然である．たとえば『月食』には，「月光は海を照らす／*cretcheu* を愛している」とある．

　また，『海は*sodade*の居場所』では，フルナの浜辺（写真25）が懐かしくて*sodade*が湧き起っている．月と海を見ることで，*cretcheu*や*sodade*を連想させている可能性があることも考えられる．さらに，月は度々「光」の意味としてモルナの歌詞で描かれることがわかる．これは島民の大多数がカトリック教徒であることと関係している．すなわち，「光」や「月」とは「神」あるいは「死」，「天国」を比喩的にもちいた表現である．このように考えると，「月」は人生における「死」や「天国」のシンボルであり，このモルナのタイトル『海は*sodade*の居場所』が示しているように，「海」とは*sodade*の情景をあらわしていると考えられる．それは，ここまでみてきたモルナに登場する土地（リスボン，ダカール，ブラジルなど）へ渡る際に航海したからである．

　また，「海」から連想されることがすべて物理的な距離や惜別をあらわしているわけではない．反対に海の向こうから訪れる人たちに対する好奇心やホスピタリティの精神も関連していると言える．それは下記の『*Morabeza*』というモルナに描かれている．

写真 25. フルナの浜辺.
（出典：Lièvre 1999）

Morabeza	『モラベーザ』
Céu vistí de azul	青色を着た空は
Bordado di ôr	金色に包まれる
Mindelo di norte a sul	ミンデーロは北から南まで
Vistí di fala e flôr	花と話に包まれる
Gente di Mindelo	ミンデーロの人は腕を広げ
Nô abrí nôs broce	腕を広げ,
Nô pô coraçon na mon	心を手にあてる
Pa nô bem dá'l um abroce	抱きしめるために
Um abroce de **morabeza**	*morabeza* の抱擁
Dêss povo de S.Vicente	サン・ヴィセンテの島人
Êss home de alma grande	人びとの壮大な魂は
Di rosto sabe e contente	甘美的で嬉しそうな顔をしている

（著者による翻訳）

　詩中にみられる「ミンデーロは北から南まで花と話に包まれる」という表現から島民が賑やかで，誰とでも話すという情景を思い浮かべることができ,「抱きしめる」とは人をみな受け入れるという意味として認識できる．それが *morabeza* であり，*cretcheu* および *sodade* とは根本的にコンテクストが異なり，非常にポジティブである．この精神は『ブラジル』というモルナにもみられる.「褐色なこの地を訪れてみて／穏やかなクレオールがいるこの地を」,「いらっしゃい」など歓迎するような表現が多々ある．このモルナでは，ブラジルに限定しているが，カーボ・ヴェルデの人びとは本来「外国」から「連れてこられた」人たちで築き上げられた民であり，民族としての「カーボ・ヴェルデ人」(Davidson 1989) が形成された 18 世紀の後には，イギリス人やアメリカ人をはじめ多くの「外国」の人たちとの交流があった．そのような背景をとおしてホスピタリティやもてなす精神が強く根づいた．したがって *morabeza* という表現もカーボ・ヴェルデにみられる美意識のひとつであると考えることができる．

（3）詩人 Manuel de Novas の時代（20 世紀中葉〜20 世紀末）

　「詩人 Manuel de Novas の時代」は代表的なモルナの詩人や作曲家がモルナを築いていく最後の時代である．これまでに概観した 3 つの美意識——*sodade, cretcheu, morabeza*——をカーボ・ヴェルデ人が持つ情感として裏づけるために重要である．後に論じることになるが,「移住」はモルナの永遠のテーマであり，多くのカーボ・ヴェルデの人びとの生活の一部である．また「移住」は美意識と密接に関係してい

る．このことは，Manuel de Novas の時代にもみられる．これらの感覚は，とりわけモルナに表出されていることを忘れてはいけない．

　下記の『奴隷の心』というモルナは，「モルナはわれわれの心の姿」という文で始まる．カーボ・ヴェルデの人びとにとってモルナとは，これらの美意識を表現するために重要な手段である．続いて，モルナは「精神で唄」い，「愛しい『国歌』」である．

Coração 'Scrabo	『奴隷の心』
Na morna ritrato di nôs alma	モルナはわれわれの心の姿
Nôs terra, tchabi di nôs coração	母国はわれわれの心の中にある
Nô ta cantâ co tudo alma	われわれは精神で唄う
Um grande hino de gratidão.	われわれの愛しい「国歌」を.
Gratidão pa quem qui bem	やってくる人への愛
Pa quem qui bem co **morabeza**	***morabeza*** とともにやってくる人への愛
Pa-me bem pol si nomi também	やってきた人の名前をモルナに刻もう
Nês doce altar di nôs grandeza	優しさと寛大さとともに
Ó nhô Santiago protetor	嗚呼，聖サンティアゴよ，守護聖人よ
Dês ilha, nôs mãi, nôs pensar	この島，われわれの「母」 　　われわれの想い，
Cõdjê na bu manto di <u>amôr</u>	あなたの<u>愛</u>溢れたマントで 　　守ってください
Ês grande homi qui é Baltasar	バルタザールは偉大な人
Praia berço carinhoso	プライアは優しさが生まれた場所
São Vicente nôs céu sonhado	サン・ヴィセンテは夢の場所
Dôs irmons, dôs venturoso,	2人兄弟で，幸せな2人
Na nôs coraçon retratado	これがわれわれの心の絵
Quel mar rolante qui trazê-bo	海があなたを運び
Quel mar qui ta tornâ lebá-bo	海が私を連れて行く
Nôs **morabeza** ca ta prende-bo	われわれの***morabeza***はあなたを迎え
Má nôs coração é bô 'scrabo.	われわれの心はあなたを 　　いつまでも待っている.

（著者による翻訳）

　　『奴隷の心』[93]で表現されている美意識は *morabeza* である．それを示している文が「*morabeza* とともにやってくる人への愛／やってきた人の名前をモルナに刻もう／優しさと寛大さとともに」である．前節で論じた *morabeza* にはホスピタリティやもてなす心という意味があったが，このモルナから読み取れるように「優しさ」と「寛大さ」もまた包含されていると言えよう．その優しさと寛大さの情景とは最終節でみられる．すなわち，「海があなたを運び／海が私を連れて行く／われわれの *morabeza* はあなたを迎え／われわれの心はあなたをいつまでも待っている」の部分である．

　　『この地』（巻末参照）は *cretcheu* を美化させることで *morabeza* を引き立てている．その箇所のみを取り上げると，「見においで，この小さなミンデーロを／見においで，この地の美しさを／見においで，この *cretcheu* の天国を／*morabeza* を感じにおいで／平和な暮らしと神がついてる」である．『溢れる *sodade*』（巻末参照）で描かれている情景にカーボ・ヴェルデの人びとは「誰よりも苦しんで」いて，「島人が理想とかけ離れた生活を送って」おり，その理由は「雨が降らない」，「不毛である」としている．

　　これら2曲のモルナは矛盾しているように見えるが，モルナの役割とは，このような苦しみから逃れるための術でもあったのではないか．カーボ・ヴェルデの人びとの苦悩とは，*sodade* という心的な「痛み」だけではなく，身体的に関係する問題，すなわち雨が降らないがゆえに不毛であり，物質的に貧しいという点も指摘できる．これらの問題とカーボ・ヴェルデの人びとの美意識を重ね合わせると，よりモルナのテーマの特徴やモルナの必要性，さらにはモルナの詩中にこれらの美意識が顕著にあらわれる理由が浮上する．すなわち，モルナとは過酷な生活を生き延びるための手段であり，また，海を超えて外国へ移住したとしても自分自身に内包されているために，己の伝統的な文化を常に表現することができる唯一，移動可能なものであり喜びである．自国や大切な人を記憶することが移住者の生きていく糧であったことはモルナの歌詞や史実，社会背景からよく理解できる．たとえば，『外国は夢想』というモルナで語られている「僕」が，唯一見守られている「海」に対して *cretcheu*（ここでは恋人や愛しき人を意味している）への愛を伝達するように頼んでいる．また，その「海」は唯一「僕」の *sodade* を理解している．

　　歓喜を示しているモルナが『誰しもが』（巻末参照）であり，次の文である．「音楽はわれわれの文化の剣であり／Tavares と B. Léza の精神に逆らうことはない／もしモルナがなくなったらわれわれの喜びもなくなる／もしわれわれの愛が死んだらカーボ・ヴェルデも死ぬだろう」．これらの表現もモルナを伝統文化の記憶を

---

[93] 歌詞中に単語の綴りが不統一で記されていることがあるが（『奴隷の心』の場合，*amor* (*amôr*) と記されている），いずれも意味は同じである．

生き延びるための役割を果たしていることを反映しており，美意識を理解するための重要なモルナである．

　美意識の背景を別の観点から，すなわちカーボ・ヴェルデの人びとの人生という観点からみることもできる．それが『クレオールの伝記』(巻末参照) である．このモルナの美意識の背景を理解するにあたって重要な箇所をまとめると，「この地に生まれる／質素なところで，貧しいけど幸せ／遊んで，叫んで，そして唄う／青年期になると何もかもが平凡／優しくて愛情深い／僕はこの地を去り外国へ行った／神が与えてくれたこの放浪の世だけど，僕は幸せ／カーボ・ヴェルデ人として生まれて」である．これはクレオール，つまりカーボ・ヴェルデの人びとの一生を描いたモルナである．

　カーボ・ヴェルデでは飢饉や餓死といった問題もあり，貧しかったことを契機に外国へ移住し，ときには強制的に移住させられたこともあった．そのことを『カーボ・ヴェルデの運命』(巻末参照) のモルナは語っている．「雨が降らなければわれわれは餓死してしまう」とあるように，カーボ・ヴェルデの干ばつは厳しく，外国へ行かざるを得ない状況で，カーボ・ヴェルデの人びとはモルナを唄い，涙を流すような旅をした．さらに，「己の運命に苦しみながら涙を流す」という文はより一層その苦痛を歌っている．しかし，そのような背景があってもなぜ幸福でいられることができるのかという疑問が浮上する．それは，これまでに論じたように，美意識によって説明できる．カーボ・ヴェルデの人びとにとって苦悩は絶えずあったが，それを表現として表出することで，反対に幸福感を得たと解釈することができる．

（4）歌手 Cesária Évora の時代（20世紀末〜21世紀初頭）

　すでに，歌詞分析をつうじて「死」にかんする表現が多く確認できた．つまり，死を言及すること，または死を仄めかす表現が多々みられることもモルナの歌詞の特徴である．それは，Cesária Évora の時代のモルナにもよくあらわれる．下記の『蒼い海の希望』では，「蒼い海には希望がある」という文がみられるが，これは前節で述べた餓死・飢饉による甚大な被害を受け，海の向こうへ移り住むという考えをあらわしている．

　モルナのテーマがそのような状況を語っている場合，頻繁にみられる単語がカトリックであることを明示する「神」，カーボ・ヴェルデで容易にみることができる自然＝「海」と「月」，そして美意識の *cretcheu* と *sodade* であり，あるいはまた「モルナ」という単語自体がみられる場合もある．

　『黒い宿命』(巻末参照) のモルナには，次のような文を抜粋することができる．「この愛おしいモルナを唄わせて／苦しむことは宿命だ／僕の人生は苦しさと拷問／前はこの世からいなくなりたかった」．このように『黒い宿命』には「死」を想起させる文が散りばめられている．

Esperança di Mar Azul	『蒼い海の希望』
Nunca no zanga	怒りなんてしない
Nunca no tive um briga feia	醜い争いなんてしない
Nunca no pensa na separaçon	離れることなんて考えない
Nunca no fri nos coraçon	心を傷つけることなんてしない
Deus ta leva-no sempre assim	神がいつも仕向けてくれている
Na paz amor e carinho	愛と愛おしい平和へ
Na otra vida tem tempestade	別の人生には嵐があった
Vento do norte	北の風,
Vento do sul	南の風
Ma sperança di mar azul	でも蒼い海には希望がある
É pa quem tem fé	それは信じるものだけに与えられる
Na sê amor	あなたの心の愛の中で

（著者による翻訳）

　前節で述べたように，詩人が牽引するモルナの時代は Manuel de Novas で終わり，この時代からは歌い手の時代となる．この時代は Cesária Évora のほかにもさまざまな有名な歌い手が名を広めた．しかし重要視すべき点は，もし歌い手の時代へと変化したのであれば，誰がそのモルナを作詞しているのかということである．これは前章でも論じたように，すでに作詞されている古いモルナを歌うという方法である．たとえば，ここで取り上げた 10 曲のうち，6 曲はベレーザの時代に作詞されたモルナである．つまり，「歌手 Cesária Évora の時代」から徐々に，昔のモルナが目立ち始めるようになる．それらのモルナは，当然ながら時代が変われば変わるほどより「古く」感じる．次の節でみる「再表現的モルナ」では，このような「古い」モルナがより多くみられる．この行為が前章で論じたように，伝統の「再表現」の出発点である．

　本分析をとおして，もう 1 点注目したいことは，「ミンデーロ」や「サン・ヴィセンテ」という単語がモルナの歌詞にみられる地名の中でもっとも目立っていることである．ソタヴェント諸島に位置するブラヴァ島出身の Tavares の時代に「ミンデーロ」や「サン・ヴィセンテ」という単語はひとつもみられなかった．反対に，B. Léza や Manuel de Novas，そして Cesária Évora の時代の場合，合計で「サン・ヴィセンテ」が 8 回，「ミンデーロ」が 6 回もみられる．この理由は，B. Léza がミンデーロ生まれ（サン・ヴィセンテ島の都市であり，バルラヴェント諸島の「首都」）であることが指摘できる．つまり，多くのモルナを世に出した B. Léza は故郷であるミンデーロ，サン・ヴィセンテ島への愛を多く綴った．しかし，次の章で論じるように，そのなかでも，とりわけミンデーロがある種モルナの「中心地」となり，

このこともまた，地名をあらわす語が際立っている大きな理由のひとつと考えられる．

　ここまで分析した第 2 期から第 5 期までのモルナには強調すべき「流れ」がある．それはモルナにもちいられている言語である．「詩人 Eugénio Tavares の時代」，または彼よりも前の時代に作詞されたモルナ（たとえば『永遠の海——海への哀歌』や『ブラダ・マリア』など）はポルトガル語で書かれていたが，「詩人 B. Léza の時代」以降，ポルトガル語で作詞されたモルナは少なく，ここで取り上げた 50 曲の中には 1 曲もない．換言すれば，20 世紀初頭以降のモルナはカーボ・ヴェルデ語で作詞されているということである．これは，Tavares から始まり，その後，自然にモルナを作詞していった詩人たちの間で「カーボ・ヴェルデ語」をもちいることによって「カーボ・ヴェルデ人」として共有することが可能なものを築くための手段として利用されてきたとも解釈できる．要するに，モルナの役割とは，島民が生き抜くために歌われてきたという点も重要だが，それ以外にもカーボ・ヴェルデ人の間で共有可能とするポリティカルな文脈でのアイデンティティの構築を図るために利用してきた，という点もまた理解しておく必要がある．モルナはさまざまな意味において「生還」するためにもちいられたと言える．

（5）再表現されるモルナの時代（21 世紀初頭〜現在）[94]

　41 番目に取り上げているモルナ，『ナ・オ・ミニーノ・ナ』は子守唄をイメージした曲であるにもかかわらず，その曲の内容は非常にネガティブさを想起させる．しかし，その歌詞を読むと，辛さの中に幸福を感じていることが理解できる．それは『女神』というモルナにもみられる．「私は間違った人生を愛しています／不幸な人生を愛しています」．これらのモルナはそれぞれ Tavares と B. Léza のモルナである．昔の大詩人がモルナをつうじて現代に「生きている」というわけである．

　ほかのモルナにも，これまでにみられたカーボ・ヴェルデの人びとが持つ美意識を見出すことができるだろうか．『星の女王』（下記参照）は現在リスボンで活躍している歌手 Tito Paris（写真 26）のモルナである．これは 1996 年に発売されたモルナであるため，厳密に言えば「歌手 Cesária Évora の時代」に相当するが，前で述べたようにこれらの時代（第 2 期から第 6 期まで）は重なり合っているため，現在のモルナ界において非常に注目を浴びている Tito Paris の『星の女王』を「再表現的モルナ」としても（つまり，第 5 期と第 6 期の双方として捉える）取り扱う．

---

[94] 2015 年現在．

写真 26. 歌手 Jennifer（左）と歌手 Tito Paris（右）.
（撮影地：サン・ヴィセンテ島，撮影年：2012 年，撮影者：青木敬）

Rainha d'Estrela	『星の女王』
Onte bôtava drete ma mi	昨日までは私と気が合っていた
Dirrapente bô tá bem fla'm	そしてあなたは突然口を開く
Já bô ca crê más	私が必要ない，と
Nha sofrimento ê bô	あなたは私を苦しませる
Nha pensamento ê bô	考えることすべて
Nha doração ê bô	私の熱愛は君のもの
Nha convicção ê bô	私の信念は君のもの
Depois bô passa na mi	あなたは私の横をとおりすぎる
Cada vez qui bô passa	みる度に美しい
Bô ê mais benita	愛させておくれ
Dixam dora na bô	抱きしめさせておくれ
Nha calor ê bô	私の温もりは君のもの
Dixam beja na bô	私の口づけは君のもの
Nha <u>sodade</u> ê bô	あなたは私の<u>*sodade*</u>

（著者による翻訳）

　このモルナの内容は,「私」の愛が「あなた」に届かなかった想いをあらわし,「あなた」に対する感情を sodade という単語をもちいて表現している. また, 現代を代表するモルナ歌手の 1 人, Neuza の『サンフェリペの花』という曲には, sodade, cretcheu, morabeza の 3 つの美意識を示す表現がみられないものの, 次のように, それを取り巻く「モルナ」という用語があらわれている.「起きて私のモレーナよ／モルナの音で起きて／僕の悲しみを感じておくれ／嬉しい涙を流したいんだ」. モルナは涙を流させるほど悲しさを感じさせるが, 同時に嬉しさも込み上がるような音楽であることが読み取れる. さらに前に述べた「死」にかんする文もみられる.「この人生だけでなく天へ昇ってからもずっと／僕が生きていて, 悲しかったら天へ昇る方がマシさ／もうこの世とはお別れだ／もし死んだらあの世では安らぎを感じたい」.「再表現的モルナ」の時代にも, 以前のモルナの時代のように「死」や美意識,「矛盾」しているように思える感情（悲観と歓喜）が存在する. 美意識が健在であることを裏づけるもっとも良い例がある.

　「再表現的モルナ」の時代は歌い手のほかにも有名な作詞・作曲家がいる. Teófilo Chantre はパリ在住のカーボ・ヴェルデ人であり, Cesária Évora も Teófilo Chantre によって手がけられた多くのモルナを歌ってきた. 本研究で取り上げているモルナの中でもっとも「再表現的モルナ」を想像させる曲が『次世代』である.『次世代』は, この曲の作詞作曲家であり歌い手でもある Teófilo Chantre と, 歌い手として国際的に活躍している Mayra Andrade が歌うモルナである. 現在彼らは 2 人ともパリに在住しており, 世界的な音楽家として広く知られている. 彼らはそのモルナをつうじて現代を生きるカーボ・ヴェルデ人のアイデンティティを表現しようと試みる.

　かつてのカーボ・ヴェルデの人びとによる歴史的移住の背景には, 不作による飢餓や飢饉, またはポルトガル政府による政策が理由として挙げることができたが, 現代ではそのような背景はないものの, 未だに移住はカーボ・ヴェルデの人びとの人生において全く切り離せないものである.『次世代』の歌詞には, このような側面が強く表現されている.「われわれは morabeza を知っている／私はクレオール／移住してきた次世代のクレオール／私は自分のアイデンティティを失いたくないクレオール」. この歌詞をみると, morabeza は健在であり, それはクレオールとしてのアイデンティティの一部分として結びつけられているように思える. また, 同じように「クレオール」（カーボ・ヴェルデ人）であることは移住や異国と隣り合わせに生きるということが示されている.

　これらの 3 つの例でみたように, モルナにみられる美意識は, 現代のモルナ, すなわち「再表現的モルナ」においても非常に強くあらわれていることが明らかである.

　しかし, 本節の冒頭で分析したモルナは, 古い時代に作詞されたモルナである（たとえば『ナ・オ・ミニーノ・ナ』や『女神』）. 再表現的モルナの特徴として, これらの古いモルナと『次世代』（2007 年）などの新しいモルナが混じり合っている点

が挙げられる. ここで重要と思われる点がある. すなわち, カーボ・ヴェルデ社会や人びとの生活または思考をモルナが表象しているのであれば,「再表現的モルナ」の時代 (21 世紀初頭) で歌われているモルナの内容と古い時代のモルナに表現されている社会的状況や生活様式は同じとは言えず, 歌詞分析だけでは説明できないことである. つまり, 歌詞の内容と時代が一致しておらず, したがって現在のモルナのテーマと島民の実生活には溝が存在するという問題がある.

　また, カーボ・ヴェルデの人びとの美意識は現在どのような形態をしているのかも歌詞分析という手法だけでは限界がある. より具体的に言えば, 現代の音楽家は過去のカーボ・ヴェルデ精神を伝達し, 前章で論じた「再表現」をしているだけであり, その精神は廃れてしまっている可能性がある.

　ただし, これらの問いに対する答えを明らかにするためには, まず本章で問題意識の中心となっている美意識の意味についてより踏み込んだ分析が必要である. したがって, 次節では, *sodade*, *cretcheu*, *morabeza* のもつ意味概念を分析する.

２．3 つの核概念——*sodade, cretcheu, morabeza*

　これまでは, 前節で論の中心であったカーボ・ヴェルデの人びとの美意識——*sodade, cretcheu, morabeza*——がどのようにしてモルナをつうじて表現されているかを分析してきた. 本節では, 美意識をあらわすこれらの 3 つの用語を, ポルトガル語とは異なる別個の概念として捉え直す作業をおこなう.

　はじめに記しておきたいことは, クレオール語という構造の特色として下層言語 (*substratum*) の文法に大量の上層言語 (*superstratum*) の語彙が組み込まれているため, *sodade, cretcheu, morabeza* の語源はそれぞれ *saudade* (ポルトガル語やガリシア語独特の情感であり, 郷愁や哀愁などに近い意味を持つ), *querer* (欲しい) および *cheio* (いっぱいの) の合成語, そして *amorável* (愛情豊かな, 寛大な) である (表 6).

　これらの用語は, もともとはポルトガル語に由来していることがわかる. しかしながら, それらの意味はポルトガル語とは異なる.

表 6.「複合的核概念」の語源

語源 (ポルトガル語)	複合的核概念 (カーボ・ヴェルデ語)
saudade	sodade
querer + cheio	cretcheu
amorável	morabeza

　つまり，これらはポルトガル語から派生したが，「カーボ・ヴェルデ人」，あるいは「クレオール」という「民族」がその歴史と文化を構築していく中で生み出した，ある種特有の意味を獲得し，したがって個別の概念をあらわしていると捉えることができる．このような民族と言語の関係性について，哲学者九鬼周造（1987: 12）は「いきの構造」の冒頭で説明している．

　　　　「意味および言語と民族の意識的存在との関係は，前者が集合して後者を形成するのではなくて，民族の生きた存在が意味および言語を創造するのである．両者の関係は，部分が全体に先立つ機械的構成関係ではなくて，全体が部分を規定する有機的構成関係を示している．それ故に，一民族の有する或る具体的意味または言語は，その民族の存在の表明として，民族の体験の特殊な色合を帯びていないはずはない」

　九鬼（1987）が表明しているように，意味や言語が民族を形成するのではなく，民族という存在が意味や言語を形成するように，カーボ・ヴェルデの人びともまた，*sodade, cretcheu, morabeza* という概念を創造したと言うことができる．このことを踏まえ，以下では *sodade, cretcheu, morabeza* の認識論的分析をおこない，それらの概念としての意味を明らかにする．

（1）*sodade* の意味──郷愁にかんすること

　Sodade と *saudade* は異なる意味を有している，という仮説についてはすでに触れた．*sodade* について概説する前に，まずはその本来の形であった *saudade* という単語について概観する．

　すでに述べたように，*saudade* という概念は非常に複雑であり，これを翻訳することは容易でない．*saudade* とは日本語でいう「ものの憐れ」や「わびさび」のようにその国特有の表現であり，ポルトガルとガリシアにしか存在しなかった表現である．Noronha（2007: 81）が「*saudade* という用語がガリシア・ポルトガルの歌謡において表現されたのは 1141 年から 1354 年の間，北ポルトガル（ドウロ *Douro*，ミーニョ *Minho*）からガリシア間である」と述べているように，*saudade* はガリシアと北ポルトガルの間ですでに歌詞にもちいられていた．つまり，ポルトガルから派生された用語であることはわかるが，まずは，その語源や意味について辞書をもちいながら説明し，その全体像を理解することを試みる．ブラジルの語源辞典 *De onde vêm as palavras*（Silva 2004）では *saudade* の語源を次のように示している．

　　　　「ラテン語の *solitate*（孤独の意）から派生され，古ポルトガル語の *soedade, soidade, suidade* に変化し，*saudade* という用語が誕生した．しか

し，語源学者は *saudade* の語源にかんして意見がそれぞれ異なる．アラビア語で *suad, saudá, suaidá* という単語は心に負った深い傷や深い悲しみである状態を意味する．*As-saudá* という単語は肝臓の病気を意味し，患者の憂鬱な気持ち（つまり一種の鬱病）であると診断されている．このようにあらゆる単語が混じり合ったとも考えられる」

　つまり，*saudade* のあらゆる感情は「孤独」や「憂鬱」，あるいは「深い悲しみ」といった状態から人やものに対する「懐かしみ」という風に微妙に変化していった可能性があることがわかる．次に *saudade* の意味についてみる．*saudade* という用語の意味は辞書によって若干の違いがみられる．たとえば，ブラジルのポルトガル語辞典 *Novo Aurélio* (Ferreira 1999) では「ノスタルジックな記憶のことであり，人や物事（距離）が離れていたり，亡くなったりした際にまた戻りたい，帰りたいという願いや人や物事に対して会いたい，ものにしたいという感情」と説明している．この定義からわかるように，故郷や時代に対して懐かしむという意味に加え，人や距離に対しても懐かしむ，嘆くといった広義な意味がなされている．

　別のブラジルの辞書 *Caldas Aulete* (Garcia and Nascentes 1980) には，次のような定義がされている．「愛しき人や物が目の前にいないことによる痛々しい，後悔する気持ち．良き思い出と同時に仲良くしていた人に対して感じる悲しさ」とある．この辞書では，「痛々しい」，「後悔」，「愛しい」という表現をしている．つまり，語源に含まれている「懐かしむ」という意味合いよりは，むしろ悲観的なイメージをあらわしている．

　最後に，ポルトガルの辞書 *Dicionário Actual da Língua Portuguesa* (Tavares and António 2002) で *saudade* の意味を確認すると，「大切な人やものがいないことによって現れる喜びと悲しさが混ざり合ってできた感情」と定義されている．ポルトガルの辞書では，「悲しみ」のほかにも「喜び」という感情が含まれているのが特徴的である．

　このように，国とは関係なく，ポルトガル語圏の人びとにとって *saudade* という表現自体は感情や情感として認識されているが，その意味が広義に渡っているがゆえに複雑である．しかし，これらの辞書をみると意味的に共通している点が明確である．すなわち，対象は「人」と「もの」であり，起因は「距離」と「記憶」である．そして，感情や情感は，歓喜，悲観，哀傷，祈願，慕情であることは明確である．Noronha (2007: 78) も *saudade* にかんする類似した定義をしている．「時間，不在，愛，悲劇，悲痛，慰安は身体を超えた状態であり，これらすべてを包含する」．また，これらの要素とは，「人生の終わりを意識させる精神状態の明白さを示しているがゆえに，愛という永遠の形や同じく終わりのない願望や欲望に身を投げ出し，これらのことが存在の有無を表象するような願望を見越させる」(Noronha 2007: 78–79) と説明する．つまり，*saudade* を取り巻くあらゆる情感や要素が個人の精神（メ

ンタリティ）とかかわっており，とりわけ愛と密接に絡み合っているということである.

　カーボ・ヴェルデの場合，*saudade* のことを *sodade* と表現し，ブラジルやポルトガルで使われている *saudade* と同じ意味であると，多くのカーボ・ヴェルデの人びとに認識されている．島民に *sodade* の意味を尋ねれば，自明のように答える．確かに，上で論じた *saudade* の意味として捉えれば，カーボ・ヴェルデで表現される *sodade* も同様の意味であると言うことができる.

　しかし，著者はポルトガルの *saudade*，ブラジルの *saudade*，そしてカーボ・ヴェルデの *sodade* は共通した単語を起源として持つものの，それらの意味は異なると考える．では，なぜ *sodade* と *saudade* で意味の捉え方が異なると言えるのだろうか．カーボ・ヴェルデは，ポルトガルやブラジルの歴史（歴史的事実および立場），言語（変種も含める），文化が異なるために，当然ながらそれぞれの「国民」が認識する *sodade* や *saudade* が異なる．換言すれば，この特有の表現は，コンテクストによってずれが生じるということが言える.

　反対に，なぜカーボ・ヴェルデの人びとの間で *sodade* と *saudade* が同じ意味としてみられているのか．それはカーボ・ヴェルデがダイグロシアな国であることが重要な点となる．つまり，ふたつの言語が社会・政治・日常生活などの場において書かれ，話されるという事実である．これは非常に混乱を招く事態であり，とりわけポルトガル語を基盤としているカーボ・ヴェルデ語において *sodade* と *saudade* が同じ意味としてもちいられてしまうのは，ある意味自然な現象である．確かに，前節で通時的に分析したモルナの歌詞をみると，Tavares の時代のモルナは唯一，ポルトガル語とカーボ・ヴェルデ語の両言語で作詞されていたことが特徴的であった．それが意味するところは，*sodade* が *saudade* と同じ意味としてもちいられていたことである.

　しかし，参与観察をつうじて理解できたことは，島民がモルナについて語るとき，結果的に *sodade* と *saudade* が異なるという結論に至っている．つまり，それらのふたつの表現は日常の場では混在させてしまうが，カーボ・ヴェルデの人びとは実際，双方が異なる概念であると認識している.

　カーボ・ヴェルデの *sodade* の場合，前節の第 2 期から第 6 期までの歌詞分析で明らかになったように，生きていく糧として持っていた情感であり，移住せざるを得ない状況，そして自らが構築していった「クレオール」というアイデンティティの中に *sodade* を自然な形と同時に，ポリティカルな文脈において組み込むことで「共通の意識」を形成させた．彼らは，ポルトガル人やブラジル人とは歴史的な意味でコンテクストが異なり，したがって *sodade* のもちいられ方も異なる．カーボ・ヴェルデの移住期は，約 500 年の歴史で何段階か存在するが，その中でも，19 世紀から 20 世紀にかけて大勢の人びとは，より良い生活を求めてアメリカ合衆国へ移住した．世界にある現在のカーボ・ヴェルデ・コミュニティでもっとも「カーボ・

ヴェルデ色」が濃いのはアメリカ合衆国である[95]. 一部ではあるが, sodade の背景にアメリカ合衆国への移住がある（第4章1節 (1) で分析した Tavares のモルナ『永遠の海——海への哀歌』を参照）. これら3ヵ国における saudade が類似していることは理解できるものの, 決して同様のものとは言えない. 以下, カーボ・ヴェルデの sodade と対比して, ポルトガルとブラジルの saudade についても簡潔に触れておく.

　ポルトガル人の場合は「移住」よりも「航海」が多かった. 大航海時代の先陣を切っていた国はポルトガルであったが, 母国を離れることは精神的に saudade の情感が生まれるという論理を考えると, ポルトガル人の saudade とカーボ・ヴェルデの sodade は同じではないと言える. また, ナポレオン軍に追われ, ポルトガル人（摂政ドン・ジョアンと王室・貴族, 高級官僚・大商人など1万人以上の人（金七2003：166)) がブラジルへ逃れた際も同様のことが言えよう. このことは, カーボ・ヴェルデに連行された奴隷とポルトガルから「追放」された人びと, またはポルトガルから移住してきた貴族が持つ sodade の心情とは異なる.

　ブラジルにかんしても例外ではない. ポルトガルやカーボ・ヴェルデとは異なり, 移民を受け入れていたブラジルは, また別の saudade（サウダージ）があったはずである. ブラジルの場合, カーボ・ヴェルデに類似している点はいくつもあるが, もっとも重要とされる要素は「異種混淆性」である. つまり, カーボ・ヴェルデよ

**写真 27. *Sodade Magazine* (2006, No4) はアメリカ合衆国に住む
カーボ・ヴェルデ人向けの雑誌.**

---

[95] たとえば, カーボ・ヴェルデ人向けに作られた雑誌（写真27）やカーボ・ヴェルデ文化を分かち合う交流の場がたびたびあったりする.

りも大規模な混淆である．それは，主にアジア，ヨーロッパ，アフリカ，そしても
ともとブラジルに住んでいた（現在も住んでいる）インディオなど多様な地域の人
びととの異種混淆である．つまりブラジルでは，「外」へ移動することはポルトガ
ルやとくにカーボ・ヴェルデと比較すれば少ないが，国内における多人種間の接触
は多大である．そのような背景において，なぜ saudade（サウダージ）が現れたの
だろうか．それはポルトガル人によるポルトガル語の影響であるが，それはさまざ
まな「民族」と混淆し合うプロセスにおいて生まれたと言うべきであろう．

　本研究では，ポルトガルの saudade（サウダーデ）とブラジルの saudade（サウダ
ージ）の意味やその変遷を追究することを目的としていないため，これら 2 ヵ国に
対する具体的な例を出すことはしない．しかし，ここで明示すべきことは，ポルト
ガル，ブラジル，カーボ・ヴェルデの 3 ヵ国でもちいられている saudade（サウダ
ーデ），saudade（サウダージ），sodade（ソダーデ）を同様の意味として理解して
はならないということであり，歴史・文化的背景が確信的な裏づけとして持つといえ
る．本研究での分析の対象は，カーボ・ヴェルデの sodade のみであるが，sodade に
いかなる特異性が存在するかを，その歴史・文化的背景から明らかにする．

　これら 3 ヵ国の saudade, sodade に共通して言えることは，これがとりわけ音楽
にあらわれることである．なぜモルナに sodade が顕著に表現されているのか，あ
るいはまた，なぜポルトガルやブラジルの音楽にも saudade という単語が多くみら
れるのかという問いは，上の定義から抽出した情感からも説明できる．すなわち，
saudade に包含される情感――歓喜や悲観，哀傷や祈願，慕情――はすべて音楽に
おける必須的要素であり，それぞれの民族が自分たちの地域において共有し合える
情感であるためである．また，saudade はポルトガルの民謡であるファドやブラジ
ルの大衆音楽の歌詞に頻繁にもちいられていることが特徴的であることは述べた
が，それはモルナにも同様のことが言える．すなわち sodade が顕著に音楽（とり
わけモルナ）の歌詞にみられるということである．しばしば，音楽にはその地域独
特の情感が歌詞に見出されることがあるが，これは当然のことである．

（2）*cretcheu* ―― 愛にかんすること

　カーボ・ヴェルデの人びとにとって「愛」とは非常に重要な感覚であり，主に 3
つの意味を持つ．ひとつは，友情，愛情であり，もうひとつは比喩的に希望と意欲
を示し（多くの場合は音楽において詩的表現の際にもちいられる），最後に「情熱」
という気持ちをあらわした意味である．これらを一言で *cretcheu* という用語であら
わすことができる．もちろん，そのひとつひとつの単語は独立したひとつの単語で
あらわすことができるが――たとえば情熱は *paxom* という単語で表現できる――，
cretcheu はそのすべてを包含するという意味で重要かつ複雑である．

　Cretcheu という用語は，すでに論じたように，*cre*（欲しい）と *tcheu*（いっぱい
の）の合成語であり「たくさん（とても）欲しい」，すなわち「あなたが欲しい」

という意味であり，英語の *I want you*，スペイン語の *te quiero*，そしてイタリア語の *ti voglio* など同様の意味であると言える．これらの感情は愛を示しているために，世界のさまざまな音楽によくあらわれる．カーボ・ヴェルデも同様に，*cretcheu* が「愛」に相当すると考えられる．しかし，上でみたヨーロッパの言語がどれもが文（*I want you* ＝ 君が欲しい）であるにもかかわらず，カーボ・ヴェルデ語の場合は，多くの場合，*cretcheu* の一単語で多様な意味をあらわす．それは，歌詞分析の翻訳（巻末資料を参照）を見れば明らかである．つまり，*cretcheu* は「あなたが欲しい」という意味だけではなく，より幅広い広義の意味を持つということである．歌詞分析をつうじてその意味をまとめると，愛や恋人などのとりわけ親密な関係にある愛しき人が一般的に理解できる *cretcheu* の意味である．しかし，より複雑な点は，そのような恋や恋愛にかんする意味だけでなく，家族愛や友情愛（第5章3節を参照），さらには生まれた土地に対する愛も含まれていることである．たとえば，『干からびた涙』では，*cretcheu* が「兄弟」を指しており，『*Sodade* の接吻』の最後は故郷に対する *cretcheu*，つまり愛国心に近い感情である．これらすべての愛を *cretcheu* は意味している．したがって，カーボ・ヴェルデにおける「愛」の形について歌詞分析や意味について探ると，美意識という表現を当てはめることもできるが，あるひとつの概念として捉えることも可能である．

（3）*morabeza*──ホスピタリティにかんすること

　Pina (2011: 241) によれば，Nunẽz (1995) は *Dictionary of Portuguese African civilization* の中で *morabeza* を次のように定義している．*morabeza* とは，「カーボ・ヴェルデのアフロ・ポルトガル文化的特性を備えていると考えられるクレオール的表現である」．Pina (2011) 自身は「カーボ・ヴェルデの真心の一種」(*espécie de cordialidade caboverdiana*)，あるいは「クレオールの超越的真心」(*Supercordialidade Crioula*) という表現を多分にもちい，*morabeza* を説明している．また，*morabeza* については「カーボ・ヴェルデが持つ島嶼性の精神的性質の一種」(Pina 2011: 241) とも言及している．このような表現は *morabeza* の核心をついているかもしれないが，説明不足である．確かに Pina (2011) の論文には，作家が記してきた多くの書物をつうじて *morabeza* をみようとしているが，*morabeza* を理解するためにもっとも適切な方法は，おそらく，カーボ・ヴェルデ史の理解とカーボ・ヴェルデ音楽ないしモルナの歌詞分析であろう．なぜなら，*morabeza* という用語は *sodade* 同様に文献が少なく，*cretcheu* ほど「単純」な（*cretcheu* に比べれば，*sodade* や *morabeza* の意味は極めて複雑である）用語ではないからである．したがって，モルナの歌詞を分析する前にまずは *morabeza* の語源から論じる．

　Morabeza（-eza はポルトガル語の名詞化語尾）の品詞は名詞であり，カーボ・ヴェルデ語の形容詞 *morabi*（親切な，愛情のこもったなどの意）から派生されたと考えられている．そして，その語源は，ポルトガル語の形容詞 *amorável*「愛情の深い，

親切な，心地よい，愛想がよい，寛大な，思いやりのある，甘美な，優しい，の意
味」である．

　これらの意味を踏まえたうえで，モルナの歌詞における *morabeza* のもちいられ
方をみる．まず，指摘しておきたことは Tavares の時代のモルナに *morabeza* という
単語がひとつも表現されていないことである．すでに論じたように，モルナが社会
的事情を反映しているのであれば，19 世紀末から 20 世紀初頭にかけて *morabeza*
は生活においてあまり際立つようなものではなかったのかもしれない．しかし，そ
う言い切ることは困難である．なぜなら，その時代のモルナの多くはポルトガル語
で綴られており[96]，モルナの代表的な詩人であった Tavares の精神は，より *sodade*
と *cretcheu* に集中していたからである．モルナの歌詞に *morabeza* という単語がも
ちいられ始めるのは，その次の時代，B. Léza の時代以降である．前節の（2）で，
すでに分析したように，彼の『*Morabeza*』というモルナには，*morabeza* の特徴が明
確に映し出されている（歌詞は前節の（2），または巻末資料を参照）．

　「包まれる」や「腕を広げ，心を手にあてる」，「抱きしめる」といった *morabeza*
を反映しているような表現は，Manuel de Novas の時代のモルナにもあらわれてお
り，Manuel de Novas の『奴隷の心』というモルナの場合，「優しさと寛大」として
あらわれている．また，すでに分析したように「海があなたを運び海が私を連れて
行く」という表現は，*morabeza* をもっとも忠実に再現している．なぜなら，その後
すぐに「われわれの *morabeza* はあなたを迎え／われわれの心はあなたをいつまで
も待っている」と続くからである．すなわち，海の向こう側（外国）からカーボ・
ヴェルデへ訪れる人を心よく受け入れ，温かく接する，そして旅人が必要とするも
のがあれば，手を差しのべるといった感覚である．これは Pina (2011: 241) が言及
する「カーボ・ヴェルデが持つ島嶼性の精神」であり「真心」である．それを忠実
に再現しているモルナがサント・アンタゥン島を代表するモルナ歌手 Homero
Fonseca が 2006 年に収録した『感謝のメッセージ』 (*Mensagem de Gratidão*) であ
る．時代で言えば，「再表現的モルナ」に相当する．そのプロモーション・ビデオ
には，*morabeza* という単語は一度も使われていないが，*morabeza* を代用する「ホ
スピタリティ」(*hospitalidade*) という単語がみられる．このモルナはサント・アン
タゥン島の伝統を描いている．主人公の旅人がサント・アンタゥン島のさまざまな
村を訪れ，そこで水や蒸留酒[97]をもらい，朝食や寝床まで提供され，サント・アン
タゥン島民の優しさに触れるという内容のモルナである．これが歌詞中には「ホス

---

[96] 現に Tavares のモルナにもポルトガル語で作詞されたモルナがある．しかしポル
トガル語とカーボ・ヴェルデ語が同じモルナの歌詞中で混じることはない．
[97] グローグはサトウキビから作られている．サント・アンタゥン島およびサン・
ニコラウ島が製造所として有名であり，カーボ・ヴェルデの人びとの日常生活に欠
かせない嗜好品である．

ピタリティ」という単語で表現されているが，*morabeza* をあらわすには相応しい表現である．

　したがって，*morabeza* の意味は上で述べたホスピタリティ，寛大さ，親切心などの意味を持っている．また，モルナにかんして言えば，B. Léza の時代から使用され始めたことから，20世紀中葉からある種の美意識として表現された．

３．小活

　以上，モルナの歌詞に顕著にあらわれる情感や精神の語として *sodade*, *cretcheu*, *morabeza* がもちいられていることを確認した．本章では，これらをカーボ・ヴェルデの人びととの美意識として追究してきたが，歌詞分析やそれらの意味分析の結果，これら3つの用語はカーボ・ヴェルデの人びとがクレオール・アイデンティティを確立するために利用してきたものであった．また，これらの表現を総合的にみたときに，相互に影響していることも確認できる．たとえば *sodade* という想いは *cretcheu* との惜別の際にあらわれており，旅人や外国から訪れる人びとを *morabeza* の精神で迎え入れ，送り出す際には *sodade* が顕著になる．また，*morabeza* は愛，すなわち *cretcheu* の心とともに外国の人びとに接する．これらのことは，本章で分析した歌詞をつうじて確認することができ，また，カーボ・ヴェルデの人びとがもつ美意識のひとつとして認めることができた．これらの語について論じる場合，いつからモルナが意図的・意識的に構築されるようになったかが重要な点となる．すなわち，Tavares がモルナをもちいてカーボ・ヴェルデの人びとのアイデンティティを確立しようと試みた戦略的な行為である（第4章1節（1）を参照）．初めてカーボ・ヴェルデ人によってモルナが意図的・意識的に作られたのである．このアイデンティティの確立というのは，モルナの変遷におけるひとつの分岐点である．つまり，Tavares の時代までモルナとは文化として継承されてきたもの（コロニアリズムの産物）であったが，Tavares がクレオール語でモルナの詩を綴り，カーボ・ヴェルデの島々に伝播されたことで，異文化を共有し，自らを統合させ試みからクレオール・アイデンティティをイデオロギーとして創造するに至った．ここで言うクレオール・アイデンティティについて具体的にふたつのことが言える．ひとつはコロニアリズムをつうじて生まれたクレオールの文化的産物に対する Tavares の抵抗であったことである．この抵抗が契機となり，「ポルトガル人」としてではなく，「カーボ・ヴェルデ人」としてのアイデンティティを求める契機となった．もうひとつはコロニアリズムにおいて生成された文化的産物をコロニアリズムが生んだ「負の」産物として捉えるのではなく，カーボ・ヴェルデ人が構築してきた文化であり，アイデンティティであると位置づけようとした Tavares のコロニアリズムに対する受容，すなわち「正の」産物であった．

　また，Tavares の抵抗と受容が成立するためには，*sodade, cretcheu, morabeza* を含んだ 3 つの美意識が重要な用語であり概念であったことが明らかとなった．したがって，これら3つの用語をカーボ・ヴェルデの人びとをあらわす中心的概念として捉え，それぞれが複雑に構成されているために，本研究では「複合的核概念」という用語で呼ぶことにする．

　しかし，モルナが社会を反映し，クレオール・アイデンティティを形成するにおいて核的存在であるというだけでは *sodade, cretcheu, morabeza* がそれぞれ「複合的核概念」であると決定づけることはできない．なぜならば，モルナがカーボ・ヴェルデの人びとの主柱であると言えど，複雑なアイデンティティを構築してきた「クレオール」（第 2 章を参照）をモルナの一本柱で片づけることはできないからである．つまり，これらの分析だけでは，「複合的核概念」とは言い切れない．実際の現場においてそれらの「複合的核概念」がどのように認識されており，どのように表象されているのかを検討する必要がある．

　したがって，次章では「複合的核概念」の手がかりとなるモルナの伝播をみつつ，現在のカーボ・ヴェルデにおける実生活において島民が *sodade, cretcheu, morabeza* をどのようなイメージとして捉えているかを可視化することを試みる．それによって「複合的核概念」をより正確に捉えることが可能となると考える．

5章　核概念の表象——身体記憶の継承と実世界における認識

　これまで，モルナにおいて「複合的核概念」——*sodade, cretcheu, morabeza*——が極めて重要な概念であることを示した．その重要性とは，モルナ自体がカーボ・ヴェルデの人びとのアイデンティティという要素を表象していることである．しかし，アイデンティティと言うからには，モルナの歌詞以外の場面においてもこの「複合的核概念」がもちいられているはずである．

　本章は，「複合的核概念」を概念として捉えたときに，複雑に絡み合ったこれら3つの用語がどのような意味として日常生活のレベルで認識され，どのような形で表出されているかを検討する．このように「複合的核概念」を可視化することによって，前章で論じてきた *sodade, cretcheu, morabeza* をより正確に捉えることを試みる[98]．

　また，モルナの歌詞で表現されている「複合的核概念」の意味と，日常的にもちいられる「複合的核概念」の意味との間には，「再表現的モルナ」の時代においてかつてのモルナを「再表現」しているがゆえに差異があっても不思議ではない．したがって，その「再表現」の形態を分析し，歌詞にみられる *sodade, cretcheu, morabeza* と日常の現実世界におけるこれらの概念の比較検討をおこなう．

　2節目では，現在の「複合的核概念」における認識論的分析をするが，1節目のようにモルナのみをみるのではなく，より幅広い範囲でこの概念を捉えるために，調査地3島における市民に焦点をあてる．これにより「複合的核概念」を網羅的に捉えることが可能となると考える．

1．モルナの伝播からみる核概念の変遷

　本節では，「複合的核概念」がいつから，そしてどのような形で表現されてきたかをみるため，鍵となるモルナの伝播を中心に論じる．

（1）ボア・ヴィスタ島

　Tavares の著作 *Mornas Cantigas Crioulas*（『モルナ——クレオールの歌』）で，彼は「モルナの起源がボア・ヴィスタ島である」（Tavares 1932: 7）と記している．このことに異を唱える者は未だにいない．また，Tavares (1932: 7) は「ボア・ヴィスタ島におけるモルナは，かつてのように情感的なメロディーではなかった．昔［のモルナ］は，実らなかった愛の滑稽さや悲惨な愛についてのエピソードを歌ってい

---

[98]　本章は，Aoki (2016a; 2016b) を基にしている．

た」と述べている．Tavares のこの文章は，モルナにかんする文献に引用されることがたびたびあり，当時のボア・ヴィスタ島のモルナにおける知識として一般的に認められている (Peixeira 2003; Silva 2005; Tavares 2005; Gonçalves 2006)．しかし，Lima (2002: 230) は当初のモルナにはふたつの側面があり，ひとつは皮肉を込めた批判のモルナ，つまり風刺的な要素を含んだモルナであり，もうひとつはノスタルジアの情感を持つモルナ，換言すれば sodade (saudade)[99] のモルナであることを指摘している．しかし，その sodade にはポルトガル語にあるような saudade の特徴がなく，ノスタルジアや愛する人（友人，家族，恋人）の不在による悲哀などといった情感とは関係がなかった．当時 sodade を感じることとなった要因として Lima (2002: 226) は次のように説明している．「力尽くで連行された大勢の奴隷は，母国から遠く離れた見知らぬ地で見知らぬ人びとと住むことを強制された」．

　Lima (2002) の言をまとめると，sodade の概念には奴隷の苦悩による心の叫びや精神的苦痛という要素が含まれる．これに加え，しばしばボア・ヴィスタ島のモルナは批評的なことで知られており，これらの特徴が sodade を含めた多様なモルナを形成した．このように sodade は，はじめ，批評を含んだ風刺的表現を有していたが，自分の置かれた状況に対する心的苦痛が原因で奴隷がモルナをつうじて sodade を表出したことが考えられる．その多様なモルナの例として，奴隷によって作詞されたプレ・モルナの曲がある．Lima (2002: 209–210)によれば，「1785 年頃に作られた[100] Mari Xetantina（『マリ・シェタンティーナ』）[101] という曲名であり，作詞家（奴隷）は好きな女性について歌っている」．このプレ・モルナが作曲された時代（18 世紀）を見てわかるとおり，Lima (2002) の論理に従えば，ボア・ヴィスタ島のモルナは 18 世紀まで遡ることができる[102]．さらに，上の奴隷が作詞したという事実は「サロン起源説」（第 3 章 1 節（3）を参照）で記した貴族や上流階級者ではない，奴隷を含めた大衆によってモルナが歌われていたという説に合致する．

---

[99] Lima (2002) はポルトガル語で記しているため，sodade ではなく，saudade と表記している．これは前章で論じた，ポルトガル語の saudade とカーボ・ヴェルデのクレオール語で言う sodade は同様の意味として解釈されている良い例である．

[100] 厳密には，1785 年から 19 世紀中葉の間と記しているが，Lima (2002: 209–210) の計算では 1785 年であることを強調している．

[101] 女性の名前である．

[102] これは，第 3 章（1）で論じたモルナの起源説のうち，「カンタデイラ起源説」でもちいている「プレ・モルナ」と一致する．「カンタデイラ起源説」で「古いモルナ（カンタデイラを指す）は，バトゥクがサンティアゴ島からボア・ヴィスタ島，サン・ヴィセンテ島，サント・アンタゥン島へ伝わった際に，そのバトゥクの要素から進展した」という Gonçalves (2006: 82) の文を引用したが，Lima (2002) と Gonçalves (2006) の見解と照らし合わせると，サンティアゴ島からボア・ヴィスタ島へ「古いモルナ」が伝播したのは，18 世紀以前，あるいは 18 世紀だと推測できる．

　Lima (2002) は，言語学者 Baltasar Lopes や音楽学者 Cecíla Martins を支持し，当時のボア・ヴィスタ島のモルナが大衆的であったという立場にある．

　したがって，18 世紀のモルナは大衆によって歌われており，その歌詞の内容は風刺的（Tavares の記述）および甘美的（奴隷の作詞した曲）なものであった．本節でもっとも重要視すべき点は，その中にみられる *sodade* 的特異性がモルナのもうひとつの特徴として存在したことであり，すなわち奴隷による心的苦痛から生まれる情感である．

　ボア・ヴィスタ島のモルナについて概観したが，概念としての *cretcheu* と *morabeza* についての手がかりは確認できなかった．確かに『マリ・シェタンティーナ』に *cretcheu* の要素がないとは言い切れないが，*cretcheu* という単語は出てきておらず，また Tavares のモルナでみられるような「概念」としての *cretcheu* も存在していない．また，最古のモルナと言われている[103]）『ブラダ・マリア』は『マリ・シェタンティーナ』のテーマ同様，愛していた人に対する曲であるが，この感情は *cretcheu* という用語で表現されていない．

　morabeza については，当時の社会的背景を鑑みるとつじつまが合う．すなわち，奴隷制時代に人を受け入れる，ホスピタリティ精神のような *morabeza* は社会的に存在し得ない．したがって，*morabeza* は 19 世紀のモルナにはあらわれえないのである[104]）．

　その点，概念としての *sodade* がポルトガル語から派生したと考えると，その歴史は長く[105]），18 世紀のカーボ・ヴェルデに *sodade* の特徴がみられても不思議ではない．また，ここで論じてきた奴隷の心的苦痛から表出される *sodade* は，前章で述べた *sodade* とポルトガルの *saudade*，ブラジルの *saudade* とは異なる背景があることを裏づけることになる．すでに論じたように，ブラジルへ送り込まれた一部の奴隷の移動は西アフリカからカーボ・ヴェルデへ送られ，さらにカーボ・ヴェルデからブラジルへ送られた (p.81, 図 10)．古谷（2001：60）はブラジルの *saudade* として捉えられるだろう文章を記している．

　　　「自殺しなくても『故郷』へのノスタルジアゆえに衰弱して死んでしまうという『病』もあった．(...)［それは］『文化のある一定の生態学的パターンへのノスタルジア』である」（［］は著者による補足）

---

[103]）奴隷が作詞した『マリ・シェタンティーナ』はプレ・モルナである．
[104]）反対に，*cretcheu* や *morabeza* はポルトガル語に存在しない表現であり，これらがモルナに反映されていることは，紛れもなく言語アイデンティティの現れである．
[105]）ポルトガル語の *saudade* が 12 世紀に表現され始め，そこからカーボ・ヴェルデ語の *sodade* に派生したと考えれば *cretcheu* と *morabeza* よりも長い歴史である．

　ここで指摘されているように，カーボ・ヴェルデとブラジルの *sodade ╱ saudade* は類似しているが，その背景は別であると考えた方が妥当であろう．なぜなら，カーボ・ヴェルデの支配者と奴隷の関係はより親密にあったと言えるからである（第2章を参照）．Peixeira (2003: 61) は，それを裏づける証言を記している．

> 「カーボ・ヴェルデに定着していたヨーロッパ人にせよアフリカ人にせよ，干ばつや飢え，海賊の襲撃から逃れることができずにいた．その最中，白人と黒人の間で社会成層があったにもかかわらず，互いに共通の意識や目的を持つようになり同じ船で航海をした．奴隷と奴隷主が相互理解を図らざるを得ない状況となり，次第に人種差別の壁を乗り越え白人と黒人は〈共存〉し始めた」

　結果的に，ボア・ヴィスタ島のモルナ，あるいはプレ・モルナにあらわれている *sodade* の内容は，主に奴隷の心的苦痛から湧き出る想いであると示すことができる．これが *sodade* の変遷を検討する際の出発点であると言える．

（2）ブラヴァ島

　モルナは船乗りによってボア・ヴィスタ島からほかの島々へと徐々に伝播されることになる．ボア・ヴィスタ島からブラヴァ島，そして次にボア・ヴィスタ島からサン・ヴィセンテ島，同時にブラヴァ島からサン・ヴィセンテ島の順に伝わり，それぞれの島で独自のモルナが形成された（図11を参照）．

　まず特記すべきは，ブラヴァ島およびサン・ヴィセンテ島におけるモルナの大衆化についてである．Lima (2002: 227) によれば，「ブラヴァ島とサン・ヴィセンテ島におけるモルナはボア・ヴィスタ島の場合とは異なり，中流・上流階級者の間で浸透していた．また，そのためポルトガルの宗教（カトリック）とも深く関係しており，大衆的ではなかった」．モルナの大衆化について Lopes (Gonçalves 2006: 92 からの引用) は，「1930 年代からモルナは都市部においてフォークロアの一種として重要な意味を持ち始めた」と述べている．そしてサンティアゴ島のモルナについて Gonçalves (2006: 92) は「20 世紀前半，サンティアゴ島のモルナは農村部では広まらなかった」と記している．

　このように，島によってモルナの大衆化や浸透の状況は異なっていたにせよ，モルナの伝播において最も重要とされているブラヴァ島およびサン・ヴィセンテ島では，1930 年代まで中流・上流階級に属する人びとによって歌われていたことが見て取れる．これらは，「複合的核概念」の変遷を理解するうえで重要な手がかりとなる．すなわち，モルナは，ボア・ヴィスタ島では大衆の間で歌われていた音楽で

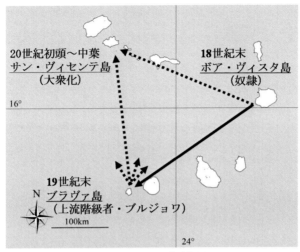

図 11. モルナの伝播[106].

あったが，ブラヴァ島およびサン・ヴィセンテ島においては貴族などの中流・上流階級者や「教養のある」人びとによって進展した．したがって Tavares は中流・上流階級者に相当する人物であったことが伺える．繰り返すことになるが，先行研究から Tavares のモルナが非常にポルトガルのロマン主義に影響を受けていることは明白である (Silva 2005; Gonçalves 2006)．事実，ポルトガルの *saudade* という用語はポルトガル文学におけるロマン主義を特徴づけるひとつの要素であり，Tavares のモルナに *saudade* や *sodade* が多くもちいられていることはこの決定的な証である．このことについては，第 3 章 3 節 (1) で論じた *Morna-Sodade* についても同様のことを示唆している．また，*cretcheu* や「愛」といった概念もポルトガルのロマン主義的影響であり，それがゆえに Tavares の時代において *sodade* と *saudade* の相違を見出すことは困難である．

　Sodade という「情感」が初めて表現されるのは 18 世紀のボア・ヴィスタ島であることはすでに論じたが，*sodade* という単語が最初に音楽の様式として確立されたモルナにあらわれるのは Tavares のモルナの歌詞中であり，それは 19 世紀末から 20 世紀初頭にかけてのことである．このように考えると，カーブ・ヴェルデのすべての島において多大なインパクトを与えた Tavares のモルナにみられる *sodade* の表現は実に大きな意味を持つ．しかし，それについては第 5 章で論じたために，ここでは，端的に Tavares によって生み出されたブラヴァ島のモルナについて再確認するに留める．

---

106) 実線は最初にモルナが伝播した 18 世紀末から 19 世紀中葉までの間を示し，点線はその後に伝播した時代をあらわしている．

　　Tavares が *cretcheu* や *sodade* という表現をもちいたことによって，カーボ・ヴェルデにおけるモルナは変化した．たとえば，先に取り上げた奴隷によって作詞されたモルナ，『マリ・シェタンティーナ』に込められた想いが，奴隷の心的苦痛を表現しているのに対し，Tavares のモルナはこの風刺的特徴をモルナに反映せず，ロマンチックで詩的な，そして感情的な表現を存分にもちい，それまでのモルナにあった心的苦痛 (*sodade*) の枠を拡大させたとも言える．しかし，ボア・ヴィスタ島の *sodade* が奴隷によって表出された母国に対する心的苦痛の訴えを意味していたのであれば，奴隷制後の時代を生きた Tavares の *sodade* はいかなる情感であったと言えるだろうか．これは，すでに取り上げた第 4 章の『惜別のモルナ』，そして第 5 章で分析した Eugénio Tavares 時代のモルナをつうじてひとつの答えを導くことができる．多くの研究で示されているように[107]，Tavares のモルナで表現されている *sodade* は物理的な距離，悲観の想い，愛や愛する人 (*cretcheu*)，郷愁などを意味している．社会文化的に起こっていた現象を視野に入れ，とりわけ当時の強烈なディアスポラの現象を受け止めると，これらの *sodade* から表現される感情が明確化される．

　　事実，19 世紀以降アメリカ合衆国において多大なカーボ・ヴェルデ人コミュニティが形成された (Araújo and Abreu 2011)．その時代は，多くのカーボ・ヴェルデの人びとが大西洋で活動していたアメリカ合衆国の捕鯨船で労働し，彼らの大多数がアメリカ合衆国へ赴いた．それらの捕鯨をおこなっていたカーボ・ヴェルデの人びとは，アメリカ北東部に位置するニューイングランド港（主にニューベッドフォード）へ移り住むようになり，その後，産業革命の影響で繊維工業や金属工学が発達していたボストンやドルチェスターへ移住するようになった．その多くのカーボ・ヴェルデの人びとはフォゴ島とブラヴァ島の出身であった．このように当時は，大勢のカーボ・ヴェルデの人びとがアメリカ合衆国へ移住し，ほかにもサントメ，アンゴラ，モザンビークへ移住していた．それは，モルナの歌詞に顕著に表現されている飢饉や干ばつといった劣悪な環境から逃れるための手段であり，カーボ・ヴェルデの人びとの中でもとりわけブラヴァ島民が多かった．Carreira (2000) が区分しているカーボ・ヴェルデの移住期の第 1 期は 1900 年から 1926 年である．この時期は第 3 章で論じた Tavares のモルナ様式，*Morna-Sodade* の時期に合致する．Tavares の『永遠の海——海への哀歌』というモルナの背景には，アメリカ合衆国からブラヴァ島へ訪れた親子がおり，Tavares はその娘に恋をしたという内容であったことを思い出すと（第 4 章 1 節（1）を参照）その状況がより鮮明に見えてくる．Tavares 自身も実際にアメリカ合衆国を訪れており，そのときの状況について日記（1900 年 7 月 11 日の日記）[108] に記述している．

---

[107] Martins 1988; Rodrigues and Lobo 1996; Monteiro 1998 を参照.

[108] http://www.eugeniotavares.org/ （アクセス日：2015 年 11 月 30 日）からの引用.

　　「サン・ジョアン祭 (festa de São João) の日[109]，君は私がどれほど
　苦しんだか想像もつかなかっただろう．風は冷たくなり始め，3 本マス
　トの船はホンダワラの匂いがする暗い海をすでに突き進んでいた．
　幾羽もの小鳥（神の魂）[110] がわれわれの進んだ後に光輝く波の上を飛
　んでいた．そして険悪で雲が重くたれこめたような日に湾へ入った．
　正午頃，突然雷雨が鳴り始めた．強風が吹き，土砂降りの雨が降った．
　鋭い稲妻が落ち，それはまるで砲撃したかのように大音響が鳴り響い
　た雷鳴だった．そして船に装着してあった帆は引き取られ吹き飛ばさ
　れてしまった．29 日間の航海後，われわれはついにマサチューセッツ
　のニューベッドフォードに寄港した（後略）．
　　翌日，診療を終え，（中略）"B.A. Brayton"[111] をつなぎ，寄港した
　［写真 28 を参照］．船を降りた乗客[112] は「外国人」[113] をみるために
　駆けつけてきた大勢のカーボ・ヴェルデの人びとに混ざった．彼らは
　蜜蜂の群れのように船着き場へぞろぞろと向かい，いつまでも別れの
　挨拶，感嘆，笑い，悲嘆していた．われわれはアメリカ合衆国に到着
　した．それは地獄に漂着したとしか言えないだろう」

　この日記はアメリカ合衆国へ否応無しに出発した Tavares の声であり，鮮明に描
かれている詩人の心情こそが sodade である．しかし，このように遠くの地へ行か
ざるを得ない事態で感じた sodade や cretcheu を，Tavares は自らの詩術により，ロ
マンチックな内容へと変化させた．
　①　Lima (2002: 258) が言及しているように，「19 世紀末にブラヴァ島民がア
　　　メリカ合衆国へ移住したことが，モルナの歌詞に sodade[114] という要素
　　　が劇的に組み込まれる契機となった」．Tavares が自身のモルナにもちい
　　　たこれらの表現は，前章の歌詞分析および本節で論じたモルナの伝播を
　　　つうじて次の 2 点にまとめることができる．1 点目は，クレオール語で
　　　書くという行為，2 点目は，それによって，クレオール語に文語の体系
　　　を形成させる契機を作ったこと．それが，結果的に sodade と cretcheu と
　　　いう精神や情感を大衆化させることにつながった．Tavares 以前のカー

---

[109] サン・ジョアン祭は 6 月 24 日である．
[110] 原文には almas do mestre と記されているが，この mestre（師）が何を指してい
るのは定かではない．推測では，詩人の尊敬している多くの師，あるいは「神」を
指している可能性もある．
[111] 船名．
[112] おそらく乗客の大多数はカーボ・ヴェルデの人びとである．
[113] すでに米国にいたカーボ・ヴェルデの人びとの視点で後に漂着したカーボ・ヴ
ェルデの人びとのことを「外国人」と記している．
[114] Lima は saudade と表記している．

ボ・ヴェルデではクレオール語が書かれることがなく，口頭伝承であったことに再度注目すると，ナショナル・アイデンティティ，民族アイデンティティや文化的アイデンティティ，またはクレオール・アイデンティティの構築，あるいは島民の間で共有できる何かについてみるうえで，Tavares の時代は極めて重要な転換期である．

② 　これらの Tavares の意図的な行為（*sodade* をモルナに組み込み，クレオール語で作詞したこと）とは，カーボ・ヴェルデの人びとが歩んできた歴史の中で極めて独創性に富んだ試みであったと言える．それこそが「カーボ・ヴェルデ人」としてのアイデンティティの構築，すなわち Tavares によって創造されたポリティカルな文脈におけるクレオール・アイデンティティである．

　以上の 2 点は，*sodade* および *cretcheu* の「複合的核概念」を作り出し，地域（ブラヴァ島）ではなく，国レベル（カーボ・ヴェルデ）において拡大するほどの潜在的な力を含んでおり，カーボ・ヴェルデを一体化させる初めての動きであった．そして最後に明記すべきことは，初めて *sodade* に続くふたつ目の「複合的核概念」である *cretcheu* がひとつの「概念」として，そして芸術的表現として存在することである．

写真 28. ニューベッド・フォードに寄港する B.A. Brayton.
（出典：http://www.eugeniotavares.org/docs/pt/biografia/eua.html,
アクセス日：2017 年 2 月 16 日）

　ここまで概観してきたボア・ヴィスタ島およびブラヴァ島における *sodade* の変遷についてまとめると次の 3 点を示すことができる．まず，*sodade* がモルナというツールをつうじてボア・ヴィスタ島からブラヴァ島へ伝達されたということと，もうひとつは，ボア・ヴィスタ島では奴隷による心的苦痛から湧き出る心情であったのに対し，ブラヴァ島における *sodade* は移住を契機に心的苦痛をロマンチックな表現へと変化させひとつの「概念」として成立させた．そして最後に，ボア・ヴィスタ島における *sodade* は主に奴隷が抱いていた心情であったが，ブラヴァ島ではそれが中流・上流階級者の間で広まったこともあり，モルナが歌われていた人びとによって *sodade* の形が変化していることが明らかである．つまり，心的苦痛を顕にした *sodade* から中流・上流階級が作り出した *cretcheu* を含むロマンチックな *sodade* への転換が見受けられる．また，*cretcheu* の出現がロマチックな *sodade* への転換によって生まれたことも理解できる．

（3）サン・ヴィセンテ島

　前節の冒頭で述べたように，船乗りがモルナを伝播し，*sodade* の意味を変化させる契機を作った．モルナに「海」や「月」，*sodade* といった単語がみられることは，島人が海を眺めていたからだけでなく，もちろん頻繁に航海をしていたためである．このようにして，モルナとその情感がボア・ヴィスタ島からブラヴァ島へ人びととの交流を介して変化してきた．Lima (2002) が述べるように，モルナはボア・ヴィスタ島で生まれ，ブラヴァ島で洗練され，「育まれ」た．確かに *Morna-Sodade* はブラヴァ島で形成された特異の情感である．しかし，今日のカーボ・ヴェルデの人びとが思い浮かべるモルナの絵図が *Morna-Sodade* であるならば，ブラヴァ島だけでなく，カーボ・ヴェルデにおける独特なモルナであると言うことができるだろう．

　とりわけ，もっともモルナが演奏される島はサン・ヴィセンテ島である．サン・ヴィセンテ島におけるモルナは，異なるふたつの音楽から影響を受けた．すなわち風刺表現を含んだボア・ヴィスタ島のモルナとブラヴァ島の *Morna-Sodade* である．「ボア・ヴィスタ島のモルナは郷愁（ノスタルジア），*sodade*[115]，喜劇的な社会風刺，叙情性，精神性，官能性で構成されていた」(Lima 2002: 230)．このような内容のモルナを船乗りが直接伝えたわけである．また，Lima (2002: 261) はモルナの伝播について説明している．「サン・ヴィセンテ島の多くのモルナは，とりわけ 1845年以降，ボア・ヴィスタ島からサン・ヴィセンテ島へ移住してきた人びとによって作詞作曲された」が，その影響は 20 世紀中葉には途絶えることとなる．*Morna-Sodade* と関連して言えば A.A. Gonçalves (C.F. Gonçalves 2006: 91–94 からの引用) は次のように記している．「Eugénio Tavares のモルナは［サン・ヴィセンテ島で］1918

---

[115] 原文には *saudade* と記されている．

年に広まり，彼は神のようにミンデーロ[116] の人びとに受け入れられた」．サン・ヴィセンテ島の場合，まず風刺的特徴を持ったモルナがボア・ヴィスタ島から伝播され，その後まもなく，ブラヴァ島からロマンチックな表現としてのモルナがとりわけ Tavares によって伝えられた．

　モルナに焦点を戻すと，サン・ヴィセンテ島におけるモルナは *Morna-Sodade* および「批評的モルナ」を特徴として持つ（第 3 章 3 節（1）および（2）を参照）．前者がブラヴァ島の *sodade* の影響を受けており，後者がボア・ヴィスタ島から派生されたことは言うまでもない．しかしここでは「複合的核概念」に焦点を当てているため，*Morna-Sodade* のみ論じる．

　サン・ヴィセンテ島における *Morna-Sodade* について論じる際，もっとも重要視される詩人が B. Léza である．多くの先行研究からわかるように，*sodade* という表現自体 Tavares の時代からさほど意味変化していない．なぜならば，B. Léza が生きた時代（1905 年－1958 年）には Tavares の時代同様，移住が絶えなかったからである (Martins 1988; Lima 2002; Gonçalves 2006)．このことをもっともよくあらわしているモルナのひとつが『遠い地』である（第 3 章（2）を参照）．B. Léza もまた，Tavares のようにアメリカ合衆国を訪れ，ポルトガルの地を踏んでいる．この事実が示しているように，*Morna-Sodade* の現実——故郷の島や *cretcheu*（恋人や友人）に対する *sodade* の心情——を反映している．前章で取り上げた『*Sodade* の接吻』を再度取り上げることにする．前述したように，『遠い地』と『*Sodade* の接吻』の双方のモルナでは，*sodade* が故郷から離れて暮らしているために感じる「苦痛」をあらわしている．これらのモルナについて Martins (1988: 93) は Tavares と B. Léza に注目し，次のように述べている．

　　　　「Tavares が愛［*cretcheu* の意味としてもちいている可能性が考えられる］[117] を全面的に表現していた詩人であるならば，B. Léza のモルナはナショナリストな運動の活発化に伴い，一般的になったと言えるだろう」（［　］は著者による補足）

　確かに，上で述べたように，1930 年代とはモルナが初めて大衆化された頃であるから，モルナ史をみる際に重要な時代であると言うことができる．そのような背景の中で B. Léza は Tavares の *Morna-Sodade* を引き継いでいると言える．その証に

[116) サン・ヴィセンテ島の主要都市．
[117) 原文では *amor* がもちいられている．

両詩人の歌詞をみると，*sodade* と *cretcheu* という用語がもちいられている[118]．しかし，B. Léza の歌詞をみると *sodade* のニュアンスおよびその背景はさほど変わらないにもかかわらず，*cretcheu* にかんしてはより「柔らかく」表現されている．たとえば Tavares のモルナには，次のように *cretcheu* がもちいられている．

① 　「私が死ぬべきなのか，それとも *cretcheu*，君が死ぬべきなのか」
　　　　(S'ê mimi que morrê, ô s'ê bô nha cretcheu)

② 　「*cretcheu* よ，私にはたくさんの過ちがあるけれども」
　　　　(A mi, de meu, pa nha pesar, Pa mal de todo nha pecado)

③ 　「*cretcheu* は *sodade* とともに苦しみを残していった」
　　　　(El xam co dor de nha sodade)

ここでもちいられている *cretcheu* の表現では，「死ぬ」や「過ち」，「苦しみ」などの意味合いが目立つことが特徴的である．これに比べて B. Léza のモルナでもちいられている *cretcheu* を取り上げてみると，同じ *cretcheu* でもいかに表現の方法が異なるかが理解できる．

① 　「女は *cretcheu* のように信じられる」
　　　　(N crê'l tanto cumâ nha cretcheu)

② 　「*cretcheu* を愛している」
　　　　(Amá na rosto di nha cretcheu)

③ 　「*cretcheu* の顔から笑みが消え／優しい娘の笑みが浮かぶ」
　　　　(Perdê sorriso di sê rosto / E aligria di moça faguêra)

④ 　「優しい *cretcheu* を夢見ながら」
　　　　(Dum pequena gentil)

このように B. Léza の *cretcheu* における表現は非常に柔らかく，*cretcheu* を美化したような表現であり，Tavares は「苦しみ」を *cretcheu* とともにあらわしている傾向がある．したがって *cretcheu* にかんしても *sodade* 同様，意味に変化が生じた．つまり「苦痛」から「ロマンチックな意味」へと *cretcheu* のもちいられ方が変化したと言える．この変化は時代の多少のずれがあるが，表7で示しているように偶然にも *sodade* の「心的苦痛」から「ロマンチックな意味」へと変化したことと同じパターンである．

　3つ目の「複合的核概念」は，この時代のモルナに初めて登場する（第4章2節（3）を参照）．Tavares の時代にすでに *morabeza* が存在していたかもしれないが，それを裏づけるための資料が存在しない．そして当時のモルナの多くが，Tavares によって作詞されており，*cretcheu* が全面的に表現されていたことを考えると，信

---

118) 　第4章で取り上げた歌詞だけでも，Eugénio Tavares のモルナには10曲中 *saudade* が2回，*sodade* が4回出てきており，さらに B. Léza のモルナでは，それぞれ10回と9回ももちいられている．

表 7. *sodade* と *cretcheu* の情感の変化

sodade (Eugénio Tavares)	18世紀末	19世紀末
	心的苦痛	ロマンチックな意味
cretcheu (B.Léza)	20世紀初頭	20世紀中葉
	苦痛・ロマンチックな意味	ロマンチックな意味

頼できるほかの資料は限りなく少ないと言えるだろう. つまり, 確実に言えること は *morabeza* の精神がこの時代に民衆の間で生まれたということである[119].

　ここまでの論点を次のようにまとめることができる. ボア・ヴィスタ島で誕生し たモルナは, 当初, 主に奴隷の間で広まり, それはある種「大衆的」な音楽であり, 「心的苦痛」の *sodade* が表出されていた. その後, モルナはブラヴァ島へ伝播さ れ, 奴隷ではなくブルジョワの人びとや上流階級者の間で広まった. ブラヴァ島の モルナに表現されていた *sodade* は奴隷の心的苦痛からロマンチックな意味合いへ 変化した代わりに, ロマンチックな要素として欠かせない愛の表現, すなわち *cretcheu* がもちいられ始めた.

　特筆すべきは, その時代の *cretcheu* には「苦痛の」意味合いが表現されていたこ とである. そして最後に, そのモルナがサン・ヴィセンテ島へと伝播され, 「[演奏 場が] サロンから裏庭へ変わった」[120] (Rodrigues and Lobo 1996: 19) と言われるよ うに, サン・ヴィセンテ島ではモルナが徐々に大衆化し始めた.

　しかし, ブラヴァ島の時代とサン・ヴィセンテ島の時代の双方にかんして, 移住 は苦しみを伴うものであった. そのため苦痛をあらわしていた *sodade* の意味は変 わらずに残った. 一方, *cretcheu* にかんしては苦痛からロマンチックな意味へとも ちいられ方が大きく変わった.

　この変化の裏側には凄惨な時代を生きるカーボ・ヴェルデの人びとの苦痛を少し でも和らげたいと願う B. Léza の想いがあった. それは B. Léza のモルナの様式に もあらわれている. 彼はブラジルの音楽から強い影響を受け (巻末資料の「B. Léza の時代のモルナ」の『ブラジル』を参照),「ブラジル的半音」 (*meio tom brasileiro*) をモルナに取り入れた. カーボ・ヴェルデで「ブラジル的半音」と言う場合, コー ドとコードの間に別のコードを導入することで, よりリズミカルかつハーモニック

---

[119] 1930 年代はモルナが大衆的に嗜好され始めた時代である.
[120] サロンは上流階級者の娯楽の場であり, 裏庭とはカーボ・ヴェルデの一般家庭 を指している. つまり, ブルジョワだけでなく, 幅広くモルナが演奏され大衆化し たということである.

な旋律を生み出す手法を意味する．つまり，ゆっくりで滑らかな旋律であった「ポルトガル的」（Tavares のモルナの歌い方はファドに類似していたと考えられる）[121]な Tavares のモルナから陽気でリズミカルな B. Léza 独特のモルナへと変わった．このような音の構造的な変化によって，*cretcheu* はよりロマンチックに描かれたことが推測できる．また，*sodade* のニュアンスに変化がなくとも，B. Léza のモルナはより「ブラジル的」（サンバやモジーニャなどの要素が含まれている）[122] であり，したがって *sodade* の感じ方も徐々に「苦痛の想い」から「ロマンチックで歓喜的な想い」になりつつあった．それが前章で論じた「プラスに働く」*sodade* のひとつの側面である．

　そして最後に，B. Léza の時代になって初めて *morabeza* がモルナの歌詞中に登場した．なぜ 1930 年代以降に *morabeza* がモルナをつうじて表現され始めたのか．上で述べた同様のことが *cretcheu, morabeza* についても言える．つまり，幸せであるものの，過酷な生活が強いられた当時の社会において分かち合いや共有の精神は重要視されていたと思われる．

　以上，モルナの歴史的側面を通時的に分析することによって，*sodade, cretcheu, morabeza* の「複合的核概念」としての変遷を浮き彫りにした．ここまでにおける歴史的観点がモルナ史を研究する際の第 1 ステップである．すなわちモルナの形成から大衆化に至るまでの経緯である．次からはカーボ・ヴェルデの独立後，伝播したことによって「伝統」が築き上げられたモルナがカーボ・ヴェルデの人びとの生活や社会が変化するとともに，どのような変容を遂げたのかを第 2 ステップとしてみていく．

（4）独立から観光へ

　ここまで，モルナの伝播を手がかりに「複合的核概念」の意味変化が社会変化をとおしてどのように変遷したのかをみてきた．そのコンテクストの中で歴史的事実は重要な視点である．Monteiro (1998: 104) によれば「1940 年代に 2 度も飢饉に襲われている」．具体的には「1940 年から 1943 年まで，次に 1946 年から 1947 年まで」である．事実，カーボ・ヴェルデの人びとは 300 年間で幾度も飢饉や干ばつなど多くの深刻な被害を被ってきた[123]．そのため支配国であったポルトガルは，カーボ・ヴェルデの人びとをサントメ・プリンシペやアンゴラをはじめとするポルト

---

[121]　前章で取り上げた『永遠の海──海への哀歌』を歌っている Celina Pereira の歌唱法や旋律 https://www.youtube.com/watch?v=qVTPAUT-gS8 （アクセス日：2015 年 11 月 30 日）を参照．

[122]　Martins (1988) を参照．

[123]　ポルトガル人はカーボ・ヴェルデをプランテーション目的で植民したが，その「不毛の地」では不可能だった．

ガル植民地へ強制移住[124] させた．カーボ・ヴェルデの「国歌」と言われているモルナを歌う Cesária Évora の最も有名な曲，『Sodade』の歌詞をみると，明確である．この曲は，あるサン・ニコラウ島民によって 50 年代に作詞され，その歌詞には深い sodade の念が綴られている．

　移住先ではカーボ・ヴェルデ人コミュニティがある．Lesourd (1995) はカーボ・ヴェルデ人コミュニティの詳細な人数をあらわしたグラフを提示している．表 8 (p. 149) をみると，多くの移民がアフリカ，ヨーロッパへ渡っていることが明確であるが，その中でも圧倒的にアメリカ合衆国への移住が多い．Stéphane Boudsocq と Cesária Évora の対談 (Boudsocq 2009: 104–105) で，Évora はフランスにおけるカーボ・ヴェルデ人コミュニティについて説明している．

　　　　　「カーボ・ヴェルデの人びとは希望を持って生きている民族です．カ
　　　　　ーボ・ヴェルデ社会において『希望』とは，民衆の基盤であり，価値あ
　　　　　るものです．それが結果として外国への扉を開くことに至ったのです．
　　　　　カーボ・ヴェルデの人びとは侵入や支配されること，さらに亡命するこ
　　　　　とに慣れているのです」

　カーボ・ヴェルデに住んでいるカーボ・ヴェルデ人のみならず，移住したカーボ・ヴェルデ人にとってもモルナの歌詞にみられる感情表現や情景が一致する．モルナの歌詞にたびたびみられたカーボ・ヴェルデの数少ない自然（海，月，山など）とは，不毛の地に暮らしていたカーボ・ヴェルデの人びとにとって非常に大事であった．Évora は海に対しての想いがふたつあると言う．ひとつは海が彼女にとってのかけがえのない人たちをカーボ・ヴェルデから遠ざけたということである．もうひとつは，海からインスピレーションを感じるということである．つまり，海に対して愛や恨みを覚え，それがモルナに表現されている．また，上記で Évora が言及した「希望」を持つことは，亡命（移住）するときに持ち合わせている感情や想いである．このことが『人生』という詩には示されている．

　この詩は，亡命しているにもかかわらず希望を持ち，夢を持ち，恋に落ちるという内容であるが，題名のとおり，あるカーボ・ヴェルデ人の人生であり，宿命である．さらに，50 年代になると世界大戦も終了し，大量の労働者が必要となり，セネガルととくにヨーロッパへ移住することになった．したがって多くのカーボ・ヴェルデの人びとはオランダ，フランス，ルクセンブルグ，イタリア，そしてポルトガルへ移り住んだ．

[124) カーボ・ヴェルデの生活に耐えられず，移住する者も多かった．

　カーボ・ヴェルデでは移住や経済で大混乱を巻き起こしていた．それは，社会情勢が不安定で政治的にも治安的にも危険な状態であったためである．そのため，独立前と独立後には大勢のカーボ・ヴェルデ人が外国へ逃亡したのである．具体的には，ポルトガル軍に強制的に入隊しなければならないことやカーボ・ヴェルデの法律がポルトガルによって決定されることに反対したことが原因である．移住ではなく，逃亡したと記しているのは不法入国したからである．移住ではなく，逃亡したと記しているのは不法入国したからである．正式に移住したカーボ・ヴェルデ人は

Vida	『人生』
A crioula que meus olhos beijaram a medo	私の瞳が怯えながら接吻したクレオール人
perdeu-se na confusão de um porto francês.	混迷しているフランスの港街に消えさった．
Ela sorriu continuamente,	クレオール人は微笑み続け，
erguendo no seu riso uma canção extraordinária.	綺麗な歌を唇に乗せた．
Não foi um romance de amor	愛のロマンではなかった
nem mesmo um pequeno segredo entre ambos.	お互いに小さな隠し事すらなかった．
Somente, quando Ela falava ao pé de mim, eu sentia: um aprazível devaneio	ただ，クレオール人が近くで話すときは素晴らしい夢を感じた
pela maravilha escultural duma Mulher Perfeita.	それは完璧な女性の彫刻だった．

（著者による翻訳）

1960 年から 1970 年の間で 14,000 人，1970 年から 1980 年までの間で 40,000 人にまで登る[125]．カーボ・ヴェルデの場合，「移住する」ことを一口に語れない．その背景には家族のために男性が移住したり，宗主国を中心とした策略によって強制移住させられたり，実に心的な苦痛を伴うものばかりである．

　このような深刻な事態があるからこそ *sodade* が悲しみの意味合いで表現され，アイデンティティとして島民の間で共有されやすく，認識されるようになった．

　しかし，前に述べた「プラスに働く」*sodade* の側面も見受けられる．すなわち，サン・ニコラウ島を離れ，その心温かい島民と離別することは，「必ず帰郷することができるだろう」という希望を抱けることである．このことがプラスに働いてい

---

[125] これはあくまで正式に移住した人たちであり，不法移入した人たちは含まれていない．

ることは疑う余地がない.『*Sodade*』の歌詞から読み取れるように,B. Léza の時代の sodade とは,さほど変化していない.

　Évora は『*Sodade*』を歌ったことで脚光を浴び,パリでデビューを果たした.それは 1990 年代のことであり,本研究のモルナの時代区分法(第 3 章 4 節を参照)に従えば,「歌手 Cesária Évora の時代」である.彼女がデビューしたことにより,Évora 自身だけでなく,同時にカーボ・ヴェルデという国もヨーロッパをはじめ,世界中からの脚光を浴び始めることとなる.そしてこれが社会現象を巻き起こしたと言える.すなわち,モルナをつうじたカーボ・ヴェルデの国際化であると同時に,観光業(化)の幕開けである.この社会現象およびカーボ・ヴェルデの発展をきっかけに観光業が盛んになり始め,同産業は今日のカーボ・ヴェルデ経済の柱となっている.観光業と国際化はカーボ・ヴェルデの発展という意味では重要であるが,同時にモルナに与えたインパクトも計り知れない.第 4 章 1 節(4)で論じたように,Évora によってモルナがパリを中心に海外へ発信され始め,多くの観光客がカーボ・ヴェルデへ訪れている.その結果,「再表現的モルナ」の時代の特徴として捉えたように,モルナ歌手が自国民(カーボ・ヴェルデの人びと)のほかに,観光客に向けても歌っており,カーボ・ヴェルデの観光地化と国際化によるインパクトは大きい.

　さらにモルナに与えた影響という意味では,1975 年の独立も忘れてはならない.独立の時代に歌われていたモルナ,すなわち「革命的モルナ」(第 3 章 3 節(3)を参照)や第 4 期の「詩人 Manuel de Novas の時代」では(第 4 章 1 節(3)を参照),Tavares や B. Léza に続くモルナの大詩人として謳われたが,Manuel de Novas の時代のモルナは「複合的核概念」の劇的な変化がみられなかった.

　その理由は,モルナから派生されたコラデイラという別の音楽ジャンルが形成されたことにある.コラデイラは 1950 年代にサン・ヴィセンテ島をはじめとするバルラヴェント諸島で形成されたと言われており,モルナのテンポが 2 倍に速まり,よりリズミカルになった音楽である.この音楽はバルラヴェント諸島でモルナ同様,島民の生き様である[126].また,コラデイラは Manuel de Novas がこよなく愛した音楽ジャンルでもあり,皮肉をもちいて社会を批判する歌詞が特徴的である.つまり,それまでのモルナにみられた「批判」の要素(たとえば「批評的モルナ」や「革命的モルナ」)が影を潜め,sodade やロマンチックな歌謡としての側面が目立つようになるにつれ,この「批判」の要素はコラデイラにおいて際立つようになったとも言える.

　したがって,独立や社会批判に沸き立っていた独立前の 1960 年代からコラデイラが台頭し始め,飢餓や飢饉,干ばつなど凄惨な環境の後に独立運動を戦い抜いて

---

[126] とりわけバルラヴェント諸島では毎晩コラデイラが演奏され踊られ,このような場面に頻繁に出くわす.

表 8. 1979 年から 1987 年にかけてのカーボ・ヴェルデの人びとが移住した国[127]
（左），世界におけるカーボ・ヴェルデ人コミュニティ（1985 年）[128]**（右）**

移住先の国	移住者数	国	人数（1）	人数（2）
アメリカ合衆国	2,712	アメリカ大陸 （南米含む）	**255,000/305,000**	**85,000/92,000**
ポルトガル	2,004	アメリカ合衆国	250,000/300,000	80,000/90,000
イタリア	1,408	ブラジル	3,000	?
オランダ	451	アルゼンチン	2,000	?
アンゴラ	401	ヨーロッパ	**92,800/102,300**	**50,000/65,000**
フランス	336	ポルトガル	50,000/55,000	?
セネガル	194	オランダ	12,000/13,000	10,000 ?
スペイン	141	イタリア	7,000	7,000
ルクセンブルグ	116	フランス	15,000/17,000	10,000 ?
ギリシア	78	ルクセンブルグ	3,000	?
ベルギー	56	スペイン	2,500/3,000	3,000
スウェーデン	50	スイス	1,000/2,000	2,000
英国	38	ベルギー	800	?
ノルウェー	34	スウェーデン	700	700
その他	257	西ドイツ	600	600
合計	**22,063**	ノルウェー	200	200
		アフリカ大陸	**67,900/76,200**	**35,000/43,000**
		アンゴラ	35,000/40,000	?
		セネガル	22,000/25,000	12,000
		サントメ・ プリンシペ	8,000	?
		ギニア・ビサウ	2,000	?
		モザンビーク	700/1,000	?
		ガボン	200	?
		合計	**414,700/482,500**	**170,000/200,000**

---

[127] Lesourd (1995: 277) を編集．また，Lesourd (1995: 277) は「その他」について以下の国名を挙げている．南アフリカ，アルジェリア，コートジボワール，ガボン，ギニア・ビサウ，リベリア，ナイジェリア，サントメ，エジプト，ブルキナ・ファソ，モザンビーク，西ドイツ，デンマーク，アイルランド，アイスランド，マルタ島，スイス，ソヴィエト連邦，フィンランド，ニュージーランド，カナダ，ブラジル，アルゼンチン，ギアナ，パナマ，ヴェネズエラ，日本，サウジアラビア．

[128] Lesourd (1995: 281) より引用．表の人数（1）は，家族や祖先に最低 1 人はカーボ・ヴェルデ人がいるものとしており，人数（2）はカーボ・ヴェルデのコミュニティ（文化活動や行事）に参加している人．これは必ずしもカーボ・ヴェルデ人とは限らない．

きた人びとにとって，苦痛を凌ぐロマンチックなモルナよりも，リズミカルで批判
を込めた歌詞を持つコラデイラの方が好まれた．そのため，モルナに表現されてい
た「複合的核概念」に劇的な変化は生じなかったと考えることができる．

　独立を果たした 1975 年以降の時代には，それ以前と比べ当然ながら生活レベル
が変化した．たとえば，「移動手段が船ではなく，飛行場を建設したことにより飛
行機で移動，あるいは「移住」することも可能となり，より容易な生活を送ること
ができた」(Hoffman 2007: 220)．音楽的側面にかんして言えば「レコードや CD，テ
レビなど現代機器もカーボ・ヴェルデで使用されるようになり」(Hoffman 2007: 220)，
ほかの国と同じように電子楽器をもちいた音楽が非常に目立つようになった．しか
し「移住」は独立以前ほど多くはなくなった．なぜならば「移住政策の動向が変わ
り海外での仕事が制限され始めたため，移民が急激に減少した」 (Hoffman 2007:
222) からである．しかし「移住」することが減ったために，外国との接触が少なく
なったわけではなく，カーボ・ヴェルデを訪れる観光客との接触という形で，外国
との大きな接点が見出される．したがって，この社会現象や経済の形が変わったこ
とで[129]，モルナがこれまでとは異なる別の形で変化を遂げた．

2．北西部における核概念の認識論的分析

　コラデイラが際立っていた独立前と独立後も，モルナは，コラデイラやバトゥク
などの音楽ジャンルと同じように，カーボ・ヴェルデの人びとの文化アイデンティ
ティとして重要であったことは第 1 章で論じたように間違いない．しかし，独立前
まで自らの苦痛を，モルナをとおしてロマンチックに歌うことで和らげ，さらに独
立以降より暮らしやすい生活を手に入れたカーボ・ヴェルデの人びとの間で「複合
的核概念」の情感はどのように変化したと言えるだろうか．これまでは歌詞を含め
た多くの文献から社会的状況をみてきたが，「歌手 Cesária Évora の時代」以降の歌
詞や文献から検討することは効果的ではない．すでに述べているように，「歌手
Cesária Évora の時代」のモルナは，第 2 期から第 4 期（第 3 章を参照）までのモル
ナと同じ歌詞をもちいて「再表現」しているからである．よって，本節ではインタ
ビューを拠りどころとし「複合的核概念」の変遷を明らかにする．

---

[129]　「移住」の時代は外国で資金を貯め，環境が過酷であったカーボ・ヴェルデか
　ら逃れることを目的とし，その結果，移民が「外」で影響を受けてきた．しかし，
　今日は反対に観光業が盛んになったため，国外の人びとによるカーボ・ヴェルデで
　への直接的な言語・文化的影響が生じている．

（1）現代における核概念

　現代社会を生きるカーボ・ヴェルデの人びとがモルナに対してどのような認識を持っているかを理解することが重要である．そのためには，まず，さまざまな世代の音楽家によるインタビューにおいてそれぞれ共通している点を浮き彫りにすることから始める．

インタビュー①（2013 年 10 月 17 日）
職業：楽器奏者（以下，楽器奏者 B），性別：男性，年齢：50 歳
　（文中の［　］は著者による補足）
　著者）
　　あなたの青年期と比べると，現在のモルナの様式は変化したと思いますか．
　楽器奏者 B）
　　　［カーボ・ヴェルデの］人びとの生活は社会変化とともに大きく変わりました．なぜなら，私が昔聴いていたモルナと現在演奏されるモルナを比較するとその様式が異なるからです．私が昔聴いていたモルナはとてもシンプルでした．今のようにパソコンやテレビなどの現代機器がありませんでしたから．今とは全く別の時代でした．あの時代は皆，余暇を使い音楽を作っていました．あのときに作っていた音楽[130] はゆっくりとしたリズムで穏やか［静か］でした．それに人びとは音に命を吹き込んでいました．実に美しい音楽でした．でも今は誰 1 人としてこのような音楽を作ろうとはしません．あの頃は *cretcheu* がありました．しかし，あのようなロマンチックな表現は［日常生活において］もう使いません．

　時代が変わり，社会変化が進む中で，*cretcheu* の不在について語っている箇所がある．Tavares の時代から現在まで 100 年以上もモルナの歌詞中に表現され続けてきた *cretcheu* が生活において表現されなくなったことは重要な点である．これまで論じてきたように，*cretcheu* は Tavares によって 20 世紀初頭から徐々に大衆化し，*Morna-Sodade* に重要な意味をもたらした．しかし，現在において *cretcheu* は若者の間で「時代遅れのもの」として認識されている．楽器奏者 B が語った「あのようなロマンチックな表現」は皮肉を込めた口調であった．しかしながら，別の側面からみると，*amor*（愛）とは異なる意味を持つ *cretcheu* という表現は，モルナにたびたび登場し，それゆえにモルナを特徴づけている要素のひとつでもある．*cretcheu* が若者の間で「時代遅れのもの」と感じられていようが，

---

130) モルナを指している．

「再表現的モルナ」をみた場合にある矛盾を孕んでいることに気がつく．楽器奏者 B の証言からは *cretcheu* という表現自体が失われかけているように理解できるが，それは日常の生活において使用されなくなったということに留意しなくてはならない．「再表現的モルナ」とは，第 3 章 3 節（4）で論じたように，「現代風」であり，「伝統モルナ」から「現代的な」モルナへ進展された新しい形のモルナである．しかし，その進展は下でみるように音楽構造的な要素の変化である（楽器，ハーモニー，コードなどを取り入れた影響）．換言すれば，歌詞やその情感的な表現力に変化はない．つまり，*cretcheu* は日常でその意味を失い始めているものの，モルナの歌詞をつうじて存続していると言える．

インタビュー②（2013 年 10 月 17 日）
インタビュー①と同人物（［］は著者による補足）

著者）

セレナードを演奏するときは，特定の日にちがありますか．

楽器奏者 B）

私たちはすべて娯楽のために音楽を作ります．演奏する側も聴衆側にとってもそれは娯楽です．確かに，モルナは［本来持っていた］本質を失いました．もちろん，モルナに興味を持っている若者も多くいます．しかし反対に興味を持っていない人も多くいます．モルナに興味を持っている若者は，幼い頃から家でモルナを聴かされていた人たちです．私にとってモルナを聴くことは，過去をすべて思い出すことです．モルナを聴くことは年寄りとの交流やともに過ごす大切な時間も意味します．誰しもが互いにかかわっていました．これは伝統なので私たちはかかわり合うことを続けましたし，聴衆は演奏者の音楽を聴いていました．少なくとも私の記憶では，私が 5, 6 歳の頃は家の近所で演奏している人の近くへ行き，聴きながら楽器を練習したことを覚えています．

多くの若者は B. Léza のような昔のモルナに［モルナの形式が古いため］興味を持っていません．そのような古いモルナを演奏する人もいますが，大多数の若い世代の人にとって興味が薄れています．

インタビュー②にみられる視点は，モルナの「本質」が失われているような印象を受ける点である．インタビュー①と②の視点から考えると，モルナの伝統が劇的に変化したように思える．その伝統とは，若者が年配者や近所の人びとの輪の中に自然と馴染みながらモルナを聴き，実践的に楽器の演奏を学んでいたことである．Évora が世界的に著名な歌い手となったことで観光客が増え，サン・ヴィセンテ島は経済的に急発展を遂げた．その背景を照らし合わせれば，確かにインタビュー②

にみられた楽器奏者 B の主張——伝統としてのモルナの「本質」は失われたという事実——を解することは難しいことではない．サン・ヴィセンテ島における参与観察をつうじても，そのようなモルナの伝統的な姿を見かけることが少なく，現代色に染まってしまったがゆえにその本質を失ったと捉えることも可能かもしれない．このことは，新しい音（コード）や楽器などをもちいてボサ・ノヴァやジャズの要素をモルナに取り入れた，次にみるインタビュー③の歌い手の場合と同様である．

　しかし，カーボ・ヴェルデ北西部の 3 島において，モルナを年長者から学び，モルナを演奏している若者がまだ存在するという事実も否定できない．それは一種の「口頭伝承」であり，町中に存在する．サン・ヴィセンテ島のある少年に音楽事情について尋ねると，楽譜を読めないことを語っていた．サン・ヴィセンテ島の著名なピアニストですら，インタビューで「楽譜は読めないが，音を聴いて弾くことはできる」と述べていた．カーボ・ヴェルデの多くの人は音楽を表現することができる．それは，楽器を弾くことができなくとも舞踏や歌唱など身体を使って表現できる．それは多くの場合，非常に強い情感を持って表出される．これは，第 4 章 1 節（5）で論じたメリスマである．この様式をカーボ・ヴェルデの人びとの多くはごく自然に体現している．音楽を表現する大勢のカーボ・ヴェルデの人びとは，音楽を嗜好しているだけでなく，日常生活で感じるさまざまな情感を敏感に捉え，また，記憶に刻印されている想いを受け止め，音楽をつうじて伝達しようと試みている．

インタビュー③（2013 年 12 月 17 日）

職業：歌手（以下，歌い手 K），性別：男性，年齢：50 歳代

（［］は著者による補足）

　著者）

　　今日，作詞家や作曲家が減っているようですが，モルナを発展させることは難しいと思いますか．

　歌い手 K）

　　そうは思いません．著名でないだけで，必ずモルナを作詞作曲する人はいるはずです．私はモルナが発展段階にあると考えています．

　著者）

　　では，具体的に音楽家や作曲家の名前を教えてください．

　歌い手 K）

　　Vlu，Constantino Cardoso…わかりません．実際，モルナの本質が少し失われたのではないでしょうか．

　著者）

　　モルナの本質が失ったように感じるのは，モルナの様式が変化したからだと思いますか．

歌い手 K)

　確かに，昔は今と比べ，作曲家がモルナを作るための時間が多かったです．しかし，今日では，昔のような *sodade* や *cretcheu* のような情感をモルナに組み込むことが困難であるかのように思われます．

著者)

　なぜ *sodade* や愛のような情感を表現することは困難なのでしょうか．

歌い手 K)

　かつては移住せざるを得ない状況だったからでしょう．つまり，そのような状況のほうが *sodade* の強い想いを表現しやすかったのだと思います．このことから，昔のようなモルナを作ることが難しいのです．

著者)

　では，モルナのテーマが少ないのであれば，あなたはどのようなモルナを歌うのですか．

歌い手 K)

　私はモルナを歌いますが，「モダン・モルナ」[「再表現的モルナ」]の様式です．私が歌う「モダン・モルナ」には，たとえば，ジャズやボサ・ノヴァの影響があります．このように考えると，モルナは豊かになったと思います．もちろん，私が歌うモルナの歌詞は「伝統モルナ」をもちいたものです．私が言う「モダン・モルナ」とは，音楽の構造的な話です．たとえばコードがより「現代風」[モダン]であったり異なったりしているのです．

　歌い手 K はボサ・ノヴァやジャズの要素を取り入れることで独自の「モダン・モルナ」を形作っている．おそらく多くの作曲家にとってモルナを作詞することは困難である．なぜなら，歌い手を含んだ音楽家が Manuel de Novas の時代まで当然のように新しいモルナを作詞し続けてきたにもかかわらず，社会的な事情や生活の様式が「容易」（後に論じる商業主義と関係することになる）になった現在，カーボ・ヴェルデの音楽家は「歌詞」を変えるのではなく，モルナに新たな音の要素を取り入れることに趣を置くようになってきたからである．歌い手 K は，歌詞の特徴について簡潔に説明した．「コラデイラは批判や歓喜のテーマを特徴とするが，モルナは *sodade*，悲哀，愛など，ほかの概念を特徴としている」．この説明から考えると，カーボ・ヴェルデの人びとにとってモルナは「悲哀」の情感を表現しているように思われる．

　しかし，今日のモルナの傾向や音楽の要素が混淆されている事実（「モダン・モルナ」）などを総括的に考慮すると，カーボ・ヴェルデの人びとは悲哀などの情感が少なく，より人生における幸福や歓喜を求めているように受け止められる．言い換えれば，音楽家はかつての奴隷制時代から独立へ，そして独立から観光へと時代

が変わるにつれて，それぞれの時代に見合ったモルナを作り上げた．現在では現代に見合った音（メロディーやハーモニーなど）を取り入れ，それをカーボ・ヴェルデの人びとに受け入れられるようにアレンジした結果，過去の悲哀なモルナをより和らげることにつながった．

　これらのことを簡潔にまとめると，モルナの本質が失われ始め悲観的になっている音楽家もいるが，反対に若年層に属さない40，50歳代の音楽家などが「伝統モルナ」の歌詞にみられる凄惨な歴史で起きた経験を少しでも和らげるために「モダン・モルナ」を演奏する場合もある．このようにカーボ・ヴェルデの人びとがたびたびもちいる「モダン・モルナ」や第4章で提示した現在のモルナ，すなわち「再表現的モルナ」の背景には，観光業の盛況が及んでいるのではないかと考えられる．それは，音楽家がこれまでのような伝統的な演奏方法よりも，「現代風」の音（電子楽器や現在流行しているコードや風潮）を取り入れている傾向にあることと関係している．

　また，本章の1節から検討してきた「複合的核概念」の変遷をまとめると図12のようにまとめることができる．*Sodade* と *cretcheu* は双方とも苦痛から歓喜へと変化していることはすでに論じたが，「21世紀初頭」をみると劇的な変化を帯びていることがわかる．*Sodade* の場合は悲観と歓喜が混ざり合っており，*cretcheu* にかんしてはモルナの歌詞に存続しているものの，日常で話される語彙としては失われかけている．

　しかし，これらふたつの背景にある要因に目を向けなければならない．また，*morabeza* は，ほかの核概念と比較すると，20世紀中葉という遅い段階でモルナをつうじて表現され始めるようになった概念であるからか，*sodade* や *cretcheu* のような劇的な意味変化は起きていない．これらの変遷を確実に捉えるためには，次節で取り上げるコンセプト・マップの分析が不可欠である．それにより，これらの「複合的核概念」が現在においていかなる意味を有しているかをみる．

さらに，現在歌われているモルナのひとつ，すなわち「再表現的モルナ」の歌詞は19世紀末以降の Tavares によるモルナ，そして20世紀初頭から作詞してきた B. Léza のモルナから直接使用しているということである．したがって，複数の音楽家がインタビューで口述しているように，モルナの様式は変化したものの，その歌詞は変化していない．すなわち，ふたとおりのモルナを表現していると言える．ひとつが「伝統モルナ」の歌詞を「再表現」しているものであり，もうひとつが，「現代」に見合った音の要素をあらわしているものである[131]．

　さらに，もう1点強調すべきことは，それが「伝統モルナ」であろうが「モダン・モルナ」であろうが，メリスマの形式は変化していないことである．より具体的に

---

[131]　これら，ふたとおりのモルナが第3章3節（5）で論じた「再表現的モルナ」である．

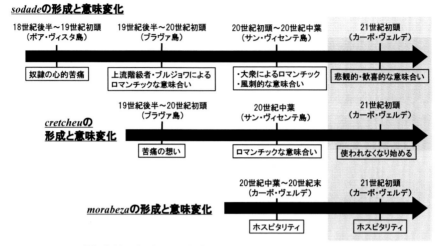

図 12. 「複合的核概念」の意味変化とモルナの伝播による意味変化.

メリスマについて記せば，即興で声を伸ばしたり縮めたりし，その声からは彼らがまるで心の魂をモルナに吹き込み，感情を移入させるような印象を受ける．第3章3節（5）で記したように，カーボ・ヴェルデの人びとは非常に，メリスマと呼ばれる「即興的発声」に価値を置き，得意とする．

　第3章3節（5）で記したように，カーボ・ヴェルデの人びとは非常に，メリスマと呼ばれる「即興的発声」に価値を置き，得意とする．これまでみてきたインタビューからは，今までの重要なモルナの要素が失われ始めている，あるいは失ったかのように考えられるが，メリスマの特異性は伝統として変化なく継承し続けてきたと言える．この観点から考えた場合，伝統としてのモルナは失われたわけではなく，単にモルナが観光というコンテクストをつうじて変形し，カーボ・ヴェルデの外の世界とより柔軟に結束していく兆候であると考えられる．

　クレオール文化が構築されていく中で不要と感じているものは排除し，必要であると感じるものを取り入れる場合，メリスマは伝統として今もなお受け継がれてきており，モルナを構成する一部分として位置づけることができる．メリスマは，*sodade* の語として表現しきれない情感そのものを身体で表現・表出させ，刻印した記憶を創造性へと変換，あるいは混淆させる．しかし，なぜメリスマがモルナの伝統[132]を構成する要素のひとつとして位置づけられるのか．それは，*sodade* の身体および発声による表現こそが即興的に発声をおこなうメリスマの形であると示す

132）メリスマとは，モルナだけに限らずカーボ・ヴェルデの人びとが音楽を表現する際に，たびたびもちいられる表現方法である．この意味で言えば「即興的発声」はカーボ・ヴェルデの人びとの伝統であり，身体表現として捉えられる．

ことができるからである．下で概観するインタビュー対象者Jの歌い手は，実際に
演奏中で表現していた2分14秒[133] ものメリスマの後で，アウトロ[134] が終わると
ともに情感的になり落涙した．また別の演奏では合計6分25秒の内，1分77秒間
メリスマを表現していた．

　カーボ・ヴェルデ人によるメリスマの分析をつうじて考えられることは，その伝
統が最初に *sodade* の情感をあらわしていたボア・ヴィスタ島の奴隷によって伝わ
ったのではないかということである．

　また，メリスマのような「複合的核概念」を裏づけるような事象は *cretcheu* と
morabeza においてみられることはなく，また，本節で概観してきたインタビュー
には，*sodade* についての言及がみられなかった．したがって次節では *sodade* の認
識にかんして口述されているインタビューを取り上げ，コンセプト・マップをもち
いて「複合的核概念」について分析する．

（2）日常生活における核概念

　はじめに問わなければならないことは，カーボ・ヴェルデの人びとの生活におい
てどのくらい「複合的核概念」の表現が浸透しているかである．たとえば *cretcheu*
の場合，上で検討したように日常生活において使われることは実に少なく，反対に
sodade や *morabeza* の場合，日常に溢れているような印象が与えられる．*sodade* に
かんしてはアマチュアの歌い手が次のように口述している．

インタビュー④（2013年9月29日）
職業：アマチュアバンドの歌い手（以下，歌い手F），性別：女性，年齢：
50歳代（［］は著者による補足）
　　著者）
　　　　モルナにあらわれる情感は変化したと思いますか．
　　歌い手F）
　　　　モルナから感じる情感はいつも同じです．モルナに秘められている想いは
　　　変わりません．より正確に言えば，モルナとは私の歌のように悲観的です．
　　　モルナは苦しみと嬉しさから表現されるのです．悲しい出来事と嬉しい出来
　　　事が混じった表現です．それらふたつの出来事が出会うとき，その感情や想
　　　いは非常に強く［心に］響きます．それらのふたつの感情や想いが *sodade* の
　　　情感なのです．60年代や70年代の頃，カーボ・ヴェルデとポルトガルの仲
　　　が悪かった時代，大勢の人が移住し，私たちは愛や郷愁，そして *sodade* を

---

133) 演奏の合計時間は4分43秒である．
134) 楽曲の終わりの部分を指す．

表現していました．事実，海［大西洋］は私たちを切り離しますが，反対に
私たちをつなぎ合わせます．

　歌い手 F によると，モルナは悲観的であり，苦悩や喜びが交じり合うことで
sodade が生まれる．このことはモルナについて言及する際にたびたび言われる．こ
のありふれた表現を基にし，コンセプト・マップをもちいて *sodade* を中心に「複
合的核概念」を可視化することを試みる．その際 1 点だけ留意しておくべきこと
は，カーボ・ヴェルデ北西部——サン・ヴィセンテ島，サント・アンタゥン島，サ
ン・ニコラウ島——において *sodade* を比較することは，非常に困難を有するとい
うことである．なぜなら，これら 3 島間における人の移動が激しく，経済的に，文
化的に密接に結びついているからである．サン・ヴィセンテ島はカーボ・ヴェルデ
の文化都市と言われているだけでなく，バルラヴェント諸島の「首都」でもある．
したがって，長い間サン・ヴィセンテ島に住んでいたというサント・アンタゥン島
やサン・ニコラウ島の人びとが多い[135]．つまり，必ずしも 1 人 1 人の生まれた島
に対するアイデンティティが存在するわけではない[136]．
　これまでのことを踏まえたうえで，どのように人びとは「複合的核概念」とモル
ナを結びつけ，認識しているのかをコンセプト・マップをもちいて模索する．

（3）コンセプト・マップの方法

　コンセプト・マップとは Novak (2006) によって提唱された教育学でもちいられ
る方法である．それは複雑な概念や複合的な概念を可視化することで想像すること
が困難である概念の関係性を明確にするためにもちいられる手法である．本研究で
は，社会学や人類学でいうところのインフォーマル・インタビューを援用している
が，インフォーマル・インタビューだけでは「複合的核概念」を理解することが困
難であった．インフォーマル・インタビューの場合，インタビュー対象者が複雑な
概念を整理できないまま会話が始まってしまう可能性が高いからである．したがっ
て最初にコンセプト・マップを作成してもらい，その後でインタビューを実施する
ことにした．Novak (2006) の「コンセプト・マップ」を参与観察に組み込むことに
より，*sodade, cretcheu, morabeza* の情感・概念が現実世界においてどのように認識

---

135) 仕事のために故郷の島からサン・ヴィセンテ島へ渡る人も多いが，大学進学の
ために多くの若者もサン・ヴィセンテ島へ住み移る．
136) 各島によってアイデンティティが存在するが，本研究では個人レベルだけでな
く，国レベルにおけるアイデンティティ，つまりイデオロギーとポリティカルの文
脈におけるアイデンティティ＝クレオール・アイデンティティを検討することを試
みている．

されているかをとらえることを試みた．コンセプト・マップを実施するまでの背景は以下のとおりである．

　準備したものは主に A4 か B5 版のノートと筆記用具である．言語はインタビュー対象者が好む言語，あるいはもっとも自由に表現できる言語で実施された．ここでは指定された言語の多かった順に，ポルトガル語，クレオール語，英語が使われた．また，インタビュー対象者の選定の方法はなく，現地調査中に町で出会った人やインフォーマントをインタビュー対象者として選んだ．場所はインタビュー対象者が好む，あるいはインタビュー対象者にとって気が休まる場所を選んでもらい多くの場合は，カーボ・ヴェルデの日常には欠かせないコーヒーやグローグ（蒸留酒）などの飲料物を飲みながらおこなわれた．また，本研究でもちいたインタビューの時間は，合計で 471 時間 17 秒である．

　著者はコンセプト・マップを次のようにおこなった（図 13）．まずは著者が *sodade, cretcheu, morabeza,* それぞれの概念を白紙の中央に書き（ここでは例として *sodade* をもちいる），それを円で囲む（①）．次に，その円で囲まれた概念から何が想像でき，何と関連できるか，あるいは何を連想するかをインタビュー対象者に考えてもらい，それを実際に書いてもらう（②）[137]．その際に，なるべくそのイメージを限定させないために，関連するものを単語，文章，絵など自由な形式で作成してもらうように心がけた．

　また，円で囲まれた概念から関連するものを線で結びつけ[138]，強調する場合は太枠にするなどわかりやすいように作成する旨を伝えた．あるいは関連する単語や表現同士を結びつける（③）．その後，コンセプト・マップを基にしながらインタビューを実施し，コンセプト・マップに書かれたものについてインタビュー対象者に説明を補足してもらうという手法をとった．

　インタビューとコンセプト・マップを組み合わせることにより，より正確なデータを収集するだけでなく，各々の心理や感情の理解を深めた．最後に，インタビューをおこなった音楽家のコンサート演奏を動画で記録し，音楽家のインタビューの内容と照合することでその証言が信頼できるものかを確認するとともに，コンサートで音楽家がどのように演奏したり歌ったりしているかを注意深く観察した．

---

[137] さまざまな理由から書くことができない，あるいは書けるような状況ではない場合は，口述形式で著者がコンセプト・マップを作成するが，本調査ではこれをおこなわなかった．

[138] 図 16，17 のように線で結ばずに，関連語を挙げているだけの場合もある．

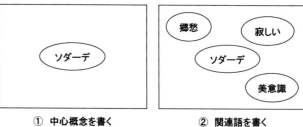

① 中心概念を書く   ② 関連語を書く

③ 関連語を線で結び, 文や強調部分を示す

図 13. コンセプト・マップの作成方法.

（4）コンセプト・マップの分析

　ここでは 12 人によるコンセプト・マップを取り上げる. コンセプト・マップは, 実際にインタビュー対象者に作成してもらった原図[139]および著者が翻訳・編集したものを載せている.

インタビュー対象者 A
（職業：初等教育のポルトガル語教師, 年齢：32 歳, 性別：女性）

　「［島を］去る者は sodade とともに去り,［島に］残された者は sodade を持ち続ける」(*Kem T'bai leva sodâde, kem t'fká tem sodâde*)[140]. インタビュー対象者 A はこのように sodade を説明する. 図 15 の右側にある「仕事・雇用」は,「家族」, そして「外国」と「父／母」を結ぶ線と重なっており, それぞれが関係していることがわかる. 図 15 の左側には, 中心[141] 概念としての「Sodade」が直接的に「仕事」と線で結ばれている. これらの関係についてインタビュー対象者 A は, 仕事をする

---

[139] インタビュー対象者がコンセプト・マップを作成した後に, その作成図を見ながらインタビューをおこなったため, コンセプト・マップの原図には著者によるメモが残されていることがある.

[140] 文中の ［ ］ は著者による補足である.

[141] 「中心」とは, コンセプトマップに対する中心の意味である.

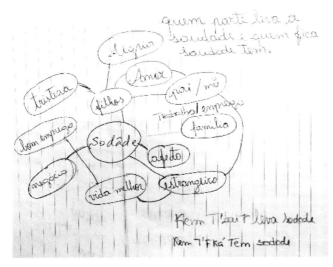

図 14. インタビュー対象者 A の *sodade*[142] 観（原図）.

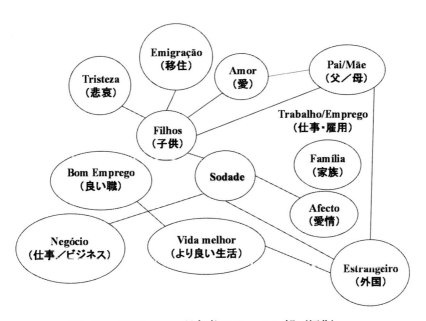

図 15. インタビュー対象者 A の *sodade* 観（編集）.

---

142) 原図で記載されている *sodade* は，*sodád, sodâde* などさまざまな綴りで記され
ているが，いずれもカーボ・ヴェルデでもちいられる同様の概念としての *sodade*
を意味しており，本研究では *sodade* に統一している.

ことは大事であり，それは家族を支えるためだと主張する．事実，カーボ・ヴェル
デで男性と女性の立場が平等になりつつあるが，いまだ家父長制は健在であり，イ
ンタビュー対象者 A の主張はそのことを暗示させるような発言であることは否定
できない．仕事をし，給料を貰うということは生きることであり，世界中どこでも
同じである[143]．しかし，女性であるインタビュー対象者 A は初等教育におけるポ
ルトガル語の教師という職に就いているにもかかわらず，彼女にとって「働く」と
いう行為はとりわけ外国へ出稼ぎに行くことを意味しており，それが彼女に *sodade*
をもたらす．

　彼女がコンセプト・マップに記した「愛」は原文では *cretcheu* ではなく，*amor* と
いう単語であらわしている．ここで「愛」が意味していることは「家族に対する愛
情であり，子供に対する愛」である．これは，第 5 章で概観したモルナの歌詞に表
現されていた「愛」や *cretcheu* とは異なる．モルナに表現されている「愛」(*amor*)
はしばしばカトリックにおける神をあらわしていた．カトリックの影響が多大であ
るカーボ・ヴェルデで「神」や「愛」がモルナにもちいられている理由は，単なる
詩的表現であるだけではないと思われる．カーボ・ヴェルデではカトリックが身近
にあるために（インタビュー対象者 A もカトリック教徒），モルナでもちいられて
いた「愛」(*amor*) が日常表現であると考えられた．しかし，インタビュー対象者 A
の発言から察するに，この「愛」は「神」ではなく，我が子に向けられている．そ
れはある種当然のことであるが，それならば *cretcheu* はどのような表現や単語と関
連づけられているのだろうか．

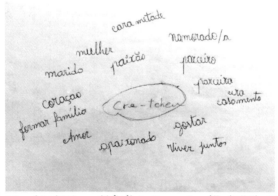

図 16. インタビュー対象者 A の *cretcheu* 観（原図）[144].

[143)] もちろん，自給自足の生活を営んでいる地域も多く存在する．
[144)] インタビュー対象者 A による *cretcheu* 観にみられる単語は線で結ばれていな
いが，それに特別な意味はなく，純粋に *cretcheu* と関係している単語を挙げただけ
だと説明している．

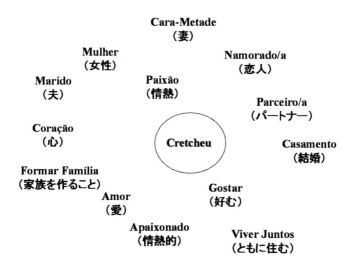

図 17. インタビュー対象者 A の *cretcheu* 観（編集）.

Cretcheu のコンセプトには「愛」(*amor*) が含まれており，ほかにも，関連しやすい単語が並べられている（図 17, 18）.「結婚」,「ともに住む」,「夫」,「妻」,「家族を作ること」,「恋人」など多くの似通った単語がみられる. インタビュー対象者 A のコンセプト・マップを概観する限りでは，*amor* と *cretcheu* には違いが見出しにくいが，いずれも家族愛について指していることがわかる.

　次にみるインタビュー対象者 B は，下でも記しているように著者が調査していたサント・アンタゥン島における主要インフォーマントである.

インタビュー対象者 B
（職業：初等教育の音楽教師，年齢：31 歳，性別：男性）

　彼が描いた「欠如」という表現は，誰かを愛する心情や想いが欠けていることである（図 19）. また，「空虚」は精神と力の不在を意味している. 彼にとって「苦痛」や「孤独」,「悲哀」などはすべて悲観的な心情であり，決して歓喜を感じさせるものではないと口述する. インタビュー対象者 B の職業は音楽教師であり，同時に著者のインフォーマントであり，彼の友人や同僚と会話をしながら 1 ヶ月間をともにした. しかし，彼の日常から上のようなコンセプト・マップに表現される単語は想像することができない. 参与観察をつうじて彼の生活について想像できることは，インタビュー対象者 B の *sodade* に対する理解が実に悲観的であり，したがってできる限り考えないように心がけているということである. 寂しさや悲観的

側面を回避する行為は,「再表現的モルナ」をもちいることで悲しさを避けると言及したインタビュー③の歌い手 F の心情に類似している.インタビュー対象者 B の場合は,音楽を演奏することが喜びであり,彼が *sodade* を悲観的と感じているにもかかわらず,サント・アンタゥン島の港町,ポルト・ノーヴォ (*Porto Novo*) で開催された音楽祭事に参加していたことが強く印象に残っている.すでに分析したが,カーボ・ヴェルデの音楽には,モルナ以外にも *sodade* をあらわす音楽が存在する.それは必ずしも,*sodade* という用語で表現されているわけではなく,メリスマによって表現され,その表現方法は多様である[145].

　確かに,上で概観したようにモルナは「嘆き」や「過去の記憶」として感じ取られている.インタビュー対象者 B は,次のように発言し,インタビューを締め括った.

　　　「私たちが音楽に価値を置く理由は,外国へ旅立つ際に［あるいは移住する際に］私たちはカーボ・ヴェルデの音楽に対して *sodade* を感じるからです.そのようにしてカーボ・ヴェルデの人びとがモルナに価値を置くようになったのです.『モルナ』,『移住』,そして『*Sodade*』は密接につながっているのです.だからと言ってすべてのカーボ・ヴェルデの人びとがモルナを嗜好しているわけではありません.それは人に寄りますが,それでも *sodade* の情感は真に存在するのです」([] は著者による補足)

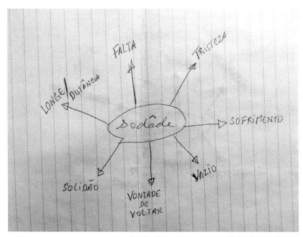

図 18. インタビュー対象者 B の *sodade* 観（原図）.

---

[145] 現時点では,*sodade* という用語とメリスマという身体的な表現方法からしかみることができていない.

図 19. インタビュー対象者 B の *sodade* 観（編集）.

インタビュー対象者 C
（職業：市役所の役員，年齢：31 歳，性別：男性）

インタビュー対象者 C は，*sodade* がとりわけ「距離」と「愛」に関係していることを強調していた（図20, 21）. 彼の場合，「愛」とはさまざまな愛を意味し，文化，人，愛国心などを例に挙げた. 彼の「愛」を理解するために，*cretcheu* のコンセプト・マップを分析すると，「故郷」，「恋人」とあり，確かに人や愛国心を示している.「愛」の例として挙げている文化にかんしては具体的に「モルナに対しての *cretcheu*，センチメンタル，シンボル」と説明している.

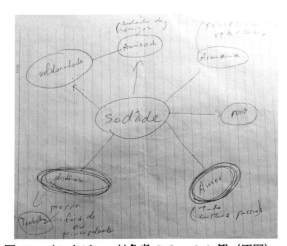

図 20. インタビュー対象者 C の *sodade* 観（原図）.

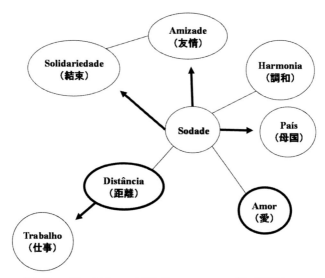

図 21．インタビュー対象者 C の *sodade* 観（編集）．

図 22．インタビュー対象者 C の *cretcheu* 観（原図）．

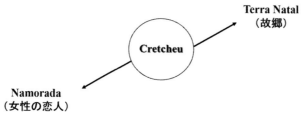

e.g. cretcheu da morna, sentimental, símbolo
（例：モルナへの*cretcheu*，センチメンタル，シンボル）

図 23．インタビュー対象者 C の *cretcheu* 観（編集）．

　図 21 のコンセプト・マップ内に太く囲まれている「距離」は，外国とカーボ・ヴェルデを示していると言う.「仕事」は「距離」に関連するものだと説明し，それはより良い生活のためであり,「距離」はとりわけ移住した友人と関係している.「結束」は表現としては曖昧である.

　これらふたつ（「距離」と「愛」）をみると，モルナとの関連が強いことが理解でき，前章の歌詞分析から浮き彫りにされた意味とさほど変化がみられない.

　インタビュー対象者 C によれば,「結束」とは，分け隔てなく友人関係を築くことであり，これは morabeza の思想と非常に類似している. しかし, sodade と cretcheu のコンセプト・マップ（図 20～23）とは異なり, morabeza にかんしては複雑すぎるあまり，関連させることは不可能であると言及し, morabeza にかんする説明は「歓迎を意味する」のみであった. この事実から，人によって「複合的核概念」が非常に複雑な意味を持っている，あるいは表現することが難しいことが伺える[146]. つまり，複雑であるがゆえに音（楽器）や身体（舞踏や声）で表現されやすいと考えることもできる.

インタビュー対象者 D
（職業：高等学校の工学教師，年齢：49 歳，性別：男性）

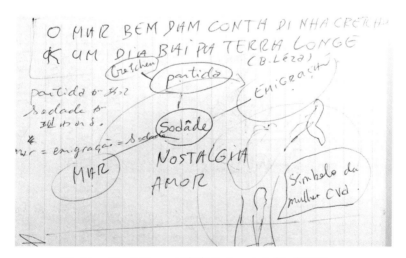

図 24. インタビュー対象者 D の sodade 観（原図）.

[146) コンセプト・マップを実施した 12 人のうち 2 人が「複雑」であるがゆえに描けないと語った.

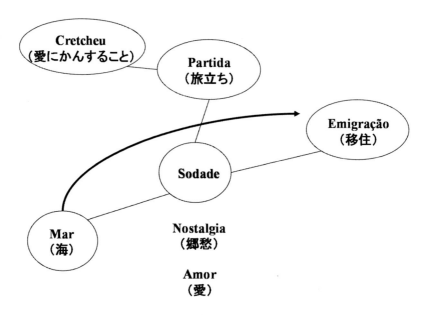

図 25.　インタビュー対象者 D の *sodade* 観（編集）.

　　「『*Sodade*』,『海』,『移住』は相互に結びついています.と言いますの
も,『海』は島民が旅立つ場所であり,旅立つ理由は移住なのです.前ま
では飛行機が飛んでおらず,移動手段は船だけでした.なので『海』は
私の多くの友人が去っていった場所で,同時に *sodade* が生まれた場所
でもあります」

　この口述はインタビュー対象者 D の *sodade* 観である（図 24, 25）.彼はサント・
アンタゥン島の港町ポルト・ノーヴォにある女性の銅像を例に *sodade* の説明をし
た.その女性の銅像は *sodade* のシンボルであると言及する.女性の名前は *Me Maia*
（母マイア）であり,夫が彼女と息子をサント・アンタゥン島に取り残した.それ
を嘆くように, *Me Maia*（像）は海へ向けてハンカチを振り,息子は悲しげな顔を
している（写真 29）.つまり,誰かが思い入れのある場所を去ることで *sodade* の情
感はあらわれ,島に取り残された者は海（*cretcheu* のシンボル）に対して特別な感
情を抱くこととなる.
　さらに,インタビュー対象者 D は, B. Léza のモルナの 1 節を挙げた.　"*O mar
bem dam conta di nha cretcheu k'um dia bai pa terra longe*"「海は *cretcheu* のことを教
えにくるよ.ある日遠くの地へ行ってしまう *cretcheu* のことを」.この節は *Me Maia*
像が描写している内容と一致している.彼はまた,「移住」は「遠い地へ行くこと
と同じ意味を示している」と語っている.サント・アンタゥン島民にとって, *Me*

Maia 像とモルナに関連している移住や旅立ちは，子供の頃から自然に成長していくプロセスにおいて *sodade* の情感を感じるだけでなく，モルナを聴くことによってさらにその特有の情感を感じている．

写真 29. ポルト・ノーヴォ港にある *Me Maia* 像.
（撮影地：サント・アンタゥン島，撮影年：2013 年，撮影者：青木敬）

図 26. インタビュー対象者 D の *morabeza* と *cretcheu* 観（原図）.

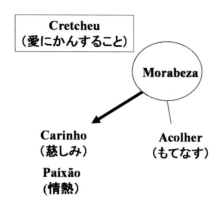

図 27. インタビュー対象者 D の *morabeza* と *cretcheu* 観（編集）.

　インタビュー対象者 D の *sodade* 観をあらわすコンセプト・マップには，*cretcheu* という単語がみられ，*sodade* と不可分にあることがわかる（図26）．しかし，彼が作成したコンセプト・マップに *cretcheu* 観はなく，*morabeza* と同じコンセプト・マップに描いている（図26，27）．その理由から，インタビュー対象者 D の *cretcheu* を著者が編集して四角で示している．したがって，四角で示されている *cretcheu* はインタビュー対象者 D の *morabeza* 観と重なっていることを意味している．

　この *morabeza* 観には，ほかのインタビュー対象者がたびたび *cretcheu* 観に関連させる「情熱」という単語がみられ，*cretcheu* はそのすべてを包含すると言及する．すなわち，「もてなす」精神や「慈しみ」とは *cretcheu* を示している．そのように考えると，これら3つの「複合的核概念」は互いにかかわりあった感覚であることが理解できる．

インタビュー対象者 E
（職業：弁護士，年齢：46歳，性別：男性）

　インタビュー対象者 E の場合，*sodade* を「郷愁」と「帰郷の意志」に関連させている（図28，29）．この郷愁についての説明を補足するために「カーボ・ヴェルデ人の生き様」や「島民の文化」，そして「場所や空間」（厳密に言えば，その場所の雰囲気）といった単語を挙げている．さらに，「カーボ・ヴェルデ人の生き様」や「島民の文化」，「場所や空間」を挙げているにもかかわらず，*sodade* は場所でなく，情感であることを明確に言及している．

　このインタビュー対象者は1990年から2002年までの12年間，ルクセンブルク，ポルトガル，オランダに住んでいた．彼によれば，これらの経験があったがゆえに，心情的により強い「郷愁」をほかの5つの関連語と離している．

図 28. インタビュー対象者 E の *sodade* 観（原図）.

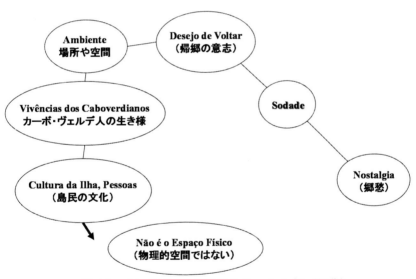

図 29. インタビュー対象者 E の *sodade* 観（編集）.

インタビュー対象者 F
（職業：高等学校のポルトガル語教師，年齢：60歳，性別：男性）

　インタビュー対象者 F は *sodade* との関連において「愛」を最も強調している（図30, 31）．彼はインタビュー中，「愛」を強調した理由を「恋人や子供，そしてカーボ・ヴェルデと惜別した」からであると口述している．彼にとって「距離」は「記

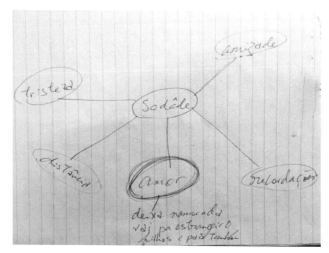

図 30.　インタビュー対象者 F の *sodade* 観（原図）.

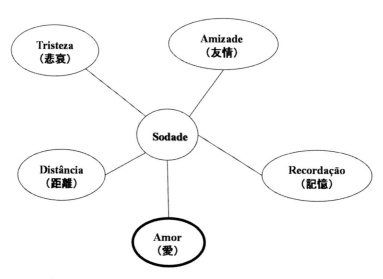

図 31.　インタビュー対象者 F の *sodade* 観（編集）.

憶」がもたらす家族や友人，そして「愛」との想い出や情感と連結したものである．
そしてそれが彼を悲観の念にさらしていると考えられる．
　したがって，この場合の *sodade* は，極めて悲観的側面をあらわしているように
思われる．それは Eugénio Tavares の時代に表現されていた *sodade* を想起させる．
すなわち，*cretcheu* や「距離」と関連した *sodade* である．

　インタビュー対象者 G は外国へ移住したことがない女子学生であり，そのような人が持つ sodade 観がどのようなものかは彼女のコンセプト・マップから一目瞭然である（図 32, 33）．つまり，sodade はすべてのカーボ・ヴェルデの人びとが抱く感情ではないということが指摘できる．しかし，sodade が「意志」や「願望」と関係しているからには，何かに対してそれらの想いを持っているはずである．そこで彼女の cretcheu 観をみることにする．

インタビュー対象者 G
（職業：学生，年齢：17 歳，性別：女性）

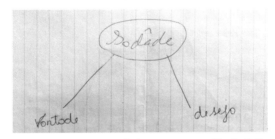

図 32. インタビュー対象者 G の sodade 観（原図）．

図 33. インタビュー対象者 G の sodade 観（編集）．

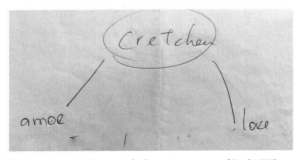

図 34. インタビュー対象者 G の cretcheu 観（原図）．

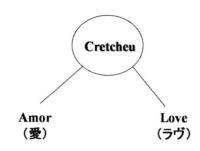

図 35. インタビュー対象者 G の *cretcheu* 観（編集）.

　Cretcheu のコンセプト・マップにも *sodade* と関連できるようなキーワードがなく（図 34, 35），インタビューでもその用語の意味を説明できるほど *cretcheu* が浸透しているようには思えない．さらに，*morabeza* については意味が難しく，わからないという回答を得た．彼女のコンセプト・マップで注目すべき箇所は *cretcheu* に関連して，「愛」や「ラヴ」と書かれていることである．実際は，英語の *love* という表現がもちいられていたが，英語の「ラヴ」とカーボ・ヴェルデ語の「愛」(*amor*) には相違がないようであった．すなわち，*cretcheu* もこれらふたつの単語と同様の意を成しているが，*cretcheu* という用語は古い表現であり，日常でもちいることはないと皮肉を込めながら断言していた．「再表現的モルナ」を含めたすべてのモルナには *cretcheu* がもちいられているにもかかわらず，青年期の若者にとって，そのことはさほど重要でないように見受けられる．事実，サン・ヴィセンテ島の若者にも同様のことが言え，モルナやほかの伝統的な音楽は好まず，その多くはズーク *zouk* と呼ばれるポップス[147] を嗜好している．この現象はインタビュー②の楽器奏者が語っている「モルナに興味を持っていない若者が多くいる」という発言を裏づける良い例である．また，歌手 Tito Paris はインタビューをつうじて若者のモルナにおける関心について次のように語っている．

　　　「カーボ・ヴェルデ人でモルナを聴かない人たちは自らの文化を知らないだけであり，恥であります．若者にはそのような傾向があるかもしれません．モルナはカーボ・ヴェルデの大事な遺産であり，尊いものなのです．それを知らないということは教養がないということです．しかし私の意見では，若者はモルナを聴かないにしてもモルナ自体が我々の成功の証であるため，尊重していることを信じています」（青木 2013）

---

147) アンゴラではキゾンバ (*kizomba*)，アンティル諸島の地域，あるいはカリブ海地域ではカーボ・ヴェルデ同様，ズーク (*zouk*) と呼ばれ，若者の間では流行している．

　モルナ歌手であるがゆえに，若者がモルナを聴かない，あるいはそれらに表現されている情感を理解していないという実態を好ましく思っていない，これが世代別に存在する「溝」である．しかし，モルナはカーボ・ヴェルデの人びとの世代間にある「溝」をなくすための「道具」として使われてきたはずであり，今後も使われていくであろう．モルナは「伝統」でもあり，カーボ・ヴェルデの国民が共有する文化遺産であることが重要な視点である．この主張を裏づけるために，ほかのコンセプト・マップをみる．

インタビュー対象者 H
（職業：作曲家・演奏家，年齢：32 歳，性別：男性）

　「私は *sodade* ［という表現］が嫌いです．どうしても私に苦悩をもたらします．私は苦悩を持ちたくないのです」（［］は著者による補足）．インタビュー対象者 H は *sodade* にかんしてこのように説明している．彼にとって *sodade* は存在せず（あるいは記憶しないようにしている），*sodade* という情感に対してネガティブな視点を持っている．それは，図 36, 37 にあるように，「過去」と関連させているからである．インタビューで彼は「過去からは何も学習できない．われわれは現在にのみ学習することができる．過去を思い出させるから私は昔の音楽を聴きたくない」と言及している．インタビュー対象者 H は恒常的に感覚を研ぎ澄ませ，新しいものを生産することで自発的に現在からのみ学ぶことを選択している．彼は「喜び」と「苦悩」がいかに *sodade* と関連づけることができるかについて触れている．

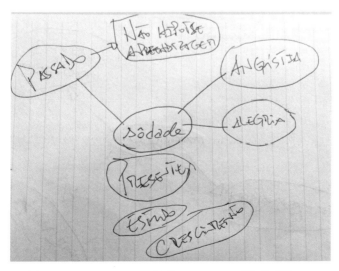

図 36. インタビュー対象者 H の *sodade* 観（原図）．

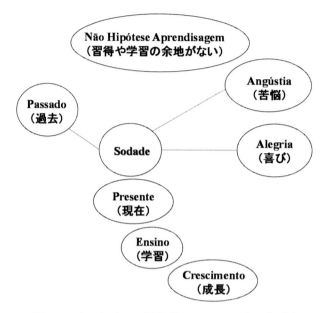

図 37. インタビュー対象者 H の *sodade* 観（編集）.

　「*Sodade* は歓喜とともに過去を想起させます．それはとても気持ちがいいもの
です．しかし，過去を思い起こさせるという事実自体が私に苦悩をもたらすのです．
したがって *sodade* は *sodade* を感じている人を後戻りさせるだけで，前進はさせな
いのです」．

インタビュー対象者 I
（職業：歌い手，年齢：29 歳，性別：女性）

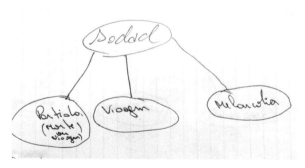

図 38. インタビュー対象者 I の *sodade* 観（原図）.

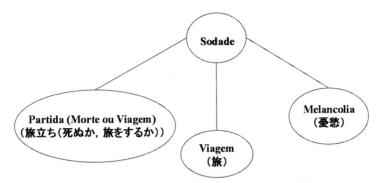

図 39. インタビュー対象者 I の sodade 観（編集）.

　すでに述べたように，インタビュー対象者 H の考えは，インタビュー③の歌い
手 F とインタビュー対象者 B に類似しており，「再表現的モルナ」の特徴である観
光客に向けて音楽を演奏することに関係していると考えられる.

　次に，インタビュー対象者 I の sodade 観をみることにする（図38，39）.「旅立
ちは今までカーボ・ヴェルデにあったものです. 仕事を探すために叔父がいなかっ
たり祖父母がいなかったりすることで sodade を感じるわけです. それは叔父や祖
父母は私に対して，私も彼らに対して，相互に sodade を感じ合うものです」. この
ように表現をするインタビュー対象者 I の sodade 観は，とりわけ家族に対する
sodade が強く，これを自身の経験をもとに語っている.

　　　　「母はルクセンブルクに 7 年間も住んでいたので離別していました.
　　　なので，母の代わりだった叔母，叔父，祖父母に育てられました. これ
　　　は sodade を感じる一例に過ぎませんが，私は結局，22 年後に母と再会
　　　したのです. 私も 4 年間リスボンに住んでいたので子供に対して sodade
　　　を感じました. なので，sodade はよく感じますし，旅立つ行為がその特
　　　別な感情を呼ぶのです」

　外国へ長期間滞在する，あるいは移住するということは当然のようにカーボ・ヴ
ェルデの人びとは経験しているため，これはインタビュー対象者 I だけに起きたこ
とではないだろう. 彼女が「外国へ行くことはカーボ・ヴェルデの人びとにとって
幻想であり，夢である」と言っている意味は，Manuel de Novas のモルナ，『外国は
夢想』で分析したとおりである. 夢想とは言え，カーボ・ヴェルデに残る家族が生
きていくために男性が出稼ぎに行くことは非常に多かった. 旅立ちによる sodade
は，多くのカーボ・ヴェルデの人びとが感じている.

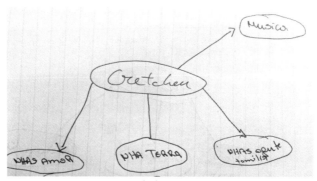

図 40. インタビュー対象者 I の *cretcheu* 観（原図）.

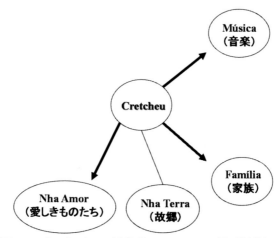

図 41. インタビュー対象者 I の *cretcheu* 観（編集）.

　インタビュー対象者 I のコンセプト・マップにおいて，*sodade*（図 39）の中に *cretcheu* という単語が見られず，*cretcheu*（図 40, 41）の中にも *sodade* という単語はみられない．しかし，その関連は，「愛しきものたち」や「家族」という単語から *sodade* との結束がみて取れる．*sodade* 観において口述していた，とりわけ家族に対して *sodade* を感じ，図 41 で「家族」は図中の *cretcheu* と線でつながっている．また，インタビュー対象者 I は *cretcheu* 観について説明する際に，*cretcheu* と *amor* を区別している．また，この説明は，図 41 の「愛しきものたち」をより具体的に話している．

　　「*cretcheu* は身体に根づいていて，つまり，ほとんど魂のような感覚です．その人の体内にあって，その人がいつまでも考えている人に対する気持ちです．私にとっては，*amor* よりもずっと強いものです」

　ここまで概観してきたインタビュー対象者の *sodade* 観と *cretcheu* 観から，*cretcheu* があるから *sodade* を感じているパターンが多い．別言すれば，単に移住が契機となり *sodade* の情感が内にあらわれるだけではなく，*cretcheu* を想えば想うほど *sodade* を感じやすくなり *sodade* が一層強くなると考えることができる．これにより，*sodade* と *cretcheu* のつながりが明らかになったと言える．したがって，次に *morabeza* により焦点をあて *morabeza* と *sodade*, *cretcheu* がどのような関係性にあるのかを検討する．

　インタビューでおこなったすべてのコンセプト・マップを照合すると，「複合的核概念」の中でもっとも資料が少ない *morabeza*（4 章 2 節（3）を参照）の意味が浮き彫りになる．それは，インタビュー対象者の共通した表現によって明確化される．すなわち，「思いやり」，「共感」，「真心」，「純粋さ」，「愛情のこもった」，「歓迎」，「もてなす」，「優しさ」といったイメージである．*cretcheu* にかんしては，「愛情のこもった」や「真心」，「優しさ」など多くの感情や行為が *morabeza* と類似していることは明らかである．反対に，*morabeza* におけるこれら多くの情感と *sodade* との連結は想像しにくい．*sodade* が心情として現れる最大の契機が移住であるとすれば，図 42 のように「外国」と「カーボ・ヴェルデ」の双方にて（つまり，どちらか一方の場所においてではなく）*sodade* の情感が現れることがわかる．

　Morabeza の場合，外国にも *morabeza* があるわけではなく，カーボ・ヴェルデにのみ存在すると言える．それは外国に渡ったカーボ・ヴェルデ移民が新しい環境下においても *morabeza* の精神を忘れずにいることも考えられるが，ここで問題にしていることは *sodade* と *morabeza* が起こる契機である．この契機に着目すると *morabeza* はカーボ・ヴェルデにのみ発生する（図 43 を参照）．

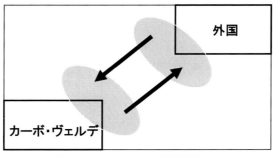

図 42. *sodade* の心情的空間.

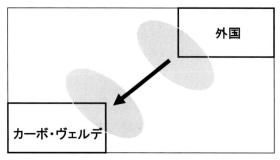

図 43. *morabeza* の心情的空間.

　しかし，図 42 と図 43 を見比べると，そこには類似性を見出すことができる．この概念が発生するために必要な条件に，「カーボ・ヴェルデ」と「外国」という場所が必要不可欠な要素を持っていることである．したがって，「カーボ・ヴェルデ」と「外国」という関係性がなければこの概念は存在し得ない．

　上では *morabeza* に焦点をあてたコンセプト・マップで共通した表現を取り上げたが，次にそれぞれのインタビュー対象者が記した個人による独特の単語を挙げると，「情熱」，「*cretcheu*」，「美しさ」，「従順」，「クレオール性」が特徴的であった．

　「情熱」と「美しさ」は *cretcheu* にも相当する表現であり，*morabeza* と *cretcheu* は愛情がこもった親切心の意味を内包しているという点では同じである．また，従順な態度で接するというニュアンスも *morabeza* には秘められており，*cretcheu* との密接な関係性がある．しかし，「クレオール性」は非常に曖昧な表現であり，具体的に何を指しているのかはインタビューからでは理解し得ない．*morabeza* 観のコンセプト・マップで「クレオール性」を記したのはパリに移住した歌い手（インタビュー対象者 J）である．

インタビュー対象者 J
（職業：歌い手，年齢：28 歳，性別：女性）

　カーボ・ヴェルデからの移民である彼女は，移民ならではの視点をインタビューで話しており，図 44，45 に記した「クレオール性」を次のように説明する．

　　　　「『クレオール性』とは，カーボ・ヴェルデ特有の語です．私はカーボ・
　　　ヴェルデの人びとにかんしてもちいる親切心や真心以外について，『ク
　　　レオール性』ということばを聞いたことがありません．したがって，
　　　morabeza は『クレオール性』のアイディアから生まれたのです．カーボ・
　　　ヴェルデの人びとは受け入れることに対して寛容であり，『クレオール
　　　性』は［われわれの］アイデンティティなのです．それは国民性という

ことばに置き換えることもできます．カーボ・ヴェルデに不親切で心を閉ざしている人ももちろんいますが，一般的にはカーボ・ヴェルデの人の家に行くときにみられる行為が *morabeza* です．彼らに食事に誘われないことは滅多にないですし，クリスマスに 1 人であれば，家族の輪に入れることは［カーボ・ヴェルデ人として］当然の行為です」（［　］は著者による補足）

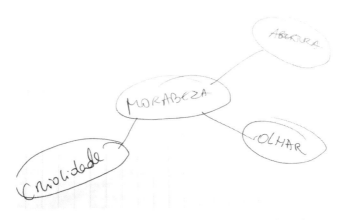

図 44. インタビュー対象者 J の *morabeza* 観（原図）.

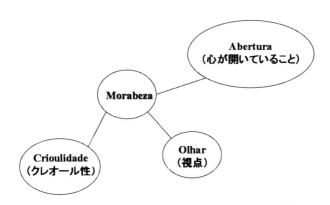

図 45. インタビュー対象者 J の *morabeza* 観（編集）.

インタビュー対象者 J がもちいる「クレオール性」とは，カーボ・ヴェルデ人としてのアイデンティティであり，その中に *morabeza* が包含されていると説明する．彼女は個人の経験に基づくもうひとつの例を挙げている．

　　「私は 8 歳も年下の弟がいます．彼は現在 20 歳で，アメリカ合衆国
で学生をしています．彼は［カーボ・ヴェルデを離れたことで］sodade[148]
を覚え，孤独を経験し，家族が身近にいない環境を理解し始めました．
はじめ，彼は西洋の価値観に憧れを抱き西洋らしさに価値を置いていま
した．しかし，カーボ・ヴェルデを離れ 1 年半が経ち，彼の抱いていた
考えが変わりカーボ・ヴェルデに目を向くようになったのです．
　　このようなプロセスを踏み，カーボ・ヴェルデの人びとは自国に対し
て価値を置くようになります．多くのカーボ・ヴェルデの人はこのよう
にして育ちます．それはすべて苦悩から生まれるものです．苦悩は，つ
まり sodade，物理的な距離，孤独を感じることであり，自国に対して価
値を置く感覚を形成するにおいて非常に重要なことなのです」（［］は著
者による補足）

　インタビュー対象者 J のインタビューからわかるように，自国に対して価値を置
くことは「複合的核概念」と密接に関係している．インタビュー対象者 J の発言を
理解すると，これらは移住や外国へ訪れることをつうじてカーボ・ヴェルデ人とし
て経験する成長の一貫であるようにさえ思える．第 4 章 1 節（3）の「詩人 Manuel
de Novas の時代」のモルナ，『クレオールの伝記』に「複合的核概念」の 3 つの用
語は 1 度も現れていないが，カーボ・ヴェルデの人びとが成長する様を実によく表
現している．その歌詞には「僕はこの地を去り，外国へ行った」とあり，その後で
「人生が変わって」，そして最後には「僕は幸せ／カーボ・ヴェルデ人として生ま
れて」と続いている．これらの段階は，確実にカーボ・ヴェルデの人びとの人生を
描いている．移住するということは成長することであり，それは苦しくとも自分の
アイデンティティに誇りと幸せを感じさせて（もたらして）くれるということを示
している．
　インタビュー対象者 J はカーボ・ヴェルデの人びとが移住する国を「カーボ・ヴ
ェルデの 11 番目の島」であると言及し，カーボ・ヴェルデではしばしば口にされ
る表現である．morabeza や sodade が成長をとおして身につけられていくと考えれ
ば，インタビュー対象者 H が sodade に対してネガティブな感覚を持ったことは成
長をつうじて sodade を理解しているからである．図 39 のインタビュー対象者 I が
描いた sodade 観をあらわしたコンセプト・マップをみるとインタビュー対象者 H
と類似しているが，より広い意味として捉えていることがわかる．彼女（インタビ
ュー対象者 I）は sodade がポジティブとネガティブのふたつの側面を持つと考える

---

[148] インタビューはポルトガル語でおこなわれたために，インタビュー対象者 J は
saudade と表現している．

が, *sodade* は過去の感覚ではなく現在の感覚として捉えている点においてインタビュー対象者 H とは異なる.

> 「*sodade* は伝統です. なので, その感覚を得るまでの間は心の中に悲しさしかありません. 幼い頃になぜ家族が遠くへ行かなれければならないのかなんてわかりません. しかしその一方で, 私たちは手紙を送り, 今であれば電話を使って関係を保っています」(インタビュー対象者 I)

インタビュー対象者 I は *sodade* から憂鬱や憂愁を感じ, インスピレーションを得ることで作詞できると言っている. モルナを含むカーボ・ヴェルデ音楽に表現されている *sodade* はインタビュー対象者 H の主張を覆す. そして, 彼女の主張は *sodade* が成長をとおして獲得されていくことを暗示している.

つまり, 「複合的核概念」の全体像をみると, その捉え方は人によって異なるが, 標準的な価値観の共有は存在し, それを内在化させていることがわかる. それはまた, インタビュー対象者 J の表現を借用すれば「クレオール性」とあらわすことができる. したがって, インタビュー対象者 I と J の言を総合すると「複合的核概念」の感覚はとりわけ「11 番目の島」へ赴くことによって得られるカーボ・ヴェルデの人びとが持つ共通の遺産であり, それは最初は悲観的感覚から始まり, 徐々に複合的（ポジティブであり, 同時にネガティブである）な *sodade* 独特な感覚へと変わる.

最後に「複合的核概念」に対してほかのインタビュー対象者とは別の視点を持つインタビュー対象者 H の *morabeza* 観について取り上げ, その反対の視点を持つインタビュー対象者 L の *morabeza* 観と比較し, 全体のインタビューを小活する. インタビュー対象者 H は *morabeza* のコンセプト・マップを描くことはなかったが, インタビューの形で快く受け入れてくれた.

彼によれば, *morabeza* とはビジネスを主とした商業主義的な行為である.

> 「マイオ島やサント・アンタゥン島のように何もない島に行けば *morabeza* を感じることはできるでしょう. 彼らは謙虚です. きっと家に招待される機会が多いことだろうと思います. しかし, 観光地となってしまった島には *morabeza* なんてありません. そこには, *sodade* も *cretcheu* も *morabeza* もないでしょう. 存在するのは偽善だけです. *Sodade, cretcheu, morabeza* は［観光客へ］売るための商品です. そこに情感や情感なんていうものはありません. ここで言う観光地は, ミンデーロ（サン・ヴィセンテ島の都市）, サンタ・マリア（サル島の都市）, ボア・ヴィスタ島そして首都のプライアです. プライア以外の村には *morabeza* が

あるでしょう．カーボ・ヴェルデの人びとは外国人にとってこれら3つ
の表現が魅力的であることに気がついたのです．われわれにとってこれ
らの表現は子供の頃によく聞かされた架空の夢のようなものです．今と
なってはビジネスです」（[ ] は著者による補足）

　このような「ビジネス」や「商品化」の話は確かにミンデーロやプライアで参与
観察をつうじてみることができ，反対にサント・アンタゥン島やサン・ニコラウ島
には純粋な意味としての「複合的核概念」が強く感じられた．著者は実際，サン・
ニコラウ島滞在中に初めて知り合った人の家に約 1 ヶ月間住み，お金を求められ
ることもなく，快く部屋を提供してもらった経験がある．また，サント・アンタゥ
ン島にかんしてはインフォーマントに，別に持っていた家屋の一室を貸してもらい，
毎日彼らの家で昼食・夕食を提供してくれたことがあり，著者が借りていた部屋ま
で 20 分ほどの道のりを毎日徒歩で送ってくれた．このような行為が *morabeza* の姿
である．サント・アンタゥン島のインフォーマントは，上ですでに取り上げたイン
タビュー対象者 B と彼の妻であるインタビュー対象者 A である．彼らのコンセプ
ト・マップを図 46〜図 49 に挙げることにする．

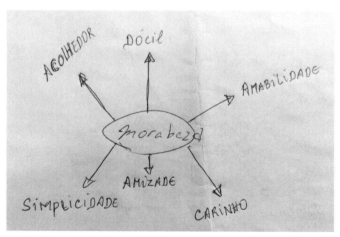

図 46. インタビュー対象者 B の *morabeza* 観（原図）．

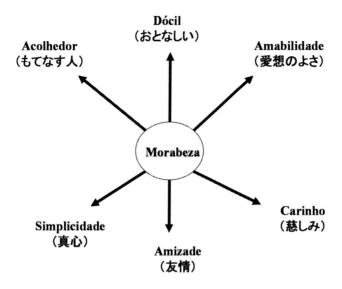

図 47. インタビュー対象者 B の *morabeza* 観（編集）.

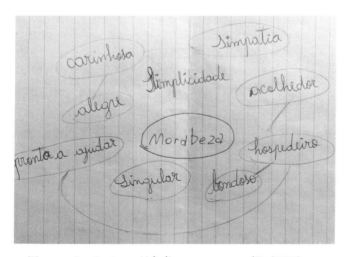

図 48. インタビュー対象者 A の *morabeza* 観（原図）.

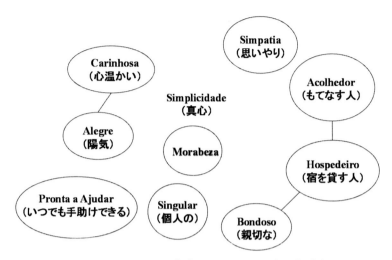

図 49. インタビュー対象者 A の *morabeza* 観（編集）.

　これらふたつの図にあるすべての表現に注目すると，ここまでみてきた *morabeza* の意味を示していることが容易に理解できる．しかし，これらの行為はミンデーロにはなく，プライアでも感じることは限りなく少なく，優しさの裏には必ず見返りを求めるような場面が多かった．それはインタビュー対象者 H が言及する「ビジネス」を意味しているように思われる．また，インタビュー対象者 K も非常に類似した視点を持っている（図 50, 51）．

インタビュー対象者 K
（職業：歌い手・作詞・作曲家，年齢：51 歳，性別：男性）

　インタビュー対象者 K は，インタビュー対象者 J のようにパリ[149] に移住しており，サン・ニコラウ島出身のカーボ・ヴェルデ人移民である．注目したい単語は「観光・マーケティング」であり，これに対してインタビュー対象者 H と同様の視点を持っている．しかし，彼の場合，多くのモルナを作詞し，自ら歌ったり，Évora のような多くの著名なカーボ・ヴェルデ人歌手に楽曲を提供したりしている．このことを考えれば，当然，彼のモルナには「複合的核概念」が表現されている．インタビュー対象者 K は，第 5 章で取り上げた Teófilo Chantre であり，彼はモルナ『次世代』[150] を作詞・作曲し，歌手 Mayra Andrade とともに歌っている．『次世代』に

---

[149] Évora がパリでデビューしたことから，カーボ・ヴェルデの人びとにとってパリは生きるための重要な地である．

[150] 『次世代』は「伝統モルナ」ではなく，「再表現的モルナ」である．

marcketing
turismo
morabeza
nobreza da alma

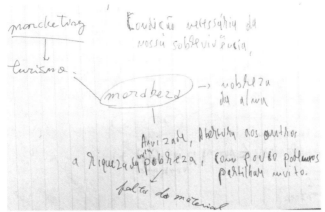

図 50. インタビュー対象者 K の *morabeza* 観（原図）.

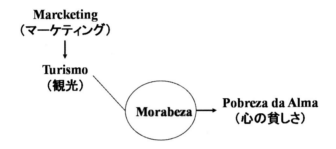

Marcketing
（マーケティング）
Turismo
（観光）
Morabeza
Pobreza da Alma
（心の貧しさ）
Amizade, Abertura aos Outros.
A Riqueza da Pobreza, Podemos Partilhar Muito
（友情・貧困の中にみられる富・他人に心が開いていること・
多分に分かち合えること, 共有する力）
Falta do Material
（物資不足）

図 51. インタビュー対象者 K の *morabeza* 観（編集）.

は,「*sodade*」と「*morabeza*」,「アイデンティティ」,「クレオール」,「カチュパ」[151]（写真 30）など，ほかにもアイデンティティを示す多くの単語がある．モルナの

[151] カチュパ (*catchupa* または *katchupa*) とは，ひよこ豆とチョリソーに目玉焼きをのせたカーボ・ヴェルデの伝統料理である．

写真 30. カーボ・ヴェルデの伝統料理，カチュパ.
(撮影地：サンティアゴ島，撮影年：2013 年，撮影者：青木敬)

歌詞のみを分析した場合，これらの単語が「ビジネス」のためであったことは理解できなかった．

　しかし，インタビューをつうじて話を聞くと，現実世界における *morabeza* について明らかになった．それはコンセプト・マップに記されている「精神の *morabeza*」や「貧困の中にみられる富」が鍵となる．カーボ・ヴェルデは教育の面において恵まれており，それがモルナを作詞する行為にもつながった．

　つまり，クレオール語が無文字社会から書記言語がもちいられる社会へ変化したことであり，ポルトガル語教育の促進や学校建設も比較的早い段階になされた．

　その一方で，カーボ・ヴェルデは不毛の地であり，飢饉や干ばつなど食料や水などの生きる際に必要となる資源や食料源にかんしては非常に貧しかった．その貧しさから生まれた分かち合いの精神が *morabeza* である．あるいは，Teófilo Chantre によれば，それが「精神の *morabeza*」，つまり非商業主義的という意味での「真の」*morabeza* である．

　もう 1 点着目したいことは彼が若かった頃にはセレナータがあったと言及していることである．カーボ・ヴェルデにおける「セレナータ」とは，愛しき人 (*cretcheu*) の住む家の前（あるいは彼女の部屋の窓の側）でモルナを歌うことだった．59 歳のパーカッショニストはセレナータを演奏していた頃を思い出し，現在と比較しながら語っている．

　　　「『4 月 25 日』，つまりカーボ・ヴェルデが独立する前の時代にあった風習は今とは異なります．昔は思いを寄せる女性を誘うダンスパーティーというものがありました．あの時代は伝統としてセレナータがありました．

　　　私は弟と友人を誘いセレナータに参加したことがあります．それは出
　　会いのためでした．セレナータは伝統に従い，ギター，カヴァキーニョ，
　　パーカッションなどを持って夜明けに歌うのです．もし，移住する人が
　　いたり，乗船する人がいたりすれば，惜別のセレナータをします[152]．人
　　は去り，戻ってくることはありません．セレナータをするときは相手の
　　家の扉は叩かず，窓の下で演奏を始めます．そしてその女性は静かに音
　　楽に揺られるのです．」（パーカッショニスト，59 歳，男性）

　セレナータで歌われていたモルナには，Gonçalves (2006: 97) が言及しているよ
うに，しばしば B. Léza のモルナがもちいられていた．「大勢の人びとは師匠（B.
Léza のこと）を訪ね，『cretcheu』に向けた美しい，特別なモルナをセレナータのた
めに作ってもらうように頼んでいた」．これがすでに論じた Tavares の時代から継
承されてきたロマンチックなモルナである．セレナータが失われた理由は法律によ
って禁止されたためだという説もあるが，電子音楽の導入と独立後の生活習慣によ
る変化[153]と考える方が論理的である．
　したがって，Teófilo Chantre が記す「精神の morabeza」や「貧困」という表現に
は，セレナータのような cretcheu に対するモルナも関係することがわかり，
morabeza と sodade の間にも関係性があることを示している．そして，問題視され
ている「観光」や「ビジネス」については Teófilo Chantre の証言から理解する限り，
現在の音楽のあり方，とりわけ「複合的核概念」の商業化・商品化として捉えるこ
とができる．
　しかし，その一方でインタビュー対象者の大多数が示しているように，「複合的
核概念」は観光業や商業主義といった産業音楽の波に飲み込まれたと言い切ること
もできない．インタビュー対象者 L はビジネスや伝統音楽について示し，それが
現在のカーボ・ヴェルデの人びとのアイデンティティと結びついていることを強調
している．
　インタビュー対象者 L は，ほかのインタビュー対象が主に記した表現以外に，
「アイデンティティ」や「カーボ・ヴェルデ」という単語を示している（図 52, 53）．
彼が描いた sodade 観（図 54, 55）や cretcheu 観（図 56, 57）にも同様のことが記さ
れている．

---

152) Tavares の『惜別のモルナ』はセレナータの形式で，頻繁に歌われていた．
153) 独立後のカーボ・ヴェルデの町には電気が徐々に一般家庭に普及され始め，イ
ンフラの整備など，より近代的に変化した．このような「便利な」生活や独立した
ことによる近代化の促進がセレナータが伝統として失われた理由であると説明す
るカーボ・ヴェルデの人びとが多数いる．

インタビュー対象者 L
（職業：航空整備士，年齢：42 歳，性別：男性）[154]

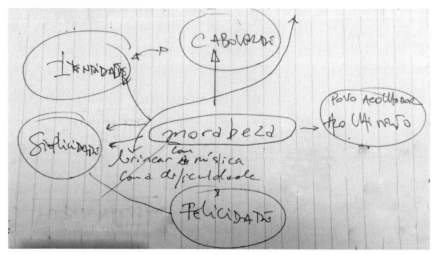

図 52. インタビュー対象者 L の *morabeza* 観（原図）．

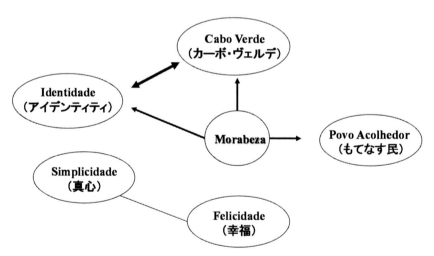

図 53. インタビュー対象者 L の *morabeza* 観（編集）．

---

[154] インタビュー対象者Lのコンセプト・マップには，著者によるメモが日本語で
記されており，インタビュー対象者Lによるものではない．

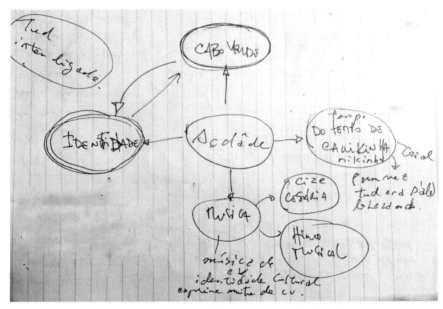

図 54. インタビュー対象者 L の *sodade* 観（原図）.

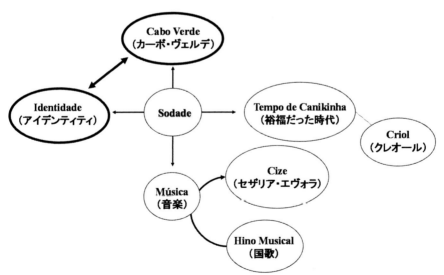

図 55. インタビュー対象者 L の *sodade* 観（編集）.

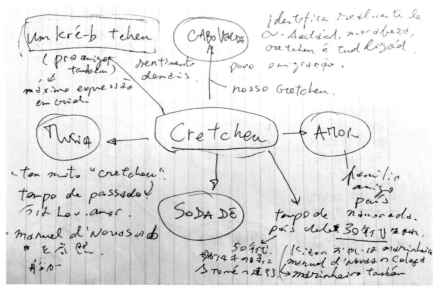

図 56. インタビュー対象者 L の *cretcheu* 観（原図）.

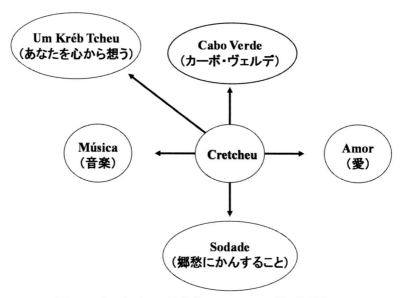

図 57. インタビュー対象者 L の *cretcheu* 観（編集）.

　さらに，3つのコンセプト・マップに「複合的核概念」は相互にかかわっており，間接的につながっている．*morabeza* 観（図 53，54）と *sodade* 観（図 55，56）は「アイデンティティ」で結ばれており，*cretcheu* 観（図 57，58）に *sodade* や音楽

があり, *sodade* と密接な関係にある. このように考えれば, インタビュー対象者 L の「複合的核概念」の基盤には *sodade* があり, そこから *morabeza* と *cretcheu* が結束されている.

　また, インタビュー中, 彼は「モダン」に変化し始めている音楽には前向きであり, なぜなら自国の音楽が発展できるからだと述べている. 彼は, 高度な技術や外国から輸入できる機材などさまざまな点において現在にみられるカーボ・ヴェルデ音楽を賛美している. つまり, 商業を目的とした音楽を美化するわけではなく, 純粋に音楽の発展や技術の向上の必要性を主張している. 伝統音楽を取り巻くこの変化の産物こそが「再表現的モルナ」である.

　したがって, 「再表現的モルナ」で商品化された「複合的核概念」が表現されているとしても, 同時にそれはカーボ・ヴェルデの人びとの伝統継承の手段であるとも言える. その一方で指摘できることは, カーボ・ヴェルデの主な観光地以外に, モルナの歌詞にあらわれているような意味として「複合的核概念」は存在するという点である.

　ここまで論じてきた「複合的核概念」をまとめることにする. インタビュー対象者 12 人によるコンセプト・マップをもちいながら「複合的核概念」を分析したことにより, *sodade, cretcheu, morabeza* を可視化した. その可視化を分析した結果, それぞれの「複合的核概念」には次のような要素が含まれていることが理解できる（表 9, 10, 11）.

表 9. *sodade* に含まれる要素

主要要素	特徴
アイデンティティ	カーボ・ヴェルデ人の生き様, 結束, 調和, 島民の文化, クレオール
感情・情感	愛, 憂愁, 願望, *sodade* を感じる幸せ, 苦痛, 喜び, 孤独, 悲哀, 友情, 帰郷の念
移住関係	旅立ち, 距離, 海, より良い生活
場所・空間	外国, 物理的空間ではない, カーボ・ヴェルデ, 水平線, 欠如, 空虚
時間	過去, 現在, 記憶, 裕福だった時代

表 10. *cretcheu* に含まれる要素

主要要素	特徴
アイデンティティ	神，故郷，音楽，カーボ・ヴェルデ
感情・情感	夢中になること，思い出，*sodade*，苦しみ，誰かを想う，モルナに対する*cretcheu*
人	妻，パートナー，家族，友人
愛	あらゆる愛，心，ロマンティシズム，ラヴ (*love*)，家族を作ること
ビジネス	責任，投資

表 11. *morabeza* に含まれる要素

主要要素	特徴
アイデンティティ	クレオール性，カーボ・ヴェルデ
感情・情感	真心，心が開いていること，精神，幸せ，共有する力，優しさ，情熱，美しさ
ホスピタリティ	受け入れること，世話をする，分かち合う，物資不足，宿を無料で貸す人，いつでも手助けをする，観光

　これらの要素は，カーボ・ヴェルデの人びとの日常において感じられている「複合的核概念」のイメージである．いずれの概念にも「アイデンティティ」と「感情・情感」をあらわす要素が包含されていることから，「複合的核概念」がカーボ・ヴェルデの人びとが持つ重要な情感であることがわかる．一方で，ほかの欄はそれぞれの特徴を示していると言える．*sodade* の場合，「移住関係」や「場所・空間」，「時間」の要素がみられ，ほかの概念にはみられない．同様に，*cretcheu* では「人」，「愛」，「ビジネス」を特徴とし，*morabeza* では「ホスピタリティ」が，現在におけるそれぞれの概念にみられる特有の要素である．

　反対に，「複合的核概念」が共有している点は「感情・情感」と「アイデンティティ」であることも明らかである（図58）．

　コンセプト・マップから浮かび上がったこれらの要素の多くは，モルナをつうじて歌われているにせよ，必ずしもモルナのテーマと一致しているわけではないことを指摘しなければならない．「複合的核概念」のうち，とりわけ議論の中心となっ

た *cretcheu* の商品化は現在巻き起こっている現象であるため，かつてのモルナの歌詞を多くもちいている「再表現的モルナ」の歌詞からは見出しにくい．

　コンセプト・マップをもちいたことにより，「再表現的モルナ」がジャズやボサ・ノヴァといった世界的に有名な音楽ジャンルの音を取り入れたことによって（インタビュー③の歌い手Ｆを参照），外国の人（とりわけ観光客）を中心により多くの人に受け入れられるように音楽家が工夫していることが考えられる．

　したがって，「複合的核概念」がカーボ・ヴェルデの観光地（島で言えば，サル島，ボア・ヴィスタ島，サン・ヴィセンテ島，サンティアゴ島）において商品化され始めているという事実は無視できない．

　「複合的核概念」においても，とりわけ *cretcheu* は消滅の危機にあり，もはや日常ではもちいることが滅多にない．その一方で，モルナの歌詞に *cretcheu* がたびたび現れているという意味では人びとの日常で聴かれるモルナをとおして継承されるている．実際は，現在の *cretcheu* に Eugénio Tavares 時代のロマンチックなモルナを感じ取れる人は少数で，観光都市では，なおさらこの傾向は顕著であろう．

　また，*sodade* と *morabeza* の情感や精神は観光地以外の村にはとくに多くみられる．とりわけ *sodade* は観光地であろうがなかろうが，表9で「移住関係」や「場所・空間」と記されているように，多くの場合カーボ・ヴェルデの人びとは *sodade* を感じている．なぜなら *sodade* は母国を記憶する手段であり，そのような共通の意識を持つ役割を担っているからである．

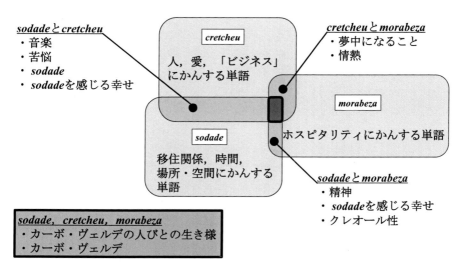

図 58. 現代における「複合的核概念」の意味と関係性.

　「複合的核概念」の中でも歴史がもっとも古い *sodade* の場合（モルナが 18 世紀に形成されたと定義すれば 300 年ほどの歴史がある），商品として「売られる」と同時に（音楽をつうじて商品化されることが多い），メリスマの身体行為をつうじて伝統の「再表現」を促している．また私生活の中で *sodade* はこれからもモルナをとおして，カーボ・ヴェルデの人びとの文化構築に重要な役割を担っていくだろう．

　これが現在の日常において島民の間で共有されている複合的概念の姿である．本章の分析をとおして日常における「複合的核概念」とモルナの歌詞をつうじて表現される「複合的核概念」とは，それらの意味に差異があることが明確になった．

4．小活

　本章では，*sodade, cretcheu, morabeza* を「複合的核概念」として捉え，その「複合的核概念」にかんする分析をするために大きくふたつに論点をわけた．

　前半はモルナの伝播を概観し，「複合的核概念」の変遷やモルナの変容について分析した．モルナはまずボア・ヴィスタ島から始まり，次にブラヴァ島へ伝播し，最後にブラヴァ島とボア・ヴィスタ島からそれぞれサン・ヴィセンテ島へ伝わったという事実は，第 5 章 1 節で確認したとおりである．ボア・ヴィスタ島における *sodade* は奴隷による心的苦痛の現れであり，同時に社会に対し批判的，風刺的であった．しかし，ブラヴァ島にモルナが伝播し，*sodade* が 19 世紀に同島へ伝わる中で，モルナはブルジョワや上流階級者によるサロン音楽へと変容した．ポルトガルのロマン主義から多大な影響を受けた Tavares は，そのサロン音楽の形式を持つモルナに悲観や切なさなど感情をあらわす *sodade* をモルナに取り入れた．その新しい形式のモルナは Tavares によって初めてクレオール語で作詞され，*cretcheu* が表現されるようになる．愛の表現である *cretcheu* が誕生した背景にはポルトガルのロマン主義による影響があったことは否めないが，クレオール（カーボ・ヴェルデ人）としてのアイデンティティを表象するためのポリティカルなものだった．しかし，*sodade* や *cretcheu* の表現は，とりわけカーボ・ヴェルデの人びとによる強烈なディアスポラによってモルナをつうじて大衆にも広まり，それが共有されることにより，カーボ・ヴェルデのクレオール・アイデンティティが確立することに成功した．すなわち，移住による物理的な距離がカーボ・ヴェルデに残された人に *cretcheu*（恋人や友人，生まれた島など）を想わせ，*sodade* の心情を芽生えさせた．それは移住する人にも同様のことが言え，これらの関係は相互的であった．この *Morna-Sodade* は多くのカーボ・ヴェルデの人びとが現在認識しているモルナであり，彼らはこれを「伝統モルナ」と呼んでいる．現在，文化都市として栄えているサン・ヴィセンテ島において，とりわけ Tavares の影響は多大であった．そして 1930 年代以降モルナが大衆的に広まり，地域的でなく国レベルへと発展した．サン・ヴィセンテ島

のモルナは *Morna-Sodade* のほかにも，船乗りが伝えたボア・ヴィスタ島の風刺的モルナの影響から風刺を特徴とする「批評的モルナ」が B. Léza によって誕生した．

　カーボ・ヴェルデが 1975 年に独立する直前から，電子楽器をもちいた音楽が多くの国のようにカーボ・ヴェルデで大流行となり，レコードや CD，テレビ，ラジオ，飛行機などの機器が徐々に日常生活に入り込んだ．独立により，カーボ・ヴェルデは共和国となり，国の発展に伴い，少しずつではあるが経済的により豊かな生活を歩むようになる．そしてカーボ・ヴェルデ文化，とりわけモルナを世に知らしめた Évora が著名になったことでカーボ・ヴェルデにとって経済的にもっとも重要な資金源となる観光業・観光化が生まれた．

　後半は，モルナが伝播されるたびに，その形態（形式や演奏する人）が変化したことを踏まえたうえで，「複合的核概念」の表現方法やその意味について，そして現在における「複合的核概念」における認識論的分析をおこなった．この分析によって「複合的核概念」がどのような形態で現存しているかを示すことができた．すなわち，現在，観光業によってさらなる発展を遂げているサン・ヴィセンテ島の都市ミンデーロやサンティアゴ島の都市であると同時に，カーボ・ヴェルデの首都であるプライアにかんしては，「複合的核概念」が商品化され始めている．とりわけ "cretcheu" という商品はジャズやボサ・ノヴァを取り入れる傾向にある「再表現的モルナ」をつうじて観光客に観光文化として売り出されている．独立後の社会や観光業が盛んになっている現代の社会では *sodade* が悲観的側面を映し出しているように思われた．したがって「再表現的モルナ」をつうじて音楽家は *sodade* の悲観的側面を回避しようと試みていることが解釈できる．回避するという行為は *sodade* をより歓喜的にすることを意味し，それは観光客をターゲットとした観光と商業を目的としたものである．しかしその反面，上記の島や主要都市以外の島や村にはモルナの歌詞にみられた *sodade* と *morabeza* の情感が感じられ (*sodade*)，その行為が営まれ (*morabeza*) ている．

　さらに，観光化が促進する中で *sodade* は「伝統モルナ」にも「再表現的モルナ」のいずれにも伝統として表現されており，その根拠をふたつ挙げることができる．ひとつは，Tavares や B. Léza によって書かれた詩が現在の「再表現的モルナ」に使われているためである．これはモルナがカーボ・ヴェルデにおける歴史の表象であることを物語っている．したがって，多くの音楽家が *sodade* の悲観的側面を音楽に反映させることで回避しているとしても，カーボ・ヴェルデの人びとは *sodade* の悲観的側面を伝統文化として継承していると解釈できる．もうひとつは *sodade* がメリスマをつうじて表現されていることである．メリスマはカーボ・ヴェルデの人びとが価値を置いているものである．*Sodade* のあらゆる要素はメリスマに包含されている．さらに，この身体表現の方法はボア・ヴィスタ島の奴隷が顕にしていた *sodade* から派生されていると考えることも可能である．

　「複合的核概念」の意味をその契機や要素などの背景から理解することを試みた．そして，より正確に「複合的核概念」を捉えるためにおこなったコンセプト・マップからは次のような独特の要素がそれぞれの概念において示されている．

　まず，*sodade* の場合は「旅立ち」，「距離」，「海」，「より良い生活」などの移住関係や「外国」，「カーボ・ヴェルデ」[155]，「空虚」，「欠如」などを含む場所・空間，最後に *sodade* が時間的に過去と現在に存在（「時間」）していることが見て取れた．

　次に，*cretcheu* の場合は家族や友人など「人」を指すほかに，あらゆる愛，心，ロマンティシズム，ラヴ (*love*) を意味する「愛」がある．「ラヴ」が示しているように，英語の影響がみられ，世界の音楽産業のようにしばしば英語[156]がもちいられている．つまり，「ラヴ」が暗示しているようにモルナにおける愛の概念が変わろうとしている，または失われ始めている．また，*cretcheu* には「責任」，「投資」の要素を持つ「ビジネス」もみられた．つまり，*cretcheu* は観光と商業をつうじてみることができるが，とくにモルナをとおして発信されていることは明らかである．

　最後に，*morabeza* の場合は「受け入れること」，「世話をする」，「分かち合う」，「物資不足」，「宿を無料で貸す人」，「いつでも手助けをする」，「観光」と関係している「ホスピタリティ」がその独特な要素であると言える．

　モルナの歌詞にみられなかったこれらの要素は，カーボ・ヴェルデの人びとの日常において感じられている「複合的核概念」の捉えられ方であるが，これら3つの「複合的核概念」にはそれぞれが重なり合っている点もある．すなわち，「アイデンティティ」と「感情・情感」をあらわす要素が包含されていることである．

　したがって，モルナをつうじて表現される「複合的核概念」とカーボ・ヴェルデの人びとの日常生活において表現される「複合的核概念」は不可分の関係にあるものの，*cretcheu* にかんしてはモルナの歌詞に顕著にみられるが，日常ではもちいないことが明らかになり，歌詞と日常における「複合的核概念」の意味に大きな差異がみられた．反対に，*sodade* や *morabeza* といった概念はカーボ・ヴェルデの人びとの身体に根づいており，寂しさや嬉しさ (*sodade*)，ホスピタリティ (*morabeza*) などの経験や記憶を繰り返すことで成長とともに形成されていく情感であることが明らかになった．一方，いずれの「複合的核概念」もモルナの音楽文化としての構築に必要な要素を有しており，現実世界でも商業主義的側面に利用されている，極めて重要な役割を担っている．

---

[155] 原文には「国」や「地」と記されているが，「生まれた地」あるいは「カーボ・ヴェルデ」を指している．

[156] 英語圏以外の国の音楽産業にも *love, baby* などの単語が頻繁にみられる．

結論

　本研究は，ポルトガル語系クレオールを濃厚に映し出すカーボ・ヴェルデの人び
との複合的なアイデンティティを歌謡モルナの混質的側面から明らかにした．とり
わけモルナの変遷過程および構造に着目することによって，現代社会に際立つ異言
語文化接触における意味を提示した．また，本研究で論じているクレオール語やク
レオール文化はそれぞれの研究領域（言語学・人類学）において意義が見出されて
いるが，それらを包括的にクレオール・アイデンティティという視点からみたとき
に，初めてその意味や意義がグローバルな枠において重要性を持つことを示した．

本研究の姿勢・視座

　カーボ・ヴェルデにおけるクレオール・アイデンティティが何か，という問いに
ついて考えを巡らせる際に重要なことは，民族，言語，文化がどの時代に，どのよ
うな社会状況において形成されたかを理解することである．なぜなら，カーボ・ヴ
ェルデ自体が無人島にあらゆる「人」が収束したことによって築き上げられたから
である．Quint (2000) と Couto (1992) によれば，クレオール語は 15, 6 世紀にはす
でに話されていた．Davidson (1989) によれば，「カーボ・ヴェルデ人」は 1700 年
頃に形成された．カーボ・ヴェルデ音楽文化の中で唯一，カーボ・ヴェルデ全島で
共有されているのはモルナであり，音楽文化は言語と民族が形成された数世紀後の
19 世紀末に生成される．クレオール語＝カーボ・ヴェルデ語が 15, 6 世紀に話さ
れ始め，歴史を作り上げる複雑なプロセスを経て，ようやく 18 世紀に一民族とし
て「カーボ・ヴェルデ人」が生成された．しかし，クレオール・アイデンティティ
を確立するためには，島民によって共有される文化の要素およびポリティカルな意
味での「アイデンティティ」が必要であった．その根拠は次のとおりである．

　まずは，共有する行為の特徴のひとつとして，ある集団の人びとを収斂させる潜
在性をもっていることが挙げられる．つまり，収斂するためには共有できる文化が
必須であり，同様のことが言語にかんしても言える．

　次に，「ポリティカルな意味でのアイデンティティ」が必要であった理由である．
カーボ・ヴェルデの人びとがコロニアリズムの時代に必要としていた「アイデンテ
ィティ」の形，または鍵となる語とは，統合性であった．たとえば，島々で孤立す
るのではなく，「カーボ・ヴェルデ」という単一性を求めることである．カーボ・
ヴェルデの人びとの場合，島民のために，クレオール語という言語の使用を決断し
たと同時に，その言語の普及のためにモルナという音楽文化をもちいた．

　これらふたつの文脈においてクレオール・アイデンティティが築き上げられた．それは，「日本人」のアイデンティティや「イタリア人」のアイデンティティと言うのと同じように，現代では，多くの地域が統合された結果，地域性に富んだ国は多い．これは自明のことである．ポリティカルな文脈で語れば，カーボ・ヴェルデの「クレオール・アイデンティティ」とは，それ自体がイタリアやフランスなど，多くの国における「アイデンティティ」と類似した意味としても捉えられる．しかし，反対に，その特異性とは，カーボ・ヴェルデが「クレオール」という国家でない点にある．「クレオール・アイデンティティ」というのは，カリブ海地域にも，東南アジアやアフリカなど，さまざまな地域に生じうる，あるいは存在しうるものである．本研究では，他地域におけるクレオール・アイデンティティは対象としていないため，ここで詳細に述べることはしないが，「クレオール」と呼ぶ／呼ばれる人びとがどのような歴史を経て，どのような文化構築を果たしてきたのか，そしてその現代的意義が何かなど，より一層追究していくことは不可欠である．いずれにせよ，カーボ・ヴェルデの人びとが「クレオール・アイデンティティ」を形成したことは，島民個人におけるアイデンティティではなく，島民が国家という「形」が必要であったことから始まり，その経緯の中で奴隷制社会とコロニアリズムにおける異種混淆性とクレオールの現象の理解に努めた姿勢が本研究の重要な点である．また，これらの歴史的経緯で，もうひとつ重視すべき時間は共時性，すなわち現在である．カーボ・ヴェルデ史の中で継承され，構築されてきた文化が，現実では，どのような姿へと変化しているのか，あるいは今後変化させようとしているのだろうか．これが本研究におけるもうひとつの主要な点である．

クレオール・アイデンティティの形成

　モルナが形成された 19 世紀末は偶然にも奴隷制度が廃止された 1878 年と重なる．その後，モルナは詩人 Eugénio Tavares によってポルトガル語ではなくクレオール語で作詞され，20 世紀初頭には全島に伝達された．これが意味することは，上記したように，カーボ・ヴェルデの人びとが収束し，初めて文化を共有できたことである．モルナに表現されていた *sodade* と *cretcheu* は島民を収斂するための重要な要素であった．さらに，これらの要素は時代の移り変わりとともに，さまざまな音楽家 (i.e. B. Léza, Manuel de Novas, Cesária Évora) によって継承された．したがってカーボ・ヴェルデの人びとのクレオール・アイデンティティの確立には，次の 3 つの条件が必要であった．

　　① 　19 世紀末に Tavares がモルナの歌詞をクレオール語で綴ったこと．
　　② 　奴隷制時代が廃止された後に，モルナが民衆の間に普及されたこと．

③　重要な感性，情感または概念であった *sodade* や *cretcheu*（*morabeza* は，*sodade* や *cretcheu* が表現され始めた数十年後に初めてもちいられる）が島民の共通意識として共有可能であったこと．また，それを共有可能とした背景には，強大なディアスポラと自然災害があったこと．

　これらの根拠と要因から，クレオール・アイデンティティは 19 世紀末から 20 世紀初頭にかけて確立されたと言える．それはポルトガル帝国に対する Tavares の抵抗がもたらした結果であり，ポリティカルな運動であった．また，コロニアリズムにおいて生成された「クレオール」として特徴づけられる「負の遺産」を払拭する契機に結びつけることを可能としたのである．

クレオール・アイデンティティの実態

　上の論点は，クレオール・アイデンティティが確立される背景にかんするものだった．次の問いは，カーボ・ヴェルデの人びとがクレオール・アイデンティティを確立させるために重要であった文化的要素，すなわちモルナは，その後どのような変遷を遂げ，島民はモルナ自体をどのように構築していったのだろうか．

　これの答えとして 2 点挙げられる．

　第 1 に，モルナにさまざまなタイプが認められたことであり，クレオール・アイデンティティを確立するためのモルナとはいえ，多様なタイプが存在したからこそ，各島に帰属していたカーボ・ヴェルデの人びとを統合することができた．そのモルナとは，政治的戦略として意図されたものではなく，漁師がモルナを伝播し，詩人や音楽家などのブルジョワの人びとが伝達し，一種の成り行きで作り上げられたモルナである．

　第 2 に，これまで語られてきたようなモルナが「伝統」として認識されている中，21 世紀には，一部の島民にとっては「伝統」と呼べない形のモルナがあらわれた．これは，ブラジルのボサ・ノヴァやジャズなどの音楽ジャンルで使われる音をモルナに組み込むといった新しいモルナである．しかし，モルナの歌詞自体は「伝統」に従っているものが多い．このような特徴をもつモルナを，「再表現的モルナ」と呼んだ．「再表現的モルナ」の音楽的特徴は上記のとおりだが，この種のモルナは島民と観光客に向けて歌われている点が最大の特徴である．すなわち観光文化としてのモルナが，カ　ボ・ヴェルデを経済的に支えている観光業において利用されてきている．

　本研究の切り口となったみっつの情感／概念——*sodade, cretcheu, morabeza* は，観光と密接に結びつけられている点で現在における意義が認められた．これらの各情感／概念には，ふたつの機能がある．つまり，語としての意味と情感としての意味である．たとえば，語としての *sodade*（*cretcheu, morabeza* にも同様のことが言える）は，ポリティカルな文脈において重要であり，情感としての *sodade*（*cretcheu, morabeza*）というのは身体的に表出されうるもの，すなわち表現方法として不可欠

である．それは，カーボ・ヴェルデにみられる日常的な生活やカーボ・ヴェルデの風，海，波，太陽，匂い，清涼，灼熱などのさまざまな自然と感覚，あるいは私生活にみられる語りのリズム，生活のリズムなどのさまざまなリズムをつうじて，記憶が哀愁を生み，反対に哀愁そのものがこれらのリズムを記憶に刻印する．

　歌手 Cesária Évora が歌い続けた哀愁漂う表現とは，まさにこれらの情感が身体から表出されたものである．反対に，彼女がカーボ・ヴェルデを背負って世を渡り歩いたその姿は，ポリティカルで，観光文化を構築した点でカーボ・ヴェルデに貢献した．

　上記した，島民を惹きつけるモルナの哀愁深い，歓喜的な力とは，モルナから表出される「メリスマ」と呼ばれる即興的発声に隠されている．カーボ・ヴェルデの人びとが価値を置くこの身体表現に，演奏者は刻印された記憶と情感を顕にする．その記憶とは，モルナの歌詞に綴られた歴史的背景やことば，社会状況などを現在の自分に照合させ，それを噛み砕いてから表に発する．これが，島民を惹きつけるモルナの身体表現であった．もちろん，それが全島民による行為というわけではない．しかし，メリスマの身体表現が現在もなお実践されていると考えれば，それは確かに島民をつうじて，そして島民によって育まれている表現方法である．

　カーボ・ヴェルデの人びとの場合，「クレオール人」が発生するプロセスや要因は，黒人と白人による混淆と接触，共生によって生成された産物であったことは，結論の冒頭で説明したとおりである．このように「クレオール人」が生成されたことで，クレオールと呼ばれる言語や文化が生まれ，カーボ・ヴェルデの人びとによるクレオールの言語や文化の構築が凄まじい速さで異質なものを認めて吸収する（すなわち，適応力と順応性である）．そしてその形を変換させ，表出させる．それは，モルナの変遷をつうじて明らかになったように，カーボ・ヴェルデの人びとが生きていくための手段である．また，このような変化の潜在性が「複合的核概念」(sodade, cretcheu, morabeza) という意識の中で「実在」し，クレオール・アイデンティティの形を常に変貌させるのである．現在，「実在」している形とは，「再表現的モルナ」に生じている現象同様，商業主義的側面においてあらわれている．つまり，*sodade, cretcheu, morabeza* は観光・商業として利用されながら「実在」している．このことは，島民が構築してきたモルナのほかにも，彼らの日常をともに生活することをとおして明らかになったことである．

「正の遺産」としてのクレオールの姿

　カーボ・ヴェルデの人びとは，クレオール・アイデンティティを奴隷制時代とコロニアリズム期に生まれた「負の遺産」に由来するものであると認めつつも，それを島民が共有できる媒体としてモルナを利用し，島民はモルナを「正の遺産」として構築していった．カーボ・ヴェルデの島々は，「正の遺産」が根づき，島民自らが拠り所とする「居場所」となったわけである．カーボ・ヴェルデの人びととその

中でモルナをもちいたことは間違いなく，それを「今・ここ」という場と空間で表現し，それは現在，観光文化と混ざり合いながら新たな「クレオール」のあり方を創造しようとしている．それがカーボ・ヴェルデ社会，文化における「重層性」ということばが意味するところである．

<u>本研究の学問的貢献と社会貢献</u>

　ここで示した結論は，われわれが生きる 21 世紀の現代に何をもたらすと言えるだろうか．この最後の問いを展望し，本論を終えることにしたい．

　本研究で論じたふたつの論，すなわちクレオール研究とモルナ研究を組み合わせたことで重要な視点が得られたと言える．これら双方を論じることによってひとつの共通点を見出した．それは，接触する空間・場所である．序論で述べたグローバリゼーションが進む現代において Cohen and Toninato (2010) の越境文化による接触 (*cross-cultural contact*) や田中／船山 (2011) のコンタクト・ゾーン（接触領域）は，今福が『クレオール主義』(2001) で示しているように，接触する「場所」を問題とし，江端 (1998) が論考している「地球人類学」や「トランスナショナリズム人類学」と関連させることができる．なぜなら，これらの「接触」というキーワードは，江端 (1998: 23) が述べているように，「トランスナショナリズム，トランスカルチュラリズム，グローバリゼーション［あるいはインターナショナリゼーション］といった相互に関係の深い社会文化的現象」と密接に結ばれているからである（［］は著者による補足）．

　そして場所論や接触論とは，クレオール──古谷 (2001) の場合は「異種混淆性」という語をもちいている──を研究の対象とした場合に必ず議論の的となる．また，「クレオール論」を見つめたときに，それが「接触論」や「場所論」についてみてから別の形へと変換ないし発信させることが可能であると思われる．別言すれば，結論で示したように，混質性を特徴とし，言語文化による適合性，そしてそこから形成される社会や文化構築という潜在能力を孕むカーボ・ヴェルデの「クレオール」は，現代社会の混乱を招いている大きな原因の根本的理解につながるのではないか．ここで言う現代社会の混乱とは，すなわち「異質なもの」（人や言語・文化など）と接触した場合に陥る異文化理解に対しての反射的に拒絶してしまう行為や反応，または排他的な考え方のことである．日本にかんして言えば，「グローバリゼーション」という曖昧な概念が飛び交う現在，鎖国のようなある種閉鎖的な時代ではなく，より開放的なはずであり，その結果別のオリジンを持つ親から生まれた「ハーフ」あるいは「ダブル」と呼ばれる人びとや日本生まれでオリジンが外国にある人びとが多くいる．しかし，彼らが直面する苦難の現状（アイデンティティ問題，帰属意識の問題，母語問題，いじめ問題など）はグローバリゼーションの趣旨とは反対の方向を示しており，実に大きな矛盾を孕んでいることが指摘できよう．それは混淆を基盤としている，カーボ・ヴェルデのクレオール文化，とりわけモルナの形

成や構築,継承について焦点をあてたときに,カーボ・ヴェルデの人びとが苦痛の「移住問題」や凄惨な奴隷制時代を乗り越えてきたように,われわれも同質性・異質性に対する壁を乗り越える方法を学ぶことができるのではないだろうか.

　本研究は,近年,世界の至るところで生じている深刻な問題(テロリズムや戦争,難民や移民問題,資源問題など)に関与しているあらゆる人びとの間に生じる「異文化接触の問題」の原因や混迷に対しての理解(異文化におけるコミュニケーション)に貢献する第一歩である.また,カーボ・ヴェルデ研究者が極めて少ない日本の学界においてカーボ・ヴェルデ研究の重要性および必要性,そして新たなクレオール文化研究の視座を提示した.これらのことを日本語で執筆したことで,日本におけるクレオール文化研究,カーボ・ヴェルデ研究,または人類学の学問分野に貢献できることを願う.

巻末資料（モルナの歌詞）

第 1 期　詩人 Eugénio Tavares の時代（19 世紀末〜20 世紀初頭）

1. *Brada Maria*

Bradei a Deus na noite escura e fria,
Na noite horrível da minha agonia.
E Deus ouviu-me lá dos céus sem luz
Como ouvira a Maria aos pés da Cruz.

Bradei na sombra
　 o meu perdido amor,
Senti sangrar meu coração de dor.
E erguendo a voz em pranto parcia
Que era uma estrela morta que gemia.

Eu era uma avezinha alegre e pura
Vivendo do gorgeio e da ternura;
Um dia viu-me um tredo caçador
Roubou-me a luz
　 e deu-me em troca dor.

Deixou-me a dor
de o ter e de o perder,
Deixou-me a dor de não poder morrer

Crucificada nesta esperança em flor
De ainda roubar o seu amor.

Sorveu num beijo toda a minha vida

E deixou-me caída toda esmaiecida.
Depois abandonou-me só na estrada
Morta como uma estrela já apagada.

1．『ブラダ・マリア』

陰鬱で寒い夜，神に向かって叫んだ
その酷い夜は私の苦悩であった．
神は光のない天から
私の声を聞いていた
　 マリアが苦しんでいたように．

暗闇の中で叫んだ
　 失ったあなたのことを
苦しき心が吐き出される気がした．
その声は高く，悲しげだった
その声は死んだ星の嘆きだった．

私は愉快で純粋な小鳥だった
ある日，
苦しみの代わりに
光を奪った猟師に
出会うまでは．

猟師は私に苦痛を与えた
惜別の苦痛を
猟師は，私に死ぬことさえ
　 許してくれない
その苦しみの希望を開花させよう
そして彼の愛を奪おう．

私の人生は
　 彼の口づけによって盗まれ
そして彼は私を色褪せた
光らなくなった星のように
道に見捨てられた．

Então bradei a minha mágua infinda   だから終わりのない苦しみを叫んだ

Até ao romper no céu a Aurora linda   美しい夜明けの空が沈むまで

E a minha honra lágrima perdida   失われた誠実な涙が枯れるまで響き,

Rolou e se reuniu no pó sem vida.   そして命のない塵として近寄り合う.

Se viesse um caçador sem bondade   悪い猟師が来たのならば,

Que o abandono   それも孤児の持つ光のように

é como a luz da orfandade,   見捨てられるのであれば,

Jamais desninharia   愉快な小鳥はもう二度と

alegres passarinhos   巣を作らないだろう

Para os lançar à lama dos caminhos!...   泥道を駆け抜けていくために！

2. *Unino*

Ó mamá alá um luzim ta bem na canal
Quel luzim ê paquete português
Qu'ta bem b'scá-m pa ta ba degredóde
p'Angola
Pá-mo dja-m matá

Ó mamá bôcê b'tá-me abença
Pamô djá-m matá
Quem matá
Tá mandode degredode p'Angola

Ó Nino m ca ta t'mobe abença
Pamó m ca era bô manhe
Simplesmente m era bô ama

Ó Nino, Nossa Senhora tá bençoóbe

Ba dispidi de bo madrinha
Bô flá-l pa enxugá sê boca
Pê-l p'tóbe na de bô

Ó mamá bô tâ rogá na pove

Pove ta rogá na sonte
Sonte ta rogá na Deus

Pá-m bai degredode
Pá-m torna bem.

2. 『集い』

母は海にある小さな明かりをみた
あれはポルトガルの前哨隊
われわれをアンゴラへ
連れて行くためにやってきた
われわれを殺すために

嗚呼，母よ
私を祝福してください
われわれを殺すためにやってきた
殺人者にアンゴラへ連れて行かれる

嗚呼，ニーノよ！
あなたを祝福できない
なぜなら私はあなたの母でないから
あなたを愛していただけ

嗚呼，ニーノよ！
　神が祝福してくださる
あなたの代母に別れを告げてきなさい
あなたは代母に告げ，口を拭いなさい
代母があなたを見られるように

嗚呼，母よ
　島人に祈ってください
島人は聖人に祈っていますから
聖人は神に祈っていますから

私が連れていかれても
無事に帰郷できるように.

3. *Serafim Jon*

Ó moço Serafim de nhô Jon
'M ti ta ba fla bu m'djêr
Bu tem um rapariga di casa posta

Ó moço Serafim de nhô Jon
Bu ca pa bô, bu ca pa bô m'djêr,
Cantamá pa um rapariga
de pé na sapote

３．『セラフィン・ジョン』

嗚呼，若者よ，セラフィン・ジョンよ
私は君の妻に話しに行くよ
君に娼婦がいることを話しに行くよ

嗚呼，若者よ，セラフィン・ジョンよ
君は，自分自身はおろか
君の妻さえ養うことができないだろう
靴を履いている娘がいるわけだから

4. *Mal de Amor*

Note ficha, mi só na caminho,
Mi só co Deus, ma co nha desgraça.
Lua na ceu ja negam sê graça;
Ja'n perdê fé de alcança nha ninho!

Oh mal de amor,
Ja bo matam!
Oh mal de amor,
Ja bo dixam.
Mi só nes dor,
Dor de ca tem
Alguem que q'rem,
Ai!
Oh mar de amor!

Oh bom de Deus que tchigâ na mi,
Pega 'n na mon bo leba 'n co geto...
Leba 'n co geto pa 'n ca caí,
Ca maguam ferida de nha peto...

Ca bo raza'n, ca bo da'n dotor,
É ca botica que ta cura'n:
Es mal de amor que sa ta mata'n,
Sê cura é morte, ou igual amor...

4．『愛の苦しみ』

夜になり，私は道に立っている
私には不幸と神がついている
夜空の月も幸福に見捨てられている
帰郷するための信じる力を失った！

嗚呼，愛の苦しみ，
あなたは私を苦しませる！
嗚呼，愛の苦しみ,
あなたは舞い降りる.
私は苦しい
誰も求めていない
この苦しみ
嗚呼！
海の愛よ！

嗚呼，神が私に近づく
私に手を差し伸べるために...
私が落ちないように私を連れていって
私の心の傷は治らない...

あなたは理性もなく，賢くもない
治癒してくれる薬舗もない
愛の苦しみは私を苦しませる
あなたの治癒は死であり，愛である...

5. *A Força de Cretcheu*

Ca tem nada na es bida

Mas grande que amor

Se Deus ca tem medida

Amor inda é maior.

Maior que mar, que céu

Mas, entre tudo cretcheu

De meu inda é maior

Cretcheu más sabe,

É quel que é di meu

Ele é que é tchabe

Que abrim nha céu.

Cretcheu más sabe

É quel qui crem

Ai sim perdel

Morte dja bem

Ó força de chetcheu,

Que abrim nha asa em flôr

Dixam bá alcança céu

Pa'n bá odja Nôs Senhor

Pa'n bá pedil semente

De amor cuma ês di meu

Pa'n bem dá tudo djente

Pa tudo bá conché céu

5．『*Cretcheu の力*』

この世に愛を超えるものはない

神の存在ははかり知れないが

愛は神を超える.

海よりも，空よりも大きい

ほかの *cretcheu* もあるが,

私の *cretcheu* はそれよりも大きい

もっとも優しい *cretcheu* は,

私の *cretcheu*

cretcheu こそが鍵であり,

私の空を開けてくれる.

もっとも優しい *cretcheu* は

私が求めるもの

嗚呼，もし *cretcheu* を

　失ってしまうならば

待つのは死のみだ

嗚呼 *cretcheu* の力よ,

私の羽を咲かせ

天まで届ける

神に会うために

神に生を授かるために

私のような愛を

皆に与えるために

皆が天を知るために

6. *Canção ao Mar: Mar Eterno*	6.『永遠の海——海への哀歌』
Oh mar eterno sem fundo sem fim	嗚呼，永遠の海，先がなく， 　　終わりがない
Oh mar das túrbidas vagas oh! Mar	嗚呼！激しい波の海
De ti e das bocas do mundo a mim	あなたとこの広大な世界
Só me vem dores e pragas, oh mar	私に深い悲しみと不幸を呼ぶ海
Que mal te fiz oh mar, oh mar	嗚呼，海よ 　　私はあなたに何をしたのだ
Que ao ver-me pões-te a arfar, a arfar	止まることなく荒れる海
Quebrando as ondas tuas	あなたの波は砕ける
De encontro às rochas nuas	むき出しの岩にあたって
Suspende a zanga um momento 　e escuta	怒りを少しの間抑え 　　耳を傾ける
A voz do meu sofrimento na luta	戦いの中で響く悲痛な叫び
Que o amor ascende 　em meu peito desfeito	敗れた心の中で 　　愛がそそのかす
De tanto amar e penar, oh mar	どれだけ愛し，悲しんだか
Que até parece oh mar, oh mar	嗚呼，海よ
Um coração a arfar, a arfar	苦しみ，戦う心よ
Em ondas pelas fráguas	絶え間ない波は岩にぶつかり
Quebrando as suas mágoas	苦悶を打ち砕く
Dá-me notícias do meu amor	私の愛する人が 　　何をしているのか教えて
Que um dia os ventos do céu, oh dor	あのときの空の風は 　　なんて悲しいことか
Os seus abraços furiosos, levaram	熱烈な抱擁を持っていき
Os seus sorrisos invejosos roubaram	渇望し，盗んだあの人の笑顔
Não mais voltou ao lar, ao lar	私のところへ戻ってくることはなく
Não mais o vi, oh mar	愛する人に会うこともなくなった

Mar fria sepultura
Desta minha alma escura

極寒の海は死であり，
私の魂は薄暗い

Roubaste-me a luz querida do amor
E me deixaste sem vida no horror
Oh alma da tempestade amansa
Não me leves a saudade e a esperança

私の大事な愛を奪い，
私を恐怖へと落とし入れた
嗚呼，平常な嵐よ
私の *saudade* と希望を
　持っていかないで

Que esta saudade é quem, é quem
Me ampara tão fiel, fiel
É como a doce mãe
Suavíssima e cruel

この *saudade* は唯一私を優しく
守ってくれたから
優しい母のように
優しすぎて，残酷すぎる

Nas mágoas desta aflição que agita
Meu infeliz coração, bendita!
Bendita seja a esperança que ainda
Lá me promete a bonança tão linda

今，私の悲しみは傷つき，
私の心が不幸である！
希望は私に生きる力を与え
麗らかで美しい愛を与える

7. *Despedida*

Es mágua de nha partida
El sâ tâ matam nha bida!
Se'n bai, ramede que tem,
E'n bai, 'n tornâ bem.

Mas es tristeza de'n bai,
De'n bai pa'n largâ nha Mai,
El ca triste comâ dor
De'n bai pa'n largâ nha Amor.

No cantâ co água na ôjo;
No bajâ co alma de nôjo:
Hora triste de partida
É hora de perdê bida.

7．『惜別』

旅立ちが辛い
人生が奪われるよう！
もし私が旅立つのなら，薬がいる
旅たち，喜びとともに帰郷する．

でもその旅立ちは
母を見捨てることになる
母は悲しくも辛くもない
旅立つことは愛を捨てることになる

われわれは涙目になって歌う
われわれは苦しむ魂（死者）を踊らす
旅立ちの悲しき時がきた
人生を失う時がきた．

8.　*Sodade de Quem Que'n Q're!*

De todo mágua des mundo,

Quel que é mas doce, mas fundo,

É quel que é dor a má fé:

É quel que tenem em pé:

É quel que ta doé más fundo:

Sodade de quem que'n q're!

Es corage de largâ

Nos luz, nos amor, nos fé,

É esperança de voltâ...

Cosé és? Quem que dam el?

Es amargo todo? Es mel?

Sodade de quem que'n q're!

8．『*Sodade* を想う人よ！』

この世にあるすべての苦しみ

より穏やかで深い苦しみ

それは不吉な苦痛

それは足元にある苦痛

それはもっとも苦しい苦痛

私が *sodade* を想う人よ！

勇敢である

希望，愛，運命

それは帰郷するための希望...

それは何か，誰がくれるのか

すべては苦痛なのか，

それとも癒してくれるのか

私が *sodade* を想う人よ！

9.　*Carta de Nha Cretcheu*

Carta de nhâ cretcheu

Contâ-me que mal qui-m fazê-bo

Qu'in ca tenê corage

Di lê noba runho qui bô fitchân' el

'M 'sperâ grandéza

Na carta qui bô 'screbê-me

'M ôtchâ sô tristeza

Sê fôro ê di luto, sê letra ê di dôr.

Na bô carta d'otrona

Era sô graça de amor

Mâ ês di hoje ê triste

Sê foro ê di luto, sê letra ê di dôr.

Ai nha tristeza

Q'rê qui d'jâ-n perdê tino

Min ca tenê certeza

S'ê mimi que morrê,

ô s'ê bô nha cretcheu

9．『*Cretcheu* からの手紙』

cretcheu からの手紙

私がどれだけあなたを

苦しませているか，教えて

私にはあたなからの手紙を
　　開く勇気がない

私は勇気が欲しい

あなたが私に綴った手紙

そこには悲しさしかなかった

あなたを覆っているものは死を示し
　　あなたからの手紙は苦しみそのもの.

あなたの昔の手紙

あったのは愛のありがたみだけ

でも今の手紙は悲しいだけ

あなたを覆っているものは死を示し
　　あなたからの手紙は苦しみそのもの.

嗚呼，この悲しさよ

途方に暮れたい

私にはわからなかった

私が死ぬべきなのか，

それとも cretcheu,
　　君が死ぬべきなのか

10. *Morna de na Nha Santa Ana*

Ja'n q'ré ojâ quem que cá tem,
Quem que cá tem cretcheu na es bida!
Pa más tanguido que corpo é,
Nos alma é libre, no tem que q'ré!

A mi, de meu, pa nha pesar,
Pa mal de todo nha pecado,
El prometem nabiu na mar,
El manda dam lancha encajado.

El tiram luz que Nhor Dês dam,
El dixam sombra de triaçam;
El lebam sol dês mocidade,
El xam co dor de nha sodade.

Se bo sentil ta bem pa traz,

Ó mar, bizam; bizam ó mar,
Pa'n ca sintal na nha ragaz;
Pa'n po alguem na sê lugar.

１０.『サンタ・アナへのモルナ』

私は見たい，この世に *cretcheu* が
いない人を見てみたい！
体は汚れているけど，われわれの魂が
自由であることを信じなければ！

cretcheu よ，
私にはたくさんの過ちがあるけれども，
海へ出ることを約束してくれ，
君は出航させてくれた．

神から与えられた光を奪われ，
影に裏切られた
優しさから明かりを呼んでくれ，
cretcheu は *sodade* とともに
　苦しみを残していった．

君が *cretcheu* を想っているならば，
　後戻りしておくれ
嗚呼，海よ！教えてちょうだい，
私が *cretcheu* を感じたいから
代わりに別の人を感じないためにも．

第 2 期　詩人 B. Léza の時代（20 世紀初頭〜20 世紀中葉）

11. *Morabeza*

Sol dispontá
Num leque radioso
Céu di Mindelo infeitá
Co sê vistido luminoso

Céu vistí de azul
Bordado di ôr
Mindelo di norte a sul
Vistí di fala e flôr

Gente di Mindelo
Nô abrí nôs broce
Nô pô coraçon na mon
Pa nô bem dá'l um abroce

Um abroce de morabeza
Dêss povo de São Vicente
Êss home de alma grande
Di rosto sabe e contente

１１.『*Morabeza*』

陽が昇る
扇形に光を照らしながら
光に身を包まれた
　　ミンデーロの空

青色を着た空は
金色に包まれる
ミンデーロは北から南まで花と話に
包まれる

ミンデーロの人は
腕を広げ
心を手にあてる
抱きしめるために

morabeza の抱擁
サン・ヴィセンテの島人
人びとの壮大な魂は
甘美的で嬉しそうな顔をしている

12. *Dor di Sodade*

'M tem um do na nha pêto
Dor di sodade, dor di profundo.
'M ca ta f'lâ ninguém êl.
Êss dor di meu, stâ magoá-m coração

Êss dor tâ doê tanto.
Tâ doê c'ma amor.
El tem-m fadigado.
Êss dor di meu, dor di cretcheu,

Êl tem-m tormentóde.
S'm incontrá nha cretcheu

'M tâ pidi-l ta tchorá
'M tâ pidi-l pá-l perdoâ-m
Pá-l amá-m, pá-l qu'rê-m tcheu,

Pá-l bem ser di meu.

１２．『*Sodade* の苦しみ』

心に痛みがある
sodade の痛み，深い痛み．
それは誰にも話さない．
それは私の痛みだから，
　　心の痛みだから

あまりにも痛む．
この愛と同じほどに．
不安に駆られる．
それは私の痛みだから，
　　cretcheu への痛みだから．

苦悩に満ちている
cretcheu に会えないから．

cretcheu に会えたら涙を流す
私を許しておくれ
cretcheu が愛してくれるためにも，
　　私を離さないためにも
私のものになるためにも．

13. *Mar ê Morada d'Sodade*　　　　　　１３．『海は *sodade* の居場所』

Num tardinha na cambar de sól　　　　　陽が沈む頃

Mi t'andâ na praia de Nantasqued　　　　ナンタスケドの浜辺を歩いていた

Lembrâ'n praia di furna　　　　　　　　フルナの浜辺を懐かしみ

Sodade frontâ'n 'm tchorâ　　　　　　　*sodade* が湧き起こる

　　　　　　　　　　　　　　　　　　　　そして私は涙した

Mar ê morada d'sodade　　　　　　　　　海は *sodade* の居場所

El tâ separá-no pâ terra longe　　　　　　海はわれわれを母国から遠ざける

El tâ separá-no d'nôs mãe, nôs amigo　　海はわれわれを親しき人から切り離す

Sem certeza di tornâ encontrâ　　　　　　いつ会えるかわからない

'M pensâ nâ nhâ vida mi sô　　　　　　　孤独の人生について考えた

Sem ninguém di fé, perto de mim　　　　善良な人は側にいない

Pâ'st'ôdjâ quês ondas　　　　　　　　　細波を見つめると

tâ'squebrâ de mansinho　　　　　　　　　親しき人を想いだし

Tâ trazê-me um dor di sentimento　　　　私に心痛を運んでくる

14. *Traiçoeira de Dakar*

Ca tem mas triste sodade
Sima ess di nha cretcheu
Minha di antiguidade
Ess lamentação ê sô di meu

Traiçoeira di Dakar
Traí-me nha cretcheu
Grande camin di mar
Fazê-me sodade tcheu

Ess lamento ca ê 'stranhado
Bô 'stá bai 'm ta ficá

１４．『ダカールの裏切り』

これほど切ない *sodade* はない
私の *cretcheu* ほど切ない *sodade* はない
昔を嘆き悲しむ
それは私の悲しみ

ダカールの裏切りは
私の *cretcheu* を裏切った
海の長い道のりは
私に *sodade* を一層漂わせる

私の涙には深い意味がある
あなたが去り，私が残るのだから

15. *Bejo di Sodade*

Ondas sagrada di Tejo

Dixá'm bejá bô água

Dixá', dabo um bejo

Um bejo di mágoa

Um bejo di sodade

Pa bô levá mar

Pa mar levá nha terra.

Na bo onda cristalina

Dixá'm dábo um beijinho

Na bô boca di minina

Dixá'm dabo um bejo, ó Tejo,

Um bejo di mágoa

Um bejo di sodade

Pa bô levá mar

Pa mar levá nha terra.

Nha terra é quel piquinina

É São Vicente qui é di meu

Aquel qui na mar parcê minino

Fidjo d'Oceano, fidjo di Cêu

Terra di nha manhe,

terra di nha cretcheu.

１５．『*Sodade* の接吻』

神聖なるテージョ河よ

水に接吻させておくれ

あなたに接吻させておくれ

悲しい接吻を

sodade の接吻を

共に海へ連れて行くために

私の故郷の海へ連れて行くためにも．

あなたの澄んだ波に

接吻させておくれ

女の子の唇に

接吻させておくれ

嗚呼テージョ河よ

sodade の接吻を

共に海へ連れて行くために

私の故郷の海へ連れて行くためにも．

私の故郷はあの小さな地

カーボ・ヴェルデは私の一部

海に比べると男の子のように小さい地

大西洋の息子，空の息子，

母の故郷

私の *cretcheu* な故郷．

16. *Brasil*

Bem conchê êss terra morena,
Onde cada criola ê um serêna.
Bem, qui nôs céu também ê di anil.
Êss nôs terra piquinino
É um pedacinho di Brasil.

Brasil...qui nôs tude tem na peito.

Brasil...qui nô tá sintí na sangue.

Brasil...bô ê noss irmão.

Sim c'ma nôs bô ê moreno.
Nô qu're-bo tcheu di coração.

Ventos qui tâ bem di sul
Ta trazê-no na sês canto
Acenos di Brasil.
Si nô câ tâ bai,
Ês câ tâ dixá-no sonho
Bô ê nôs sonho azul

１６．『ブラジル』

褐色なこの地を訪れてみて
穏やかなクレオールがいるこの地を.
いらっしゃい, ここの空は藍色だから.
われわれの小さな故郷は
ブラジルの一部だから.

ブラジルよ...
　あなたのすべてが
　われわれの心にはあるよ.

ブラジルよ...
　われわれの血から感じているよ.

ブラジルよ...
　あなたはわれわれの兄弟だから.

われわれはともに褐色だから
あなたを心の底から愛しています.

南からの風が
ブラジルの歌を運んできた
ブラジルの誘い.
われわれが行かなければ,
夢は訪れない
ブラジルよ,
　あなたはわれわれの素晴らしい夢.

17. *Praia d'Aguada*

N'ben de Praia d'Aguada
Azul de mar e de ceu
Trazê'n nha alma consolado
'N ben de pé de nha cretcheu.

Mar ê mudjer
N crê'l tanto cumâ nha cretcheu
Nadâ, margudjâ, dâ bejo tcheu

Mesmo na boca de mar.

Debaxo de mar azul
'N odjâ rotcha ta sangrâ
'N margudjâ 'n trazê na mon
Un coraçon de coral.

Criolas, ca nhos tem pena!

Es coraçan é un flor
Es coraçan de serena
Morto pobrinho de amor.

１７. 『プライア・ダグアーダ』[157]

水の砂浜へやってきた
海と空の蒼色はわれわれに
癒しの魂を運んでくる
cretcheu の元からやってきた.

海は女
女は *cretcheu* のように信じられる
潜っても何もない
　　たくさんの接吻を届ける
海の入口にすら.

青い海の下には
傷ついた岩がある
潜って手にとって戻る
サンゴの心を.

クレオールの女よ,
　　われわれは幸運だ！
その心は花である
その心は澄んでいる
可哀想な死んだ愛よ.

[157) 船の名前. 日本語では「水の砂浜」.

18. *Eclipse*

Lua raiá na azul di céu
Num nôte sereno di Abril
Sê luz spedjá na mar
Amá na rosto di nha cretcheu.

Nôte di luar di prata
Num céu bordado di stréla
Nôte qui bejá nha mulata
E a mi êl dixá-m
Sô co sê recordaçon

Era um nôte di poesia
Na céu
Nôte sonho e di amor
Celeste qui lua suma nêba fria
Raiá co splendor
Na rosto di nha cretcheu.

Dipôs lua toldá di neba
Mundo perdê sê ligria
Nôte mergudja na trèba
Morna perdê sê poesia

Sô um brisa lebe di amor
Ficâ tâ ondiâ na scuro
Naquel silêncio di dor
Que eclipse spadjâ
Num nôte di luar tam puro.

Nha cretcheu
Perdê sorriso di sê rosto
E aligria di moça faguêra
Pamô lua nôs companhêra
Tem hora di aligria
E hora di disgosto.

１８．『月食』

月は夜空に輝く
4月の落ち着いた夜空に
月光は海を照らす
cretcheu を愛している

夜に輝く銀色の月
溢れる星々
ムラータに口づけする夜空
彼は私に届ける
彼の想いを

あれは詩情の夜だった
天には
夢と愛が溢れていた
冷たい霧が覆い,
光を照らす
私の *cretcheu* の顔に.

月が霧に覆われると
世は陽気さを忘れる
夜は闇の中に飛び込む
そしてモルナは詩を忘れる

小風が愛を吹かし,
愛は暗い波の中で
あの苦痛の沈黙の中に潜む
それを月食が照らす
月光が澄んでいるある夜

私の *cretcheu* は
顔から笑みが消え
優しい娘の笑みが浮かぶ
月がともにいるから
嬉しいときも
うんざりするときもある.

19. *Miss Perfumado*

Djam q'rê morrê tâ sunhá
Na sombra d'ôdje maguado
Dum pequena gentil
De grupo "Perfumado"

Assim d'xám morrê, flor,

Na sombra dês bô odjinho;
Dixam morrê ta sunhá
Suma pombo na sê ninho.

Si pombo ê feliz na sê ninho
Amim tambémi mi ê feliz
Na sombra d'ôdje ama carinho
Di Miss "Perfumado".

１９.『ミス・ペルフマード』

夢を見ながらいなくなりたい
どうせ死ぬのなら
「ペルフマード」のグループという
優しい *cretcheu* を夢見ながら

「ペルフマード」よ，
　私は死んでしまってもいい
あなたが見つめる影で
夢を見ながらいなくなりたい
巣の中にいる鳩のように.

巣の中にいる鳩が幸せならば
私は幸せ
見つめる影には優しさがある
ミス「ペルフマード」の優しさが.

20.　*Um Vez Sãocente Era Sab*

Um vêz São vcente era sabe!

Um vêz São vcente era ôt côsa!

Quand sês amdjêr tá usábe

Um lênç, um chail côr da rosa,

Um blusa e um cónta d'coral;

Quand na sês bói "Nacional"

T'a mornód tê manhecê

E sem confiança nem abuse

Tá sirvid quel café

Ma quel "ratchinha" d'cuscus.

Quand pa Nossióra da Luz

Era um grande procissôn;

Quand ta cantód Santa Cruz

E tá colód pa San Jôn

Lá na Rbêra d'jilhôn;

Quand ta cutchid na plôn

Ta cantá na porfia,

Quand ta tchvêba e na pôrte

Tá vivid com más sôrte

E com más alegria.

Pôve ca tá andá móda agóra

Na mêi d'misćra, chêi d'fôme,

Ta imbarcá, ta ba 'mbóra,

Sem um papêl, sem um nôme,

Móda um lingada d'carvôn...

Era colhéta na tchon...

Era vapôr na bahia...

20.　『あの頃のサン・ヴィセンテは
　　　　良かった』

あの頃のサン・ヴィセンテは
　　良かった！

あの頃のサン・ヴィセンテは
　　違った！

妻はシーツやピンク色の服を着て

上着を羽織って

サンゴのネックレスまでしていた

男たちが愛おしいモルナを歌い，

人は喜んでいた

信用も喧嘩もなく，

コーヒーをすすり

クスクスのスライスを食べていた

ノッサ・セニョーラ・ダ・クルスは

われわれの生まれた場所

サンタ・クルスで歌っていた頃は

サンジョンを踊っていた

リベイラ・ジリョンで

乳棒を叩いていたとき

張り合って歌った

雨が降ったとき

港は幸運だった

喜びとともにしていた．

島人は今とは違う生活を送っていた

貧しくて飢えていたあの頃とは

あの頃は船で外へ行き，国を離れた

身分証明書も名前もいらなかった

ただ石炭を積んでいた...

あの頃は...

海に蒸気船が浮かんでいた...

Óm, na São vcente daquês dia,　　　嗚呼，あの頃のサン・ヴィセンテよ
Até gót d'Manê Jôn　　　　　　　　マネ・ジョンの猫ですら
Té ingordá na gemada!...　　　　　お菓子を食べてふくよかだった！

Pa tud êx d'morada　　　　　　　　中心街は
Era um data d'stranger!　　　　　外国人だらけ！
Era uma vida folgada,　　　　　　あの頃はすべてが簡単だった
Ciceróne, vida airada,　　　　　　お金の中で
Tá nadaba na dnhêr!　　　　　　　泳いでいたのだもの！

E d'nôt, sentód na Pracinha　　　夜にはいつもの広場で
Tá partid gónhe assim:　　　　　お金が入ったり出たり
"Chlin pa bô, chlin pa mim..."　　「君にチリン，僕にチリン...」
Hôje... ê têmp d'Canequinha...　　今日はただ貧しいだけ.

第 3 期 詩人 Manuel de Novas の時代（20 世紀中葉〜20 世紀末）

21. *Coração 'Scrabo*	２１.『奴隷の心』
Na morna ritrato di nôs alma	モルナはわれわれの心の姿
Nôs terra, tchabi di nôs coração	母国はわれわれの心の中にある
Nô ta cantâ co tudo alma	われわれは精神で唄う
Um grande hino de gratidão.	われわれの愛しい「国歌」を.
Gratidão pa quem qui bem	やってくる人への愛
Pa quem qui bem co morabeza	*morabeza* とともにやってくる人への愛
Pa-me bem pol si nomi também	やってきた人の名前をモルナに刻もう
Nês doce altar di nôs grandeza	優しさと寛大さとともに
Ó nhô Santiago protetor	嗚呼，聖サンティアゴよ，守護聖人よ
Dês ilha, nôs mãi, nôs pensar	この島，われわれの「母」，
	われわれの想い
Cõdjê na bu manto di amôr	あなたの愛溢れたマントで
	守ってください
Ês grande homi qui é Baltasar	バルタザールは偉大な人
Praia berço carinhoso	プライアは優しさが生まれた場所
São Vicente nôs céu sonhado	サン・ヴィセンテは夢の場所
Dôs irmons, dôs venturoso,	2 人兄弟で，幸せな 2 人
Na nôs coraçon retratado.	これがわれわれの心の絵
Quel mar rolante qui trazê-bo	海があなたを運び
Quel mar qui ta tornâ lebá-bo	海が私を連れて行く
Nôs morabeza ca ta prende-bo	われわれの *morabeza* はあなたを迎え
Má nôs coração é bô 'scrabo.	われわれの心はあなたを
	いつまでも待っている.

22. *Santo é Bo Nome*

Cretcheu di meu, sonte é bo nome
Deus qui fazebe na paraiso
Anjo di beleza nha devoção
Deusa imagem di nh'altar
Obra prima di criaçon
Bo é divina princesa
Bo invadime nha coraçon
Cu bo perfume bem feminino
Oh criolinha mimosa
Cretcheu di meu, sonte é bo nome
Bo é musa, morena di nha sonho
Tudo vez q'm ta sonha cu bo
Oh princesa querida
Céu ta brota poesia
Tude na nha vida
Um mundo di alegria

２２．『聖人とは君のこと』

cretcheu よ，聖人とは君のこと
天国から君を見守る神
美しき天使を信じるよ
僕が信じている女神よ
心の傑作
君は女神で王女
僕の心は君でいっぱい
君の女性らしい香りも溢れている
嗚呼，かわいらしいクレオール女よ
私の *cretcheu* よ
聖人とは君のこと
君はミューズ，僕の夢のモレーナ
君を夢みるたびに...
嗚呼，愛しき女王よ
天は詩の生まれるところ
僕の人生であり，陽気な日々

23. *Stranger ê um Ilusão*

Ó mar qui tá bai di norte pa sul

Falá'm qu'ês gente na Mindelo

Que ma stranger ê um ilusão

Pamô ês tchá d'armá castel no ar

Pamô ess vidinha di mar

Na stranger tá matá...

Ês pensá li na stranger ê um paraíso

Gente ta ganha d'nher sem culmisse

Sem tormento, sem cansera...

Ó mar, nha tistimunha singular,

Qui tá conchê nha sodade,

Ness vida di dificuldade

Pa nha cretcheu,

Fezê'm um grande favor

Levá'm um bejo di meu

E bô flá'm el co ardor

C'ma 'm tem levóde frio
   e amargura nêss vida

Longe di família,

sem sê bejo di quirida.

２３．『外国は夢想』

嗚呼，北から南へ吹く風よ

ミンデーロの人びとのことを
　　教えておくれ

外国は夢想だから

夢想の城を築いているだけだから

短い海の人生だから

外国は辛いよ...

彼らは外国が天国だと思っている

金はあるさ

苦しむことなく，疲れることもない...

嗚呼，海よ，
　　唯一見ていてくれている海よ

僕の*sodade*を理解してくれている海よ

この苦悩の日々

cretcheu のために

願いを聞いておくれ

cretcheu に僕の接吻を送っておくれ

海よ，*cretcheu* に熱意を送ってくれ

僕は人生の辛さと苦悩しか運べない

家族とかけ離れ，

君の優しき接吻もなくて．

24. *Fidju Maguod*

Nha terra bô ca ta imaginâ

Tristeza q'mi bo fidjo 'm ta senti,

Ora qu'm tôdjá-bo ta sofrê,

Nha alma ca ta podê resistí.

Má 'm tem fé na Nô S'nhor,

Qu'êss tristeza, ês dôr,

Sofrimento profundo,

Que ca tem ôto na mundo,

El ta cabâ um dia

Pâ nô sintí ligria

Pâ nô podê vivê

Sim c'mâ tude gente ta q'rê.

Lâ longe 'm ta rezâ co sentimento

De joêdjo 'm ta pedí Deus co amor

Qu'ê p'al cabá-bo qu'êss bô sofrimento

Pa ligria dêss povo sofredor.

２４.『苦しむ息子よ』

僕の地を想像できないだろう

僕と息子の悲しさ

君をみるともっと辛い

僕の心は限界だ.

でも神がついている

悲しみは痛み

苦痛なんだ

ほかの地にはない苦痛なんだ

いつかは終わるさ

嬉しさもなくて

生きることもできなくて

そう，みんなが感じているように.

遠くで心を込めて祈っているよ

跪き，愛を込めて神に祈っているよ

可哀想で苦しんでいる

この民に幸せを.

25.　*Sodade Tcheu*

Se tem alguem q't'amâ sê terra
Se tem alguem q'da se vida
P'ôdjâ se terra florescê,
P'ôdjâ se pove ta vivê bem.

El ta sofrê más que tudo gente,
Quand'el t'uví c'mâ
nôs terra ca tchuvê,
Quand'ês ta f'lá'l cmâ
Cabo Verde ca da nada
E q'sê pove ca ti ta vivê c'mâ el q'rê...

El ê alguem q'tude mundo conchê,
El ê alguem q'tude gente tâ djô-bê
El ê alguem q'tchomâ Manin Barreto
Ê fidjo de Cabo Verde,
fidjo di nôs terra.

２５．『溢れる *sodade*』

もし故郷を愛する人がいたら
もし一生懸命生きている人がいたら
栄えているその地を見てみたい
生き生きしているその民を.

誰よりも苦しんでいる
雨が降らないことを知ったとき
カーボ・ヴェルデが
不毛であることを話したら
島人が理想とかけ離れた生活を
送っている...

彼は誰もが知っている人
彼は誰もがみたことのある人
彼はマニン・バレトという人
彼はカーボ・ヴェルデの子,
彼はこの地の子.

26. *Gote Pintode*

Hoje tud gote pintode
Ê um compositor na nôs terra
Jas proveita viração d'historia
Jas forma ampanha
Pa bem sassina nôs musica
Co melodia robod
Na gente de poril
Na gente de porla

Se musica ê spedjo
Di cultura di um povo
Ca nôs fusila nos morna e coladera
Ca nô sassina cultura dess povo
Ca nô contraria
Espirito di Tavares e B. Léza

Si morna morrê
Nôs ligria ja caba
Ronco di violão
Nôs luar nôs serenata
Ta fca sepultado na noites di historia
Si cretcheu morrê
Cabo Verde tambê ja morrê

２６.『誰しもが』

今日，カーボ・ヴェルデでは
誰でも作曲家である
歴史が変わったのを機に，
時代にのっている
われわれの音楽を殺すために，
メロディーを盗んだ
ここの人びとから
あそこの人びとから

音楽は剣であり
われわれの文化である
決して，
モルナとコラデイラを融合させない
Tavares と B. Léza の精神に
逆らうことはない

もし，モルナがなくなったら
われわれの喜びもなくなる
ヴァイオリンの音，月の光，
セレナードは歴史の
暗闇へと葬られるだろう
もし，われわれの愛が死んだら
カーボ・ヴェルデも死ぬだろう

27. *Esse País*

Bem conchê, esse Mindelo piquinino

Bem conchê, sabura di nôs terra

Bem conchê, esse paraíso di cretcheu

Qui nôs poeta, cantá co amor

Na sês verso imortal criol

Quem cá conchê Mindelo

Cá conchê Cabo Verde

Bem disfrutá morabeza

Dess povo franco sem igual

Li nô ca tem riqueza

Nô ca tem ôr nô ca tem diamante

Ma nô tem, ess paz di Deus

Qui na mundo ca tem

E esse clima sábe qui Deus dóne

Bem conchê "Ess país"

２７．『この地』

見においで，この小さなミンデーロを

見においで，この地の美しさを

見においで，この *cretcheu* の天国を

詩人は愛を込めて唄う

永遠のクレオールの詩を

ミンデーロを知らない人よ

カーボ・ヴェルデを知らない人よ

morabeza を感じにおいで

自由なこの民を感じにおいで

そこに富などない

金もなければダイヤモンドもない

でも平和な暮らしと神がついている

それはほかの地にはない

神はこの最高の地を与えてくれた

「この地」を見においで

28. *Lamento d'um Emigrante*

A mi di criança
ês negâ-m direite d'existí
Na nha adolescença
'm ca tive direite d'instuí
Na nha madureza
ês qu'rê robá'm direite di sobrevivê
Oh!
Deusm o que há de ser de nha bidjiça!
Ao menos garantí-m um residença
Na "casinha branca"
Quónde 'm partí p'êss banda boxe.

Fórte de corrê munde
Estafóde e contente
Distino mêrêcido d'um emigrante
Cantiga de rotcha já câ ê d'morada.
Tonte trôfegá sem tocá-m nada
Fazem' um raizim di Sol támbém.
Deus perdoá-m
'M ta cansóde de tónte injustiça!
Já-m ca sabê lê
Já-m ca sabê screvê.

２８.『ある移民の嘆き』

僕は子供の頃から
彼らに存在を否定された
僕の青年期は
教育を受ける権利がなかった
僕が大人になったとき，
彼らは生きる権利を奪おうとした
嗚呼，
僕の老年期には何が待ってるだろう！
住むところくらいは保証しておくれ
「白い家」[158] くらいは
僕がこの世を去るときくらいは.

もう走りたくはない
疲れたけど幸せだから
移民が辿る運命だよ
冷酷な歌はもう家ではない
悪戯は僕に関係ない
太陽の仄かな光だって関係ない.
神は赦してくれた
こんな不平等な生活にはうんざりだ！
僕はもはや読むことさえ知らない
僕はもはや書くことさえ知らない.

---

[158] 墓のこと.

29. *Biografia di um Criol*

Ness mundo um'nascê	この地に生まれる
Tudo nu peladim	裸でいて
Um'bem ta espendé de tchôm	床に座り
Um'prendê sentá	椅子に座ることを覚えて
Um'prendê rastá	這うことを覚えて
És insinam andá na tchôm	歩くことを覚える
Num ambiente modesto	質素なところで
Pobre e feliz	貧しいけど幸せ
Ta bai de mon em mon um' criá	色んな人に抱っこされて
Bençoado pa nhôr Deus	神の祝福を受ける
Um' prendê sorri	笑うことを覚えて
Um'prendê tchmá mãe, ma pãe	「お母さん」，「お父さん」と
	泣き叫ぶことを覚える
Brincá, gritá e cantá	遊んで，叫んで，そして唄う
Depôs já grandim	成長して
Sabido falá	話すようになって
Pa escola ês mandame'bai	学校へ行くようになって
Bá prendê alê pa prendê contá	読み書きを覚えて
Prendê siná nha mome	自分の名前が書けるようになる
Na nha juventude	青年期になると
Tud era banal	何もかもが平凡
Na meio di bondade e amôr	優しくて愛情深い
Mundo era ote côsa	世の中はこんなものではなかった
Co gente diferente	こんな人は少なかった
Tinha menos maldade ma ódio	悪い人は少なかったけど
	憎しみはあった
Tempo bá ta corrê	時が過ぎ去るのは早い
Nha mundo bá ta mudá	この地は変わるだろう
M' sai pa strangêr	僕はこの地を去り，外国へ行った
Rodeód de fariseu	色んなところを回り
Na meio di fel ma sangue	憎しみと血があった
Um' tive sabe e margose	楽しく，灰色の人生

29.『クレオールの伝記』

Sete mar m' corrê	海を走り抜き
Tud sempre ta aventurá	すべては冒険だった
Na evolução da vida	人生が変わって
Ma preto ma branco	黒人も白人も
Um' conchê mundo intêr na trôte	世の中すべてを知った
Ta buscá progresso	前に進むように頑張り
Ta cumprí um distino	成し遂げる
Ness mundo cigano qui Deus dáme	神が与えてくれたこの放浪の世だけど
Ma um'ta sinti feliz	僕は幸せ
Di ter nascido caboverdiano	カーボ・ヴェルデ人として生まれて

30. *Sina de Cabo Verde*

Ess qu'ê nha terra, ê Cabo Verde,

Nhor Deus botá'l na mei di mar,
Navio di pedra tá buscá rumo
Sem podê otchá'l na sê lugar.
Oh mar azul abri'm caminho,
Falucho branco trazê'm nha carta
Povo sagrado, tchorá quitinho
Cretcheu na pêto, morna na boca

Si ca tem tchuva, morrê di sede

Si tchuba bem, morrê fogado

Gente sem sorte, ca tem ramede
Tchorá bô sina, tchorá maguado

Ess qu'é nha terra, é Cabo Verde,

Terra di morna, di lua cheia
Terra di Eugénio e serenata,
Qui mar ta cantá junto d'areia.
Ess qu'ê nha terra,
Nhor Deus qui dá'me

Ca tem mas sabe na mundo inteiro
Di sol mas quente, di luar mas brando
Di mar mas doce na coraçon

３０.『カーボ・ヴェルデの運命』

これが私の住む世界,
　　カーボ・ヴェルデ

神が海の真ん中に創った地
石船は己の道を探しに行く
見つけられないまま.
嗚呼,青い海よ,道を開いておくれ
帆船は手紙を持ってくる
聖なる民は静かに泣く
心に愛を秘めながら
　　歌声にモルナを秘めながら

雨が降らなければわれわれは
　　餓死してしまう
雨が降りすぎるとわれわれは
　　溺死してしまう
運がない人びと,治す方法はない
己の運命に苦しみながら涙を流す

これが私の住む世界,
　　カーボ・ヴェルデ

モルナの地,月光溢れる
Eugénio の地,それにセレナードの地
海が砂浜で歌う地.
これが私の住む世界,
神に与えられた地

この地より素晴らしい地はない
灼熱の太陽と美しい月
心打たれる優しい海

第 4 期　歌手 Cesária Évora の時代（20 世紀末～21 世紀初頭）

31.　*Petit Pays*	３１.『小さな祖国よ』
La na céu bô é um estrela	あの空に浮かぶ君は
Ki catá brilha	輝かない星
Li na mar bô é um areia	あの海に浮かぶ君は
Ki catá moiá	沈むことのない砂
Espaiote nesse monde fora	その世界から他世界へと分けられた
Sô rotcha e mar	岩石と海洋だけ
Terra pobre chei di amor	貧しい土地，愛情溢れる
Tem morna tem coladera	モルナとコラデイラとの出会い
Terra sabe chei di amor	心地よい土地，愛情溢れる
Tem batuco tem funaná	バトゥクとフナナとの出会い
Oi tonte sodade	あそこがなんて *sodade* なのだろう
Sodade sodade	*sodade*，*sodade*
Oi tonte sodade	あそこがなんて *sodade* なのだろう
Sodade sem fim	終わりなき *sodade*
Petit pays je t'aime beaucoup	小さな祖国よ
	君をとても愛しているよ
Petit petit je l'aime beaucoup	小さな，小さな祖国よ
	とても愛しているよ

32. *Nôs Morna*	３２.『われわれのモルナ』
Si bô crê uvi morna,	われわれの最高の音楽,
música raínha di nôs terra	モルナを聴きたくないのであれば,
Rancá bô tcha'm li, ness Cabo Verde	甘美で美しいカーボ・ヴェルデを 　離れなさい
suave e doce, nôs terra mãe	われわれの母なる地を
Inspiração di nôs poeta,	詩人のインスピレーションと
princesa di nôs serenata	セレナードの歌姫
Na noite serena di luar,	窓の下に映る *cretcheu*
dbóch d'janela dum cretcheu	静かな夜月の光
Na tchoradinha dum violão.	ショーロのヴァイオリンが 　奏でる中で.
Cabo Verde sem morna,	モルナがないカーボ・ヴェルデなんて
pa mim el ê terra sem sol sem calor	我が地に灼熱の太陽がないのと 　同じこと
Noiva sem grinalda,	花飾りのない花嫁
vitória sem glória dum povo cristão	栄光のない勝利
Bem bô d'zem bô nome,	名を言いなさい
se bô ê fidjo caboverdiano	あなたがカーボ・ヴェルデ人ならば
Bem nô junta voz,	声を合わせて,
nô bem cantá nôs morna.	われわれはモルナを歌う.

33.　*Esperança di Mar Azul*　　　　　　　３３.『蒼い海の希望』

Nunca no zanga　　　　　　　　　　怒りなんてしない

Nunca no tive um briga feia　　　　　　醜い争いなんてしない

Nunca no pensa na separaçon　　　　　離れることなんて考えない

Nunca no fri nos coraçon　　　　　　　心を傷つけることなんてしない

Deus ta leva-no sempre assim　　　　　神がいつも仕向けてくれている

Na paz amor e carinho　　　　　　　　愛と愛おしい平和へ

Na otra vida tem tempestade　　　　　別の人生には嵐があった

Vento do norte　　　　　　　　　　　北の風,

Vento do sul　　　　　　　　　　　　南の風

Ma sperança di mar azul　　　　　　　でも蒼い海には希望がある

É pa quem tem fé　　　　　　　　　　それは信じるものだけに与えられる

Na sê amor　　　　　　　　　　　　　あなたの心の愛の中で

34.　*Terra Longe*

Terra longe

Terra longe

Terra longe qui ca tem gente gentio

Pa comê gente

M'monta tal cavalinho

Um dia m'bai pa terra longe

Dja m'oia terra grande

Dja m'conxê terra mas sabe

Ma um dia da-m sodade

Di nha terra São Vicente

Ai m'bem salva nha mãe

Ness céu di anil

Qui ta cobri nos terra

Di terra longe

Di terra longe

Um dia m'bem ovi nos mar azul

Tchora na areia

M'bem uvi nos criolinha

Qui ta canta sima sereia

３４.『遠い地』

遠い地よ

遠い地よ

優しい人のいない遠い地よ

機会を得て

馬に乗って

いつの日かは遠い地へ行くよ

大きい地が見える

でもよりよい地を知っている

いつの日か *sodade* をくれる地を

サン・ヴィセンテ，僕の地の *sodade* を

そのときは母に挨拶しよう

僕らの大地を覆っている

藍色の空にも

遠い地から

遠い地から

いつの日かは蒼い海を見に行くよ

砂浜で泣いて

僕らのクレオール女も見に行くよ

綺麗な歌を唄っている彼女らに

35. *S'um Sabia*

S'um sabia

k'ma gente novo ta morrê cedo

m'ka ta perdê nha mascotim doirada

O mãe é um so ness mundo

Mãe ka bo tchora nada

Ka bo caba nada

Se pa no crê

　Rapazin d'São Vicente

No ta pô sete boina

　No ta camba Dakar

També se pa no crê

　Mnininha d'Soncente

　No ta fgi na vapor greco

　Né kel bai pa fund

３５.『もし知っていたら』

もし知っていたら

若者が早くに死んでいることを

僕はお守りを無くしてはいない

母はこの世にひとりだけ

お母さん泣かないで

お母さんには何を起きないから

われわれが行かなければならないの

　サン・ヴィセンテの青年よ

行く準備は整った

　ダカールへ行くよ

行かなければならないの

　サン・ヴィセンテ島の少女よ

　ギリシア人の船に乗って逃げるよ

船に乗って早くここを

　去らなければならない

36. *Lua Nha Testemunha*

Bô ca ta pensá, na nha cretcheu,
Nem bô ca ta imaginá

C'má longe di bô m tem sofrido.
Perguntá la na céu
Lua, nha companhera di solidão.

Lua, vagabunda di spaço,
Qui ta conchê tudo nha vida,
Nha desventura.
Êl qui tâ contóbe, nha cretcheu,
Tudo o qu'm tem sofride
Na ausência e na distância.

Mundo tem rolado co mi
Num jogo di cabra-cèga
Sempre tâ perseguí-m
Pa cada volta qui mundo dá
Êl tâ trazê-m um dor,
Pá-m tchigá más pa Deus.

３６．『私がみた月』

君はもう私たちの *cretcheu* について
考えなくなってしまった
思うことすらなくなった

距離が離れ，どれだけ苦しんだことか.
空の月に聞いてみておくれ
月は私が孤独なときの付き添い.

宇宙をあてもなくさまよう月
月は人生についてすべて知っている
私の災難.
cretcheu に告げられた不幸な出来事
君がいないことが苦しい.
君はいない，君は遠くへいるから

世は私と「鬼ごっこ」[159] で
　遊んでいる
止まることなく，私を追いかける
世のひとつひとつの出来事は
また苦しみを生む
それは神により近づくため.

---

[159] *cabra-cèga* はカーボ・ヴェルデの子
供の遊び.

37.　*Luiza*

Cretcheu di nha vida dispertá

Bem odjá um nôte di luar di ôr

Cordâ cretcheu, bô bem sem medo

Êss serenta, poema di amor.

Luíza cordâ bô bem sem medo

Bem revelá-m tudo bôs segredo

Bô vida ê flor aberto assim

Mi perto di bô, bô perto di mim.

Êss nosso amor nascê di um loucura

Mim pam vivê é só di bô carinho

Ma di bô sorriso e di bô ternura

Si ês faltá'm mi djá'm morrê.

３７．『ルイーザ』

離ればれになった *cretcheu* よ

金色に輝いている月を見においで

起きて私の愛しき人よ

　怖がらずにおいで

このセレナータは愛の詩だから

起きてルイーザ，怖がらずにおいで

君の秘密をすべて教えてよ

君の人生はこんなにも

　花開いているのだから

僕は君の近くにいるよ

　君は僕の近くにいるよ

僕らの愛は熱中の最中で生まれた

僕は君としか生きられないよ

君の微笑みは君の優しさ

それが無くなれば

　僕はこの世から去るよ．

38. *Destino Negro*

Dixam cantabo ness morninha
Tristeza di nha vida
Sem consolança dum mãe querida
Sem um doce olhar dum moreninha

Qui sina trista tão profundo
Q'm'ta destinado pa sofrê
Ness nha mundo d'amargura
Nha vida é so dor ma tortura
Antes m'crê morrê
Pam ca sofrê mas ness mundo

３８.『黒い宿命』

この愛らしいモルナを唄わせて
人生の悲しさを
お母さんの慰めなんていらない
愛おしいモレーナの甘い目線なんて
　　　いらない

この悲しさは深く，深すぎる
苦しむことは宿命だ
この世の厳しさ
僕の人生は苦しさと拷問
前はこの世からいなくなりたかった
もう二度とこの世で苦しまないために

39. *Nha Testamento*   ３９.『私がみたもの』

Nha corpo é di tchon   私の肉体は土のもの
nh'alma é di Deus   私の魂は神のもの
Vida é di meu coraçon é pa bô   人生は私のもので心はあなたのもの
Passado 'm ca esquecê'l   過去は忘れない
presente 'm ta vivê'l   現在は今生きている
F'turo 'm ca conchê'l   未来は知らない
pensamento é so pa bô   私の思考はあなたのもの

Traz d'horizonte foi sonhe sonhode   地平線の向こうには
                                                 明日のない夢がある

Margura d'vida pon pé na tchon   人生の辛さは私を地に戻した
Mi nha bussola ta encravóde   羅針盤は壊れ
Mi nha sina nascê ma mi   運命は私と共に生まれた
Sima tcheia na ribera   川が氾濫している
'M ca ta quei na mesmo asnera   また同じ過ちは犯さない
'M cré sabura d'um cantadera   歌人のような喜びが欲しい
N'um serenata sem janela   窓のないセレナードで

Sem tristeza pa nha bera   悲しむことがない，満月の続く長い夜
N'um grandi noite di lua cheia   世とその疲労をそっとさせる
'M ta tcha munde q'sê cansera   あなたの衣服をください
Bô ta dà-me bô ragôçe qué pa nha ceia   聖餐式に行くために

Na dispidida 'm ca cré margura   別れに悲痛さはいらない
Nem sôdade d'um vida sonhode   夢みた生活の *sodade* すらない
'M cré ligria d'um vida vivide   良い人生という喜びが欲しい
Embalode n'ondas di distino   運命の波に揺られながら

40. *Separaçon*

Separaçon, separaçon
Cretcheu ta bai
Cretcheu ta ficá
Sodadi[160] ta pertanu na distância

Si bu pensá na partida
Bo ta crê ficá
Violão ta tchorá
Bo ta canta bo mágua
Bo ta ba tchorá na solidão

Hor di bai
Êka di oji
Nu bem na otchal
Nu ta bai nu ta dixal
Sem ninguém custuma cu el

４０．『さようなら』

さようなら，さようなら
cretcheu が入ってしまう
cretcheu は残るよ
距離があっても
　　sodade が抱きしめてくれるよ

君が去ることを考えるのなら
残りたいのであれば
ギターは涙するだろう
君は唄うだろう，君の辛さを
孤独の中で君は泣くだろう

時がきた
生まれる前から決まっていた
いかなければならないことは宿命
われわれは去り，君を置いていくよ
誰も慣れやしない

---

160) 原文では *sodadi* と記されている.
これは，サンティアゴ島のクレオール
語である.

第5期　「再表現的モルナ」の時代（21世紀初頭〜現在）

41. *Ná Ó Minino Ná*　　　　　　　　４１.『ナ・オ・ミニーノ・ナ』

Ó rosto doce di odju maguado	辛い目の甘い眼差し
Es bo cudado botal pa traz	悩みなんて捨てなさい
Nhor Dês ta danu bida di paz	神が安らかな人生を与えてくれる
Ó nha pecado di odju maguado	辛い目，僕の過ち
Ná, ó minino ná	ナ・オ・ミニーノ・ナ
Sombra rum fuji di li	不吉な陰はあっちへゆけ
Ná, ó minino ná	ナ・オ・ミニーノ・ナ
Dixa na fidjo dormi	私のこどもを寝かせてください
Sono di bida, sonho di amor	人生は夢，愛の夢
Ou graça ou dor, ês é nos sorti	辛いおかげです，幸運です
Si Deus más logo mandanu morti	神が私たちを早死にさせる
Quem qui tem medo ta morrê cedo	恐れる人は早死にする
Toma nha ombro, encosta cabeça	私の肩にもたれなさい
Djan dabo pêto, ama ragaz	胸にも膝にももたれなさい
Ó espirito doce ca bo tem pressa	嗚呼，愛情深い魂よ，落ち着きなさい
Deta co geto, durmi na paz	ゆっくりおやすみ，
	ゆっくり安らぎなさい

42. *Deusa*

'M amá'm vivê enganádo

Pa um amor que foi nha desgraça

Má hoje 'm ta feliz e amádo

Pa um Deusa di belèza e graça

Qui tem mimo na sê olhar

E doçura na sê falar

Êss Deusa é nha sonho

El ê anjo di nha consolação

Djunto del nha vida ê risonho

Pamó nha cofre ê sê coração

Assim 'tâ pidí Deus na Céu

Pál djudám co bô nha Deusa d'amor

Pál conservábo sempre di meu

Sem sofrê nês mundo di dôr

Pál guardâ nôs amizade

Num círculo de felicidade

４２.『女神』

私は間違った人生を愛しています

不幸な人生を愛しています

今日が幸せです

　愛されています

美しく，幸福な女神に

その目には愛があります

そのことばには愛があります

女神は私の夢

私を慰めてくれる天使です

ともにすることで幸せになります

私の財産は女神の心です

そうして天に向かって神に祈るのです

神の愛が私を助けてくれるように

私を守ってくれるように

この辛い人生で苦しまないように

友情を守ってくれるように

幸せが訪れますように

43. *Segunda Geração* 　　　　　　　４３.『次世代』

Kab Verd ta longe 　　　　　　　　カーボ・ヴェルデはとても遠い
Nha realidáde 　　　　　　　　　　本当は
foi transferido... 　　　　　　　　　連れて行かれた...
Pa terra longe 　　　　　　　　　　遠い地の果てへ
M'nascê...na clima más frio 　　　　私は生まれた...
Dum país ocidental. 　　　　　　　　より涼しい大西洋の国で.

Nha pai ma nha mãe 　　　　　　　　父と母は
Guardá sês tradição 　　　　　　　　伝統を守ってきた
Es fazêm senti 　　　　　　　　　　私に感じさせるために
Sodade num morna 　　　　　　　　モルナから感じる *sodade*
Prova sabôr dum katchupa 　　　　　カチュパを味わう
Konscê nós morabeza 　　　　　　　われわれは *morabeza* を知っている
Mi é um kriolo 　　　　　　　　　　私はクレオール
Um kriolo emigród 　　　　　　　　移住してきたクレオール
Di segunda geração 　　　　　　　　次世代のクレオール
Ki ka kré perdê 　　　　　　　　　私は自分のアイデンティティを
Sê identidadi. 　　　　　　　　　　失いたくないクレオール
Ma m'ta respeitá 　　　　　　　　それを敬っている
Terra qu'acolhêm 　　　　　　　　歓迎してくれる地
M'ta integrá 　　　　　　　　　　その地とひとつになり,
M'ta prendê vivê 　　　　　　　　この地で生活する
Na sê sociedadi. 　　　　　　　　その社会で

Kab Verd é tão perto 　　　　　　　カーボ・ヴェルデはとても近い
Quond m'ta falá 　　　　　　　　　話しているときは
Nha kriolo 　　　　　　　　　　　私のクレオールは
Cheio d'sotaque estrangêr 　　　　外国語の訛りばかり
Kab Verd é também é d'meu 　　　　カーボ・ヴェルデも私の一部
M'têm dent d'mim 　　　　　　　　私の中に在る
M'nascê na terra longe 　　　　　遠い地で私は生まれた
Ma m'tem herança 　　　　　　　　私はクレオールの民という宝物を
D'nha povo kriolo 　　　　　　　　持っている
M'nascê na terra longe 　　　　　遠い地で私は生まれた
Ma m'tem herança 　　　　　　　　クレオールの民という
D'nha povo kriolo 　　　　　　　　宝物を持っている

Mi é um kriola	私はクレオール
Um kriola emigród	移住してきたクレオール
Di segunda geração	次世代のクレオール
Ki ka kré perdê	私は自分のアイデンティティを
Sê identidadi.	失いたくないクレオール
Ma m'ta respeitá	それを敬っている
Terra qu'acolhêm	歓迎してくれる地
M'ta integrá	その地とひとつになり，
M'ta prendê vivê	この地で生活する
Na sê sociedadi.	その社会で
Kab Verd é tão perto	カーボ・ヴェルデはとても近い
Quond m'ta falá	話しているときは
Nha kriolo	私のクレオールは
Cheio d'sotaque estrangêr	外国語の訛りばかり
Kab Verd é tambémé d'meu	カーボ・ヴェルデも私の一部
M'têm dent d'mim	私の中に在る
M'nascê na terra longe	遠い地で私は生まれた
Ma m'tem herança	私はクレオールの民という宝物を
D'nha povo kriolo	持っている
M'nascê na terra longe	遠い地で私は生まれた
Ma m'tem herança	私はクレオールの民という宝物を
D'nha povo kriolo	持っている
M'nascê na terra longe	遠い地で私は生まれた
Ma m'tem herança	私はクレオールの民という宝物を
D'nha povo kriolo	持っている

44. *Rainha d'Estrela*

Onte bôtava drete ma mi
Dirrapente bô tá bem fla'm
Já bô ca crê más

Nha sofrimento ê bô
Nha pensamento ê bô
Nha doração ê bô
Nha convicção ê bô
Depois bô passa na mi
Cada vez qui bô passa
Bô ê mais benita
Dixam dora na bô
Nha calor ê bô
Dixam beja na bô
Nha sodade ê bô

Rainha d'estrela
Ja'm crê bem falá má el
Pa'm pergunta quem bô ê
Q'ta turturam assim
Qui ta mata sem bô amor
Na solidão
Num mundo largo

４４.『星の女王』

昨日までは私と気が合っていた
そしてあなたは突然口を開く
私が必要ない，と

あなたは私を苦しませる
考えることすべて
私の熱愛は君のもの
私の信念は君のもの
あなたは私の横をとおりすぎる
みる度に美しい
愛させておくれ
抱きしめさせておくれ
私の温もりは君のもの
私の口づけは君のもの
あなたは私の *sodade*

星の女王
あなたと話したい
そして向かう
私を苦しめるあなたは誰なのか
私に愛情を示さないあなたは誰なのか
広大な世の中で
孤独を感じる

45. *Sodade di Longe*

Dia e nôte

Ta pensá na bô

Dia e nôte

Nha coração ta doem

Di tanto amabo

Bô longe di mim

Cura ca tem

P'ess sodade sem fim

Sodade di longe

Quem ta valial

So mi ma Deus

Nês nha dor

Djam sabê c'ma ramêd 'm ca tem

Co pasciência 'm ta 'spera

pa bô n'nha amor

４５．『**遠くからの** *sodade*』

朝から晩まで

君を想う

朝から晩まで

僕の心が痛む

君を愛しすぎて

君は遠くて

癒すことができない

終わりのない *sodade*

遠くからの *sodade*

sodade を見つめるのは

僕と神だけ

私の苦悩

僕には薬がないのさ

辛抱強く

君に愛が届くことを願っているよ

46.　*Tchoro Quemode*

Nhas irmon p'ra la

Mi p'ra li oi

M ba detá 'm ca pude dormi

Sês fome doe-me 'm ca pude c'me

Sês tchoro quema-me fazê-me sofrê

Tudo quel sabura é fingimento

P'ess vida dura falta's alento

'M espiá pa seu 'm quriz razá

Ma ja ca tem cretcheu qu'ta podê salvá

Oh qu'es rotcha nu

Cheio d'esperança

Oh quel mar azul

Ta tchorá sodade

４６.『干からびた涙』

兄弟たちはあそこにいる

私はここにいる

私は横たわったが眠られない

彼らの空腹は私を苦しませる
　私は食べられない

彼らの涙は私を燃やす

余るということはない

辛い人生には助けがないもの

だから過ちのために祈る

だが，愛はもう見つけられない

嗚呼，あのはげた岩山

希望が溢れる

嗚呼，青い海よ

sodade のために涙をこぼす

47. *Partida é um Dor*　　　　　　　４７. 『旅立ちは辛い』

Até ki ponto pode bai	どこまでいけるだろうか
Es nôs sofrimento	辛いんだ
Até ki ponto pode sai	どこまで離れられるだろうか
Es pressentimento	胸騒ぎがするんだ
Quando la longe	遠くへいる
La longe di alguém	人と離れている
De tudo ki hoje	今日もまた
Nôs fé nôs bem	神がついている
Partida é um dor ki ta constrange	旅立ちは宿命という辛さ
Um largura ispas so na nôs coração	心の中だけに大きな穴ができる
Sentimento de amor	その穴には限りない
ki tudo ta abrange	愛情が溢れている
Num amargo abraço de separaçon	切なく痛む別れの抱擁
Até quando npode volta	僕が戻るまで
Enigma sem tchabe	鍵はいらない
Até quando nu pode odja	再会できる日は
So Deus e ki sabi	神だけが知っている
So amizade	友情だけだよ
Amizade ke forte	友情こそが強いんだ
Mas ki sodade	*sodade* よりも
Eso cruel morte	残酷な死よりも

48. *Flor di Bila*

Flor di bila ê bô sô morena
Perto ou longe bô ê nha pensar
Abri bô peite ca bo tem cudado
Pa mô tcham cre bu
um ca podê esquece bu

Corda morena na som des morna

Pensa na mim na nha tristeza
Djudam tchorá nha triste sorte
Bu bem djudam cumpri cu ess nha sina

Um ta espera tê qui nhor Deus crê

 Cu fé e esperança di bo ser di meu
Pam dau carinho pa bo dam sô mimo

Ca sô ness bida ma também na céu

Sê pam stá vivo pam sta triste
Mam crê c'odjam cu luz di ceu
A mim dess bida djam dispidi
Ma sim morre um crê encontrá paz

４８.『サンフェリペの花』

町の花は君だよモレーナ
近くても遠くても君を想っている
心を開いて，心配いらないよ
君が欲しいから
君を忘れられないから

起きて私のモレーナよ
モルナの音で起きて

僕の悲しみを感じておくれ
嬉しい涙を流したいんだ
僕の宿命なんだ，こっちへきておくれ

神が見守っててくれるまで
　待っているよ
君がくることを信じてるよ
愛情を見せたいんだ
だから優しさを見せておくれ
この人生だけでなく
　天へ昇ってからもずっと

僕が生きていて，悲しかったら
天へ昇る方がマシさ
もうこの世とはもうお別れだ
もし死んだら
　あの世では安らぎを感じたい

49. *Tristalegria*

M'ta lembrá quel casinha
ondê que m'nascê
M'ta lembrá,
quel janelinha plamanhã sol spretá
Ques florzinha bronc ma encarnod
c'orvalho e chuva
Quel brisa fresca na madrugada,
m'ta lembrá

M' ta lembrá quês amigos
que junt no criá
M' ta lembrá quês peripécias
que sem maldade no fazê
Ques mnininhas d'olhar
sereno sempre mimosas
Ques serenatas na madrugada,
m'ta lebrá

Cabo Verde, nha alegria
Cabo Verde, nha tristeza

４９．『悲しさと喜び』

私が生まれた，
あの小さなお家を
覚えてるよ
太陽の光が光っていた，
あの窓も覚えてるよ雨のしずくで白く
なっていた，
あの小さな花も
夜明けの涼しげな風も覚えているよ

一緒に育った友達を
覚えているよ
いつも，悪事はせずに波乱な
生き方をしていたことも覚えているよ
かわいらしい瞳をしていた
いつまでも幼い女だった
夜明けのセレナータも
覚えているよ

カーボ・ヴェルデの嬉しさ
カーボ・ヴェルデの悲しさ

50. *Bartolomeu Dias*	５０.『バルトロメウ・ディアス』
O mamã dejam tchora	嗚呼，お母さん，もう泣いてしまった
Sodade de nha cretcheu,	*cretcheu* への *sodade*
Sodade daquele qui embarcá	船に乗っていってしまった
	あの子への *sodade*
El despidi pa mar i ceu	海と空へのお別れ
El levam nha coração	*cretcheu* に
	気持ちを伝えてくれるだろう
El dejam se comfissão.	*cretcheu* は祈ってくれるだろう.
Bartolomeu	バルトロメウ
Dja levam nha marujinho	船乗りがやってきた
El dejam sima fodjas caidas	枯葉を置いて
Na hora di dispidida.	惜別の時だ.
Djam pedi nossa Senhora Da Luz	神に祈ります
Pa companham Bartolomeu	バルトロメウがついていますように
Pa levam el na salvamento	危険がおしよせてこないように
Pal vira mar um lagoa	湖のように
	穏やかな海でありますように
De baia de Porto Grande	ポルト・グランデから
Até porto de Lisboa	リスボンまでの海が

引用文献

青木敬（2013）『歌謡モルナに見られるカーボ・ヴェルデ人の文化的アイデンティティー』京都外国語大学大学院外国語学研究科修士論文.

青木敬（2015a）「カーボ・ヴェルデにおける歌謡モルナの類型論的考察」*Anais* 45: 53–71.

青木敬（2015b）「カーボ・ヴェルデのクレオール音楽」鈴木裕之／川瀬慈（編）『アフリカン・ポップス——文化人類学からみる魅惑の音楽世界』明石書店, pp. 22–49.

市之瀬敦（2000）『ポルトガルの世界——海洋帝国の夢のゆくえ』社会評論社.

市之瀬敦（2004）『海の見える言葉ポルトガル語の世界』現代書館.

市之瀬敦（2010）『出会いが生む言葉クレオール語に恋して』現代書館.

今福龍太（2001）『クレオール主義』青土社.

江端一公（編）（1998）『トランスカルチュラリズムの研究』明石書店.

小川了（2010）『セネガルとカーボ・ヴェルデを知るための60章』明石書店.

金七紀男（2003）『ポルトガル史（増補版）』彩流社.

九鬼周造（1987）『「いき」の構造』岩波文庫.

ベルナベ, ジャン, シャモワゾー, パトリック, コンフィアン, ラファエル（1997）『クレオール礼賛』恒川邦夫訳, 平凡社 (Bernabé, J., Chamoiseau, P., Confiant, R (1993). *Éloge de la Créolité*, Paris, Éditions Gallimard).

田中雅一／船山徹（編）（2011）『コンタクト・ゾーンの人文学』第1巻, 晃洋書房.

ビッカートン, デレク（1985）『言語のルーツ』筧壽雄／西光義弘／和井田紀子訳, 大修館書店 (Bickerton, D (1981). *Roots of Language*, Ann Arbor, Karoma Publisher).

西谷修（2001）「〈クレオール〉の多義性」『総合文化研究』(4): 98-108.

古谷嘉章（2001）『異種混淆の近代と人類学——ラテンアメリカのコンタクト・ゾーンから』人文書院.

三浦信孝（編）（1997）『多言語主義とは何か』藤原書店.

三浦信孝／糟谷啓介（編）（2002）『言語帝国主義とは何か』藤原書店.

ショダンソン, ロベール（2000）『クレオール語』糟谷啓介・田中克彦訳, 白水社 (Chaudenson, R (1995). *Les Créoles*, Paris, Que Sais-Je? No. 2970).

トッド, ロレト（1986）『ピジン・クレオール入門』田中幸子訳, 大修館書店. (Todd, R (1974) *Pidgins and Creoles*, London, Routledge and Kegan Paul).

Alfama, J.B (1910). *Canções Crioulas e Músicas Populares de Cabo Verde*, Lisboa, Imprensa Comercial.

Almada, D.H (2006). *Pela Cultura e pela Identidade em Defesa da Caboverdianidade*, Praia, Instituto da Biblioteca Nacional e do Livro.

Andrade, E.S (1996). *Les Îles du Cap-Vert de la «Découverte» à l'Indépendance*

Nationale (1460–1975), Paris, L'Harmattan.

Aoki, K (2016a). Construction of a Creole Identity in Cabo Verde: Insights from *Morna*, a Traditional Form of Music, in *Inter Faculty* 7: 155–172.

Aoki, K (2016b). A Social History and Concept Map Analysis on *Sodade* in Cabo Verdean *Morna*, in *African Study Monographs* 37 (4): 163–187.

Araújo, C., R. Abreu (2011). A Importância da Emigração na História Cabo-Verdiana. In (Mayra, G.S. & L.L. Pedro, eds.) Boletim Observatório dos Países de Língua Oficial Portuguesa, 21, pp. 6–9. Online. (http://www.oplop.uff.br/sites/default/files/documentos/ boletim_oplop_21.pdf).

Arends, J., P. Muysken, N. Smith (1995). *Pidgins and Creoles: An Introduction*, Amsterdam/Philadelphia, John Benjamins.

Baptista, M (2002). *The Syntax of Cape Verdean Creole: The Sotavento Varieties*, Amsterdam/Philadelphia, John Benjamins.

Boudsocq, S (2009). *Cesaria Evora: Appelez-moi Cize*, Quercy, City.

Brito-Semedo, M (2006). *A Construção da Identidade Nacional: Análise da Imprensa entre 1877–1975*, Praia, Instituto da Biblioteca Nacional e do Livro.

Baleno, I.C (2001). *Povoamento e Formação da Sociedade*, in Albuquerque, L. de, M.E. Santos Madeira, *História Geral de Cabo Verde, Volume 1*, Segunda Edição, Lisboa/Praia, IICT/INIC.

Carreira, A (2000). *Cabo Verde: Formação e Extinção de uma Sociedade Escravocrata*, Terceira Edição, Praia, IPC.

Cardoso, P.M (1983). *Folclore Caboverdiano*, Lisboa-Paris, Solidariedade Caboverdiana.

Chantre, T., D. Stoenesco (2006). *Petite Anthologie du Cap-Vert: Archipel de Poèmes et de Chansons*, Paris, Evenements Trouvillais.

Cohen, R., P. Toninato (eds.) (2010). *The Creolization Reader: Studies in Mixed Identities and Cultures*, London, Routledge.

Couto, H.H (1992). *Lançados, Grumetes e a Origem do Crioulo Português no Noroeste Africano*, in d'Andrade, E., A. Khim, *Actas do Colóquio sobre "Crioulos de Base Lexical Portuguesa"*, Lisboa, Colibri.

Cruz, F.X (1933). *Uma Partícula da Lira Caboverdeana: Mornas Crioulas Inspiradas por Saudades Sofrimentos e Amores*, Praia, Minerva de Cabo Verde.

Cruz, E.L (2010). *O Peso da Música na Cultura Cabo-Verdiana*, in *Simpósio Internacional sobre Cultura e Literatura Cabo-Verdianas (Mindelo, 23 27. 11.1986)*, Praia, Instituto da Biblioteca Nacional e do Livro.

Davidson, B (1989). *The Fortunate Isles: A Study in African Transformation*, Trenton (New Jersey), Africa World Press.

Dias, J.B (2010). Sentimentos Vividos: Experiências com a Música Caboverdiana, in *Música e Cultura* 5: 1–12.

Dos Santos, Y (2006). *Ildo Lobo: A Voz Crioula*, Lisboa, SeteCaminhos.

Duarte, M (1999). *Caboverdianidade e Africanidade e Outros Textos*, Mindelo, Spleen.

Garcia, J.C., V. L.G. Rodrigues, M.M.F. Torrão (2010). *Ilhas, Portos e Cidades: Cartografia de Cabo Verde (Séculos XVIII-XX)*, Lisboa, IICT.

Gonçalves, C.F (2006). *Kab Verd Band*, Praia, Instituto do Arquivo Histórico Nacional.

Grecco, F.M.F (2010). A Alma Caboverdeana Através do Livro Mornas de Eugénio Tavares, in *Cadernos Cespuc* 19: 103–111.

Grecco, F.M.F (2011). A Modinha e o Lundu Brasileiros e a Morna Cabo-Verdiana: Estudos e Comparações, in *Revista África e Africanidades* 4 (14/15): 1–11.

Grecco, F.M.F (2012). Os Pilares da Música Popular Brasileira e Cabo-Verdiana: Modinha, Lundu e Morna, in *Revista Brasileira de Estudos da Canção* 2: 290–311.

Green, T (2010). The Evolution of Creole Identity in Cape Verde, in Cohen, R., P. Toninato (eds.) *The Creolization Reader: Studies in Mixed Identities and Cultures*, London, Routledge.

Hoffman, J (2007). O Papel da Independência, da Emigração e da *World Music* na ascensão ao Estrelato das Mulheres de Cabo Verde, in Grassi, M., I. Évora (ed.) *Género e Migrações Cabo-Verdianas*, Viseu, Instituto de Ciências Sociais da Universidade de Lisboa.

Holm, J (1988). *Pidgins and Creoles Volume 1 Theory and Structure*, Cambridge, Cambridge University Press.

Holm, J (1989). *Pidgins and Creoles Volume 2 Reference Survey (Vol.2)*, Cambridge, Cambridge University Press.

Holm, J (2000). *An Introduction to pidgins and Creoles*, Cambridge, Cambridge University Press.

Lesourd, M (1995). *État et Société aux Îles du Cap-Vert*, Paris, Karthala.

Lièvre, V., J.Y., Loude (1999). *Cap-Vert: Un Voyage Musical dans l'Archipel*, Paris, Passe du vent.

Lima, A.G (2002). *Boavista, Ilha da Morna e do Landú*, Praia, Instituto Superior de Educação.

Lima, M (1992). *A Poética de Sérgio Frusoni: Uma Leitura Antropológica*, Lisboa, Instituto de Cultura e Língua Portuguesa/Instituto Caboverdiano do Livro e Disco.

Lopes, J (1929). *Jardim das Hespérides*, Lisboa, J. Rodrigues.

Matras, Y (2009). *Language Contact*, New York, Cambridge University Press.

Martins, V (1988). *A Música Tradicional Cabo-Verdiana-I (A Morna)*, Praia, Instituto Cabo-Verdiano do Livro e do Disco.

Monteiro, C.A (2003). *Manel d'Novas: Música, Vida, Caboverdianidade*, Mindelo, Autor.

Monteiro, C.A (2011). *Música Migrante em Lisboa: Trajectos e Práticas de Músicos*

Cabo-Verdianos, Lisboa, Mundos Sociais.

Monteiro, J.F (1987). *Música Caboverdeana: Mornas de Francisco Xavier da Cruz, Jorge Monteiro, Eugénio Tavares*, [publisher not identified].

Monteiro, V (1998). *Les Musiques du Cap-Vert*, Paris, Chandeigne.

Nogueira, G (2005). *O Tempo de B. Léza Documentos e Memórias*, Praia, Instituto da Biblioteca Nacional e do Livro.

Nogueira, G (2013). Tradição Versus Inovação na Música em Cabo Verde: Luta de Gerações, Espaços ou Ideias?, in *Revista Brasileira de Estudos da Canção*, 3: 69–93.

Nogueira, G (2015). *Batuku de Cabo Verde: Percurso Histórico-Musical*, Praia, Pedro Cardoso Livraria.

Nornonha, M.T (2007). *A Saudade—Contribuições Fenomenológicas, Lógicas e Ontológicas*, Lisboa, Imprensa Nacional-Casa da Moeda.

Novak, J.D (2006). *The Theory Underlying Concept Maps and How to Constuct and Use Them*: http://www.uibk.ac.at/tuxtrans/docs/TheoryUnderlyingConceptMaps-1. pdf（アクセス日：2016 年 1 月 22 日）.

Osório, O (1998). *Uma Literatura Nascente: A Poesia Anterior a Claridade,* in (ed.) Veiga, M., *Cabo Verde Insularidade e Literatura*, Paris, Karthala.

Peixeira, L.M.S (2003). *Da Mestiçagem à Caboverdianidade: Registos de uma Sociocultura*, Lisboa, Colibri.

Pereira, D (2006). *Crioulos de Base Portuguesa*, Lisboa, Caminho.

Pina, L.J (2011). Cabo Verde: Expressões Ibéricas de Cultura Política, Morabeza e Cordialidade, in *Confluenze*, 3 (2): 237–253.

Quint, N (1997). *Les Îles du Cap-Vert Aujourd'hui*, Paris, L'Harmattan.

Quint, N (2000). *Le Cap-Verdien: Origines et Devenir d'une Langue Métisse*, Paris, L'Harmattan.

Ribeiro, M. C., S. R. Jorge (2011). *Literaturas Insulares Leituras e Escritas: Cabo Verde e S. Tomé e Príncipe*, Porto, Edições Afrontamento.

Rodrigues, M., I. Lobo (1996). *A Morna na Literatura Tradicional: Fonte para o Estudo Histórico-Literário e a Sua Repercussão na Sociedade*, Mindelo, Instituto Caboverdiano do Livro e do Disco.

Semedo, J.M., M.R. Turano (1997). *Cabo Verde: O Ciclo Ritual das Festividades da Tabanca*, Praia, Spleen.

Silva, A.F (2005). *Aspects Político-Sociaux dans la Musique du Cap-Vert aux XXème Siécle*, Trad. Monteiro, V.N, Mindelo, Centre Culturel Portugais/ICA.

Silva, A.F (2009). *Retalhos da Música Afro-Luso-Brasileira Volume I: Quejas, Tchufe e Lobo-Reis Crioulos do Samba, Fado e Morna dos Anos 30*, Praia, Instituto da Biblioteca Nacional e do Livro.

Stewart, C (ed.) (2007). *Creolization: History, Ethnography, Theory*, Walnut Creek,

Left Coast Press.

Tavares, E (1932). *Mornas Cantigas Crioulas*, Lisboa, Rodrigues, J. & Cia Editores.

Tavares, M.J (2005). *Aspectos Evolutivos da Música Cabo-Verdiana*, Praia, Centro Cultural Português/IC Praia.

Thomason, S.G., T. Kaufman (1988). *Language Contact, Creolization, and Genetetic Linguistics*, Berkeley, University of California Press.

Victória, S.S (2007/2008). *Geologia de Cabo Verde*, São Vicente, Instituto Superior de Educação.

辞書・辞典

亀井孝／河野六郎／千野栄一 （1989）『言語学大辞典　世界言語編（上）』vol 1, 三省堂.

Brown, L (1993). *The New Shorter Oxford English Dictionary on Historical Principles*, Oxford, Clarendon Press.

De Holanda, A. B (1986). *Novo Dicionário de Língua Portuguesa*, Rio de Janeiro, Nova Fronteira.

Ferreira, A (1999). *Novo Aurélio O Dicionário da Língua Portuguesa Século XXI Terceira Edição*, Rio de Janeiro, Nova Fronteira.

Garcia, H., A. Nascentes (1980). *Caldas Aulete Dicionário Contemporâneo da Língua Portuguesa Terceira Edição*, Lisboa, Delta.

Gwinn, R.P (1988). *The New Encyclopedia Britannica Volume 3, 15th edition*, Chicago, Encyclopedia Britannica Inc.

Larousse, P (1960). *Grand Larousse Encyclopédique*, Paris, Larousse.

Moliner, M (1989). *Diccionario de Uso del Español*, Madrid, Gredos.

Porto Editora (2011). *Dicionário da Língua Portuguesa*, Porto, Porto Editora.

Real Academia Española (2014). *Diccionario de la Lengua Española*, Madrid, Real Academia Española.

Rougé, J. L (2004). *Dictionnaire Étymologique des Créoles Portugais d'Afrique*, Paris, Karthala.

Robert, P (1992). *Le Robert Dictionaire de la Langue Française*, Paris, Le Robert.

Silva, D (2004). *De onde vêm as palavras*, São Paulo, A Girafa.

Tavares, A., T.C. António (2002). *Dicionário Actual da Língua Portuguesa*, Porto, ASA.

Teixido, S. (2008). *Cesaria Evora: La Diva du Cap-Vert*, Paris, Demi-Lune.

Zingarelli, N (2005). *Lo Zingarelli Vocabolario della Lingua Italiana*, Bologna, Zanichelli.

ディスコグラフィー

Gabriel Mendes (2012). *Um Renovo Musical*, Coit Music.

Homeno Fonseca (2006). *Mornas de Santo Antão*.

Nancy Vieira (2011). *No Amá*, Harmonia.

Neuza (2013). *Flor di Bila*, Harmonia.

Zé Luis (2012). *Serenata*, Lusafrica.

インターネットサイト

Canção ao Mar: https://www.youtube.com/watch?v=qVTPAUT-gS8
　　　　　（アクセス日：2015 年 11 月 30 日）.

Dicionário do Aurélio Online: https://dicionariodoaurelio.com/crioulo
　　　　　（アクセス日：2016 年 11 月 2 日）.

Lima, A. G (2005). *EUGÉNIO TAVARES: contribuição para a investigação histórico-cultural da sociedade cabo-verdiana*: http://bdigital.cv.unipiaget.org: 8080/jspu i/bitstream/10964/151/1/Texto%20E.Tavars.pdf
　　　　　（アクセス日：2015 年 11 月 16 日）.

O Leme: http://www.leme.pt/biografias/pusich/
　　　　　（アクセス日：2015 年 11 月 30 日）.

The World Bank (2017): http://www.worldbank.org/en/country/caboverde
　　　　　（アクセス日：2017 年 2 月 16 日）.

Abstract

Creoleness of Cabo Verde:

The Transition of *Morna* and the Formation of a Creole Identity

KAY AOKI

Kyoto University

The study of creole cultures is becoming steadily more prominent in the fields of anthropology and cross-cultural studies (i.e. Cohen and Toninato 2010; Stewart 2007). As 'creole' designates the production of a mixed language, ethnicity and culture, its study can, therefore, provide an important perspective on various aspects of inter-linguistic, racial and intercultural problems.

The present study will focus on Cabo Verde as these islands can be considered an important area of creole given that from a group of uninhabited islands in the fifteenth century, one hundred years or so later they had grown into one of the first creolized areas of the world. In the case of Cabo Verde, it is important to clarify how the creole identity was developed. However, there are few studies on Cabo Verdean culture. With regard to the creole areas of the world, research on a specific creole culture could lead to a deeper understanding of how a new culture is formed, or the way by which a people create and develop their unique culture. This thesis seeks to comprehend the complex identity of the people of Cabo Verde as it developed over their history of settlement and colonial rule to post-independence and the present day.

In order to address this problem, we took the musical genre, the *Morna*, as our main focus of study. This for the two reasons that, firstly there was an early form of *Morna* with the development of the slave trade as Cabo Verde became colonized, secondly and more especially, because it is the only traditional cultural manifestation found in every single island of Cabo Verde where each island has its own traditions, language, culture and history. As we shall discuss, the *Morna* was produced through contact and interaction between the different races, different classes, different cultures of the people brought to Cabo Verde and consequently can show how the people of Cabo Verde moved towards a fluid but stable identity: a creole identity.

However, to approach an analysis of the creole identity of Cabo Verde it is necessary to have an understanding of the history as well as the social, economic and cultural situation of the Islands, positioning the *Morna* and its evolution within this context. Chapter one gives an overview of the geographic, economic and cultural situation in the nine inhabited islands of Cabo Verde. Chapter two examines the different interpretations of the term 'creole' in Portuguese (*crioulo*), French (*créole*), English (*creole*), Spanish (*criollo*) and Italian (*creolo*). Chapter three discusses the heterogeneous nature of the society of the islands of Cabo Verde: from discovery and settlement to the forming of a society with regard to race, class and role; the creation and evolution of a creole language. Chapter four presents the typology of *Morna* with an analysis from its beginnings to the present day, separating the movement into six periods of development. Chapter five analyzes the lyrics of *Morna*, especially with regard to the three key sentiments expressed by the people of Cabo Verde: *Sodade, Cretcheu, Morabeza*. It discusses the lyrics diachronically according to the periods outlined in the previous chapter. Chapter six examines the transition of *Morna* through an analysis of the three key sentiments of *Sodade, Cretcheu* and *Morabeza* using Concept Maps.

To explain the structure of creole identity, it is necessary to consider when and how the language, the ethnicity and the culture were formed. Linguists remark that the creole language was already spoken in the fifteenth century (Quint 2000) or sixteenth century (Couto 1992). The historian Basil Davidson (1989) notes that the 'Cabo Verdeans' were formed around the 1700s. Finally, the cultural manifestation of *Morna* appeared only towards the end of the nineteenth century, after the abolition of slavery. In Cabo Verde, music was a prominent element of the cultural expression. *Morna* spread to every island with the works of the poet Eugénio Tavares, the musical genre brought the people together under a common consciousness of *Sodade* and *Cretcheu*. Furthermore, the lyrics were written in the creole language by Tavares thus establishing the written language. Other musicians of other periods, such as B. Léza, Manuel de Novas, Cesária Évora, inherited these two key expressions of *Sodade* and *Cretcheu*, with B. Léza introducing a third key expression, that of *Morabeza*. Thus, the *Morna* containing the three key expressions, played an important role in establishing the creole identity of the people of Cabo Verde. In undertaking a diachronic analysis of the transition of *Morna* and its key expressions, it is possible to see a pattern in the way the people of Cabo Verde construct their creole identity. In fact, it would appear that the key expressions can be interpreted not only as an expression of sentiments but also as an element in the construction of a multilayered creole identity. These multilayers are fluid and flexible which we argue can be considered as a characteristic of the creole identity of the Cabo Verdean people.

京都大学アフリカ研究シリーズの刊行にあたって

　京都大学アフリカ地域研究資料センターは、1986 年に我が国初の総合的なアフリカ研究機関として設立されたアフリカ地域研究センターを前身とする研究機関です。設立以来、アフリカ地域を対象とする学術研究の拠点として、アフリカセンターの愛称で親しまれてきました。

　現代アフリカは、自然、社会、文化、政治、経済等、すべての領域で大きな変貌をとげつつあります。地球上でアフリカの占める位置とその果たす役割はますます重要になっていくと予想されます。アフリカの存在意義がさまざまな場面で問われようとする時代にあって、私たちはアフリカと向き合い、アフリカについて学びつつ、同時代人として共に生きるという姿勢を常に保っていきたいと考えています。

　このような想いのもと、若きアフリカ研究者が京都大学で続々と育っています。本シリーズは、意欲的な若手研究者たちの緻密なフィールドワークと斬新な分析による研究成果を広く世に問うことをめざし、アフリカセンターの設立 25 周年を記念して 2010 年度京都大学総長裁量経費（若手出版助成）の支援をうけて創刊されました。

2011 年 2 月
京都大学アフリカ地域研究資料センター

青木 敬

1988 年茨城県生まれ。2013 年京都外国語大学大学院外国語学研究科修了
（言語文化学修士）。2016 年京都大学大学院アジア・アフリカ地域研究研究
科アフリカ地域研究専攻博士課程修了。博士（地域研究）。2009 年よりク
レオール語研究に関心をよせ始め、2011 年からはカーボ・ヴェルデの音楽
文化研究を行っている。現在、京都大学大学院アジア・アフリカ地域研究
研究科特任研究員。

Kay Aoki

Kay Aoki is a researcher at Graduate School of Asian and African
Area Studies, Kyoto University. Born in 1988 in Ibaraki, Japan. He
studied Portuguese language and cultures of Lusophony at Kyoto
University of Foreign Studies (Master of Arts in Foreign Languages
and Cultures, 2013) and African area studies in Kyoto University
(Doctor of Area Studies, 2016). Since 2011, he conducts
anthropological research on traditional music of Cabo Verde.

表紙の写真は、著者が 2013 年 10 月にカーボ・ヴェルデ北西部に
位置するサント・アントゥン島の港街、ポンタ・ド・ソルで調査
していたときに撮影したものである。この絵は街壁の落書きであ
り、島民が伝統音楽を演奏し、踊っている風景が描かれている。

京都大学アフリカ研究シリーズ　018

カーボ・ヴェルデのクレオール
—歌謡モルナの変遷とクレオール・アイデンティティの形成—

2017 年 3 月 21 日　初版発行
著者　青木 敬
発行者　松香堂書店
発行所　京都大学アフリカ地域研究資料センター
〒606-8503　京都市左京区吉田下阿達町46
TEL：075-753-7800
Email：caas@jambo.africa.kyoto-u.ac.jp